10
18

12, AVENUE D'ITALIE. PARIS XIIIe

Sur l'auteur

Né à Washington D.C. en 1944, Armistead Maupin passe ses premières années en Caroline du Nord. Après avoir servi dans la marine au Viêt-nam, il s'installe à San Francisco en 1971. C'est en 1976, dans les colonnes du quotidien *The San Francisco Chronicle* – renouant ainsi avec une vieille tradition littéraire du XIXe siècle –, qu'il commence à publier ses *Chroniques de San Francisco* : elles connaissent un succès immédiat. Puis, avec leur publication sous la forme d'une série de six romans, traduits dans toutes les langues et adaptés à la télévision, un événement local s'est transformé en véritable phénomène international. Armistead Maupin a depuis écrit deux autres romans, *Maybe the moon,* et *Une voix dans la nuit.* Il vit et travaille toujours à San Francisco.

Pour plus d'informations, vous pouvez visiter le site Internet « 28 Barbary Lane Online » : www.talesofthecity.com

ARMISTEAD MAUPIN

NOUVELLES CHRONIQUES DE SAN FRANCISCO

Traduit de l'américain
par Pascal LOUBET

10
18

« Domaine étranger »

dirigé par Jean-Claude Zylberstein

Du même auteur
aux Éditions 10/18

Chroniques de San Francisco (t. 1), n° 3164
▶ Nouvelles chroniques de San Francisco (t. 2), n° 3165
Autres chroniques de San Francisco (t. 3), n° 3217
Babycakes (t. 4), n° 3257
D'un bord à l'autre (t. 5), n° 3283
Bye-bye Barbary Lane (t. 6), n° 3317

Maybe the moon, n° 3384

Titre original :
More Tales of the City

ISBN 2-264-02996-X

Note de l'éditeur

Ce roman contient, naturellement, une multiplicité de références — pour la plupart intraduisibles — propres à la culture américaine et à l'époque des années soixante-dix. Nous en avons volontairement gardé beaucoup — en anglais — dans l'espoir qu'une telle démarche favorise le dépaysement du lecteur et son immersion dans l'univers de San Francisco. Notre souci constant a néanmoins été de bien veiller à ce qu'elles ne constituent en aucun cas un obstacle au plaisir de la lecture.

Dans le même esprit, nous avons tenu à garder sous sa forme originale l'épigraphe choisie par l'auteur, laquelle se révèle difficilement traduisible de façon satisfaisante.

Enfin, nous remercions Tristan Duverne pour sa contribution à l'édition de cet ouvrage.

Pour Ken Maley

As the poets have mournfully sung,
Death takes the innocent young,
The rolling in money,
The screamingly funny,
And those who are very well hung.

W. H. AUDEN

Cœurs et fleurs

La carte de Saint-Valentin était une œuvre personnelle, un collage d'angelots victoriens, de fleurs séchées et de papier rouge clinquant. En la voyant, Mary Ann Singleton poussa de petits piaillements de ravissement :

— Mouse ! C'est magnifique. Mais où as-tu déniché ces jolis... ?

— Déplie-la, dit Michael avec un grand sourire.

Une fois ouverte, la carte, qui était de la taille d'un magazine, révélait un message en caractères Art nouveau : MES RÉSOLUTIONS POUR LA SAINT-VALENTIN. Au-dessous se trouvaient des lignes vierges numérotées de un à dix.

— Tu vois, expliqua le jeune homme, t'es censée les remplir toi-même...

Mary Ann se baissa et lui fit un petit baiser sur la joue.

— Je suis si perturbée que ça ?

— Plutôt, oui ! Mais je ne perds pas mon temps avec les gens équilibrés. Tu veux voir ma liste ?

— Tu ne confonds pas avec le Nouvel An ?

— Nan ! Celles du Nouvel An, c'est de la roupie de sansonnet : ne plus fumer-boire-manger, etc. Celles-là, ce sont les... tu sais... les résolutions cesoir-ou-jamais, aujourd'hui-je-change-de-vie, les vraies de vraies.

Il prit une feuille de papier dans la poche de sa chemise Pendleton et la lui tendit :

LES TRENTE GLORIEUSES DE MICHAEL TOLLIVER POUR 77

1. Je ne dirai plus jamais à un type « Ma chérie » ou « Mec », quelle que soit son allure.
2. Je cesserai de penser que les femmes qui m'apprécient sont forcément des filles à pédés.
3. Je cesserai de m'imaginer qu'un jour je rencontrerai Superman au sauna.
4. Je ne prendrai plus de poppers.
5. Je ne passerai pas plus d'une demi-heure dans les douches à la gym.
6. Je ne me demanderai plus quelle couleur de bandana je dois choisir, à supposer que je veuille en porter un.
7. Je paierai un verre à de vieilles folles de temps en temps.
8. Je cesserai de penser que les beaux mecs finissent toujours par se révéler bêtes et chiants.
9. Je donnerai mon vrai prénom dans les petites annonces.
10. Je me remettrai à la religion en allant aux concerts de la Grace Cathedral.
11. Je ne draguerai pas à la Grace Cathedral.
12. Je ne voterai pour personne lors de l'élection de Miss Trav' San Francisco.
13. Je me lierai d'amitié avec un hétéro.
14. Je ne me moquerai pas de la façon dont il marche.
15. Je ne lui parlerai pas d'Alexandre le Grand, d'Oscar Wilde et de Michel-Ange.

16. Je ne voterai pas pour les politiciens qui utilisent le terme « communauté homosexuelle ».
17. Je ne pleurerai pas quand Mary Tyler Moore disparaîtra du petit écran.
18. Je ne me la mesurerai pas, quel que soit celui qui me le demande.
19. Je ne cacherai pas ma poudre antimorpions.
20. Je n'achèterai ni polo Lacoste, ni oreiller Marimekko, ni veste de facteur aux puces, ni T-shirt *All-American Boy,* ni pendentif lame-de-rasoir, ni aucun accessoire en jean.
21. J'apprendrai à manger tout seul et à aimer ça.
22. Je ne fantasmerai plus sur les pompiers.
23. Je ne dirai plus à ma famille que si je ne suis pas fiancé, c'est que je n'ai pas encore trouvé la fille de mes rêves.
24. Je porterai un costume quand j'irai sur Castro Street et je me sentirai bien dedans.
25. Je ne ferai plus mes imitations de Bette Davis, Tallulah Bankhead, Mae West ou Paul Lynde.
26. Je ne mangerai pas plus d'une seule glace It's-It en une soirée.
27. Je me trouverai acceptable.
28. Je rencontrerai quelqu'un de bien, seulement ce ne sera ni dans un bar, ni au sauna, ni à la patinoire, et je tomberai amoureux de lui, follement, mais pas comme une folle.
29. Mais je ne lui dirai pas que je l'aime tant qu'il ne me l'aura pas dit, lui...
30. ... Tu penses bien que non !

Mary Ann posa la feuille et regarda Michael.

— Tu en as pris trente. Pourquoi tu ne m'en as donné que dix ?

— Les choses sont moins dures pour toi, dit-il avec un sourire narquois.

— Ah, tu crois ça, espèce de phallocrate !

Elle s'attaqua à la carte avec un feutre et remplit les quatre premières lignes.

— Tiens, s'exclama-t-elle, regarde *ça,* déjà !

1. Je rencontrerai l'Homme de ma Vie cette année.
2. Il ne sera pas marié.
3. Il ne sera pas homo.
4. Il ne tournera pas de films pornos avec des mineurs.

— Je vois, énonça Michael malicieusement. On repart à Cleveland, c'est ça ?

Retour à la case départ

Non, elle ne retournerait pas à Cleveland. Elle ne se précipiterait pas à la maison pour retrouver papa et maman. En tout cas, *ça,* au moins, c'était sûr. Malgré toutes ses épreuves, elle se plaisait à San Francisco et elle aimait sa famille adoptive de la vieille pension de Mme Madrigal sur Barbary Lane.

Alors, qu'est-ce que ça pouvait faire qu'elle soit toujours secrétaire ?

Et qu'est-ce que ça pouvait faire qu'elle n'ait pas encore rencontré l'Homme de sa Vie... ni même l'Homme d'une Nuit ?

Et qu'est-ce que ça pouvait faire que Norman Neal Williams, la seule et unique presque histoire d'amour qu'elle ait connue au cours de ses six premiers mois ici, se soit révélé un détective privé qui s'adonnait aux films pornos avec des mineurs et avait fini par trouver la mort en tombant d'une falaise le soir de Noël ?

Qu'est-ce que ça pouvait faire si elle n'avait jamais trouvé le courage d'en parler à personne, mis à part Mouse ?

Comme dirait ce dernier : « Y a pas grand-chose qui soit aussi merdique que Cleveland ! »

Mouse, elle s'en rendait compte, était devenu son meilleur ami. Lui et sa colocataire un peu planante, mais adorable, Mona Ramsey, étaient ses mentors et ses copains. Ils la guidaient tout au long de son initiation, tantôt glorieuse, tantôt harassante, dans cet univers aventureux qu'était San Francisco.

Même Brian Hawkins, le serveur obsédé par le sexe dont les avances l'avaient autrefois importunée, commençait depuis quelque temps à faire quelques tentatives, maladroites mais réconfortantes, pour conquérir son amitié.

Maintenant, ici, cette vieille baraque croulante envahie par le lierre au 28 Barbary Lane, c'était *chez elle,* et la seule figure parentale de l'existence au jour le jour de Mary Ann était désormais Anna Madrigal, une propriétaire dont le charme étrange et les manières excentriques étaient légendaires sur Russian Hill.

Mme Madrigal était leur véritable mère à tous. Elle les conseillait, les grondait et les écoutait stoïquement lui raconter leurs petits drames de rien du tout. Quand elle n'arrivait pas à leur remonter le moral (et même quand elle y réussissait, d'ailleurs), elle bichonnait ses « enfants » en scotchant un joint de son herbe maison sur la porte de leur appartement.

Mary Ann avait appris à fumer comme une

vieille hippie. Récemment, d'ailleurs, elle avait sérieusement songé à fumer pendant sa pause déjeuner chez son employeur, Halcyon Communications. C'est dire ce qu'elle était obligée de subir sous la nouvelle férule de Beauchamp Day, le jeune snobinard prétentieux qui avait pris la tête de l'agence de pub depuis la mort de son beau-père, Edgar Halcyon.

Mary Ann avait beaucoup aimé M. Halcyon.

Et deux semaines après sa mort inattendue (le soir de Noël), elle avait appris à quel point il l'aimait, *elle*.

— Ne bouge pas, dit-elle à Michael sur un ton enjoué. Moi aussi, j'ai une carte pour *toi* !

Elle disparut dans sa chambre et en revint l'instant d'après avec une enveloppe. Le nom de Mary Ann y était inscrit d'un tracé plein d'autorité. Le message, à l'intérieur, était également écrit à la main :

Chère Mary Ann,

Désormais, vous devez avoir besoin de vous amuser un peu. Ci-joint quelque chose pour vous et un ami.

Allez dans un endroit où il y a du soleil.

Et ne laissez pas ce petit con vous embêter.

Toujours vôtre,

E. H.

— Je ne comprends rien, dit Michael. Qui c'est, E. H. ? Et qu'est-ce qu'il y avait dans l'enveloppe ?

Mary Ann était sur le point d'exploser :

— Cinq mille dollars, Mouse ! De la part de mon ancien patron, M. Halcyon ! Son avocat me l'a donnée le mois dernier.

— Et le « petit con » ?

Mary Ann sourit :

— C'est mon *nouveau* patron, Beauchamp Day. Écoute, Mouse : j'ai deux billets pour une croisière au Mexique sur le *Pacific Princess.* Veux-tu venir avec moi ?

Michael la fixa, bouche bée :

— Tu me fais marcher ?

— Non, gloussa-t-elle.

— Je rêve !

— Tu veux bien venir ?

— Si je *veux* venir ? Quand ? Pour combien de temps ?

— Dans une semaine, pour onze jours. Il faudra qu'on partage la cabine, Mouse.

Michael se leva d'un bond et la prit dans ses bras.

— Pas grave ! On séduira les mecs à tour de rôle.

— Ou alors on trouvera un beau mec bi.

— Mary Ann ! Tu me choques !

— Ah oui ? *Tant mieux !*

Michael la souleva du sol.

— On va être bronzés comme des top models et on te trouvera un mec...

— A toi aussi, dit-elle.

Il la laissa retomber.

— Un seul miracle à la fois, s'il te plaît.

— Allons, Mouse, ne sois pas négatif.

— Juste réaliste.

Il souffrait encore de sa courte amourette avec le docteur Jon Fielding, un séduisant gynécologue blond qui s'était débarrassé de Michael lorsqu'il l'avait surpris en train de participer au concours de danse en slip du *Endup.*

— Écoute, dit calmement Mary Ann. Si *moi* je te trouve vraiment attirant, doit y avoir des tas de types dans *cette* ville qui pensent comme moi.

— Ouais, maugréa tristement Michael. Des folles qui ne s'intéressent qu'aux mensurations.

— Oh, ne dis pas de bêtises !

« Parfois, Michael se braque vraiment pour des âneries, songea Mary Ann, qui ne releva pas l'allusion. Bon, c'est vrai, il mesure à peine un mètre soixante-quinze, mais c'est suffisant comme taille, non ? »

Vêtements de deuil

Frannie Halcyon n'était plus qu'une épave. Huit semaines après la mort de son mari, elle continuait à se traîner dans leur vieille maison d'Hillsborough, désormais semblable à un énorme palace déserté, en se demandant mornement si le moment était venu de se lancer dans l'immobilier.

Oh, mon Dieu ! Comme la vie avait changé !

A présent, elle se levait plus tard, parfois même à midi, dans le vain espoir qu'une journée plus courte lui paraîtrait un peu moins vide. Les langoureux cafés du matin sur la terrasse appartenaient au passé, ce n'était plus qu'un rituel désolé qui l'avait lâchée aussi rapidement et sûrement que les reins de feu Edgar.

Maintenant, elle se contentait d'un langoureux cocktail Mai Tai d'après-midi.

Bien sûr, parfois, elle tirait un faible réconfort de savoir qu'elle serait bientôt grand-mère. *Deux fois* grand-mère, en fait. Sa fille DeDe, la femme du nouveau président d'Halcyon Communications, Beauchamp Day, allait mettre au monde des jumeaux.

Tel était le dernier rapport que le docteur Jon Fielding, le charmant jeune gynécologue de DeDe, lui avait fait.

Cependant, DeDe privait sa mère même du simple plaisir de parler de ces nouveaux héritiers. Frannie avait remarqué qu'elle se renfrognait carrément dès qu'on abordait le sujet. Et la matriarche trouvait cela tout à fait étrange.

— Et pourquoi je n'aurais pas le droit d'être un peu gâteuse, DeDe ?

— Parce que tu te sers de cela, maman.

— Oh, quelle sottise !

— Tu t'en sers comme prétexte pour... Je ne sais pas, moi : pour ne pas vivre ta vie.

— Je ne suis plus que la moitié de moi-même, DeDe.

— Papa est *parti,* maman. Il faut que tu t'y fasses.

— Alors, laisse-moi commencer à faire des achats pour les bébés. Il y a un endroit délicieux sur Ghirardelli Square qui s'appelle Bébé Pierrot et je suis sûre que je pourrais...

— Nous ne savons même pas encore le sexe des enfants.

— Du jaune serait parfait, alors.

DeDe fit la grimace :

— Je *déteste* le jaune.

— Tu adores le jaune. Tu l'as toujours adoré. DeDe, ma chérie, qu'est-ce qu'il y a ?

— Rien !

— Tu ne sais pas me mentir, DeDe.

— Maman, je t'en prie... Est-ce que nous ne pourrions pas simplement... ?

— Il faut que je sache qu'on a besoin de moi, ma chérie. Tu ne t'en rends donc pas compte ? Personne ne se soucie plus de moi, commença à pleurnicher la matriarche.

DeDe lui prit la main.

— Le DeYoung a besoin de toi. Le Legion of Honor a besoin de toi.

— Alors c'est ça, dit Frannie avec un pauvre sourire. Quand on est jeune, c'est votre famille qui a besoin de vous et quand on est vieux, ce sont les musées.

D'agacement, DeDe leva les yeux au ciel.

— Écoute, si tu es décidée à te complaire dans l'auto-apitoiement, je ne peux rien y faire. C'est simplement que je trouve que c'est un véritable gâchis.

Frannie avait les yeux pleins de larmes.

— Mais que veux-tu que je fasse, nom de Dieu ?

— Je veux...

DeDe se radoucit et prit un ton empreint de piété filiale.

— Je veux que tu recommences à t'aimer. Mets un peu d'animation dans ta vie. Inscris-toi dans un club de backgammon. Va suivre les cours de gym de Janet Sassoon. Demande à Kevin Matthews de t'emmener au concert, nom d'un chien ! Son copain est à Hydra jusqu'à la fin juin.

— Je sais que tu as raison, mais je...

— Mais regarde-toi, maman ! Tu as de l'argent... Tu devrais te faire enlever tes plis !

— DeDe !

L'impertinence de sa fille la bouleversait.

— Oui, et je le pense ! Mais qu'est-ce qui t'en empêche, bon sang ? La gueule, la poitrine, le cul, ravale le tout ! Qu'est-ce que tu as à perdre ?

— Je pense simplement que ce n'est pas très digne pour une femme de mon...

— Digne ? Maman, est-ce que tu as vu Mabel Sussman, dernièrement ? Elle a la tronche plus lisse que des fesses de bébé ! Shugie dit qu'elle a découvert un type merveilleux à Genève qui fait tout ça par hypnose !

Frannie cligna des yeux, incrédule :

— Il a forcément dû y avoir un peu de chirurgie.

— Pas du tout. Tout par hypnose. En tout cas, c'est ce que Shugie *jure* sur une pile de *Town and Country*.

DeDe eut un petit gloussement mauvais.

— Ça ne te ferait pas mourir de rire si un jour quelqu'un claquait des doigts ou prononçait le mot secret et si tout ça se cassait la gueule comme un soufflé ?

Frannie ne put s'empêcher de pouffer.

Et, un peu plus tard dans l'après-midi, avec l'impression bizarre d'agir clandestinement, elle descendit en ville et déambula entre les rayons de F.A.O. Schwartz à la recherche d'un jouet pour les jumeaux.

Comme elle se sentait mieux, désormais, elle commença à penser que DeDe avait peut-être raison. Peut-être qu'elle avait broyé du noir pendant trop longtemps. Plus longtemps qu'il ne fallait, plus longtemps qu'Edgar lui-même ne l'aurait voulu.

En quittant le magasin, elle surprit son reflet dans la vitrine de Mark Cross. Elle s'arrêta, se saisit la peau sous les oreilles et tira pour se la tendre sur les pommettes.

— D'accord, dit-elle à haute voix. *D'accord !*

La vie de Mona Ramsey était, selon ses propres termes, réduite à bien peu de choses.

Naguère conceptrice-rédactrice pour Halcyon Communications, elle avait été relevée de ses fonctions, suite à une brève mais satisfaisante tirade féministe qu'elle avait adressée au président de la société de lingerie Adorable, le plus gros client de l'agence.

Les journées d'oisiveté qu'elle avait vécues, alors qu'elle partageait son appartement avec Michael Tolliver, avaient été superficiellement agréables, mais, à la longue, frustrantes. Ce qu'elle désirait le plus, c'était quelque chose de *permanent.* C'est du moins ce qu'elle s'était dit en déménageant du 28 Barbary Lane pour élire résidence dans l'élégante demeure de D'orothea Wilson sur Pacific Heights.

D'orothea était mannequin pour Halcyon et peut-être le mannequin noir le mieux payé de toute la Côte Ouest. (Elle s'était d'ailleurs adjugé l'apostrophe pour des raisons d'image publicitaire.) Elle et Mona avaient autrefois été amantes à New York. Leur relation à San Francisco était cependant dépourvue de passion : ce n'était qu'un pacte destiné à soulager la solitude qui avait commencé à environner les deux femmes.

Et cela n'avait pas marché.

D'abord, Mona n'avait jamais tout à fait pardonné à D'orothea de ne pas être noire. (Sa couleur de peau, Mona avait fini par l'apprendre, provenait d'un traitement à base d'ultraviolets et de cachets stimulant la pigmentation, une ruse qui avait sauvé le mannequin de l'anonymat professionnel.) En outre, elle s'était rendu compte, bien qu'avec beaucoup de réticence, que la compagnie des hommes lui manquait.

— Je suis une hétérosexuelle à chier, avait-elle dit à Michael une fois retournée au bercail de Barbary Lane. Mais je suis une gouine encore plus à chier.

Michael avait compris :

— J'aurais pu te le dire, *ça,* Babycakes !

Tandis que Mona gravissait les marches branlantes de l'escalier qui menait à Barbary Lane, son dernier Quaalude commençait à faire effet. Elle avait passé toute la soirée au *Cosmic Light Fellowship,* mais elle était d'humeur plus sombre que jamais. Elle n'arrivait plus à trouver son « centre », voilà tout.

Mais que lui était-il arrivé ? Pourquoi perdait-elle pied ? Quand avait-elle levé les yeux du fond de cet abîme qu'était devenue sa vie et s'était-elle aperçue que les murs étaient trop hauts pour qu'elle pût s'en sortir ?

Et puis, *pourquoi* n'avait-elle pas acheté plus de Quaalude ?

Vaseuse, elle traversa la ravine envahie de feuillages qui menait à la maison, traversa la cour du numéro 28 et entra dans le bâtiment. Elle sonna chez Mme Madrigal, espérant qu'un petit verre de porto et quelques mots apaisants de la logeuse lui remonteraient un peu le moral.

Mme Madrigal, elle s'en rendait compte, était une complice sans pareille. Et Mona n'était pas simplement l'une des « enfants » de la logeuse. Mona était la seule personne que Mme Madrigal avait réellement cherché à avoir comme locataire.

Et Mona était — du moins le croyait-elle — la

seule personne qui connaissait le secret de Mme Madrigal.

La connaissance de ce secret, en outre, formait un lien mystique entre les deux femmes et créait une sororité muette qui réconfortait l'âme de Mona dans ses pires moments.

Mais comme Mme Madrigal n'était pas là, Mona monta lourdement l'escalier jusqu'au premier.

Comme elle le craignait, Michael n'était pas là non plus. Monté sans aucun doute chez Mary Ann pour préparer leur croisière. Il passait beaucoup de temps avec elle, ces derniers jours.

Le téléphone sonna juste au moment où elle éclairait l'appartement. C'était sa mère, qui appelait de Minneapolis. Mona se laissa choir dans un fauteuil et fit un gros effort pour avoir l'air lucide.

— Salut, Betty, dit-elle d'un ton détaché.

Elle avait toujours appelé sa mère Betty. C'était Betty qui y tenait. En fait, Betty ne supportait pas d'être plus vieille que sa fille.

— Est-ce que c'est de nouveau ici... *chez toi ?*

— Ouais.

— J'ai appelé à Pacific Heights. D'orothea m'a dit que tu étais repartie. Je n'arrive pas à croire que tu as quitté cette charmante maison dans un si joli quartier pour revenir dans ce taudis...

— Tu ne l'as jamais vu !

« Elle ne changera donc jamais, songea Mona. Toujours en représentation. » Il faut dire que Betty était agent immobilier. C'était une femme carriériste et inflexible que son mari avait quittée quand Mona était encore enfant. Seuls comptaient pour elle les appartements qui se trouvaient dans un immeuble avec vigile et jacuzzi.

— Si, je l'ai vu, protesta Betty. Tu m'as envoyé une photo l'été dernier. Est-ce que c'est toujours cette... bonne femme qui en est propriétaire ?

— Si c’est de Mme Madrigal que tu parles, oui.
— Elle me flanque la trouille.
— La prochaine fois, rappelle-moi de ne plus t’envoyer de photos, d’accord ?
— Mais qu’est-ce qui n’allait pas chez D’orothea, en fait ?

Évidemment, Betty n’était pas au courant de l’échec de leur relation. Elle pensait d’ailleurs rarement aux relations tout court.

— Je ne pouvais pas assurer le loyer, esquiva Mona.
— Oh, eh bien, si c’est ça, le problème, je peux t’aider jusqu’à ce que tu...
— Non. Je ne veux pas de ton argent.
— Mais juste le temps que tu puisses retrouver un job, Mona.
— Je te remercie, mais c’est non.
— Elle t’a attirée là-bas, Mona !
— *Qui ?*
— Cette femme.
— Mme Madrigal m’a *offert* un appartement bien après que nous sommes devenues des amies ! explosa Mona. Et c’était il y a trois ans ! Pourquoi la question de mon bien-être te préoccupe-t-elle comme ça aussi soudainement ?

Betty hésita :

— Je... Je ne savais pas de quoi elle avait l’air avant que tu ne m’envoies...
— Oh, arrête un peu !
— Elle est tellement... excessive.

Si seulement elle savait, songea Mona. Si seulement elle savait !

Sur les toits, dans le trente-sixième dessous

Brian Hawkins avait trente-trois ans.

Et *ça,* songea-t-il avec un petit frisson tout en laissant tomber sur le sol son uniforme jean et velours côtelé avant de se jeter sur son lit avec une canette d'Oly, *ça,* c'est l'âge du Christ au Calvaire.

Ou de l'idiot, dans *Le Bruit et la Fureur* de Faulkner.

Il surnageait, désormais. Rien de plus. Il travaillait pour survivre, pour aller de l'avant, payer ses côtelettes de porc, ses bières et son foutu liquide vaisselle. Et toute la philosophie californienne décontractée-relax-on-se-calme ne changeait rien au vide qu'il éprouvait en lui.

Il était en train de vieillir, et seul.

Les trois quarts du courrier qu'il recevait se composaient toujours de prospectus et de factures.

Dans le temps, bien sûr, il avait été un jeune avocat, ardent et radical. Avant que ce feu sacré qui l'animait n'eût diminué (et se fût déplacé du côté de son bas-ventre), il avait défendu de nobles causes : objecteurs de conscience à Toronto, Noirs à Chicago, Indiens d'Arizona et Chicanos de Los Angeles.

Voilà. Et désormais, il était serveur dans un restaurant pour Blancs-américains-protestants de San Francisco.

Et il adorait presque autant courir la chatte qu'il avait naguère adoré haïr Nixon.

Il se livrait à la quête de ce Graal terni dans les bars, les saunas mixtes, les lavomatiques, les supermarchés et les fast-foods ouverts tard la nuit, où le gibier était maigre, mais la satisfaction immédiate. Il n'avait pas beaucoup de temps à perdre, se disait-il. La ménopause était pour bientôt !

S'il avait besoin de quelque chose de durable — et il en avait parfois l'impression — il ne restait jamais avec la même personne suffisamment longtemps pour que ce besoin devienne visible. Le problème se mordait la queue : le genre de femme qu'il désirait ne pouvait s'intéresser au genre d'homme qu'il était devenu.

Sa libido avait pris le dessus sur tout.

Elle avait gouverné le choix de son dernier appartement en date, cette petite maison exiguë toute en courants d'air, sur le toit du 28 Barbary Lane. Les femmes, avait-il raisonné, seraient emballées par la vue panoramique et par son allure de maison de poupée. Cela fonctionnerait pour lui comme un aphrodisiaque.

— Tu es *sûr* que tu la veux ? l'avait interrogé Mme Madrigal lorsqu'il avait demandé à changer d'appartement.

A l'époque, il vivait au deuxième étage, juste en face de la sexy mais désespérément coincée Mary Ann Singleton.

Il lui avait répondu « oui » sans hésitation.

Les réticences de la propriétaire, avait-il présumé, tenaient surtout à l'ancien occupant de l'appartement, un représentant en vitamines qui avait la quarantaine et se nommait Norman Neal Williams.

Mais tout ce qu'il savait de Williams, c'est qu'il avait disparu sans laisser de traces en décembre.

Une rafale de vent ébranla la maisonnette et Brian eut la sensation morbide d'avoir déjà vécu ce moment.

Cinq sur l'échelle de Richter, songea-t-il.

Il savait ce que cela signifiait, désormais, car il avait subi son premier tremblement de terre la semaine précédente. Un grondement sourd comme celui d'un démon l'avait réveillé à deux heures du matin en faisant vibrer ses fenêtres et en le réduisant instantanément à l'état de créature primitive terrorisée.

Mais ce n'était que le vent, et l'écroulement que provoquerait le Grand Séisme serait tout aussi épouvantable au deuxième que sur le toit. C'était du moins ce qu'il s'était dit à peine avait-il emménagé dans la maisonnette.

La sonnette, soudain, le fit sursauter.

Il passa un sweat-shirt et alla ouvrir la porte en caleçon. C'était Mary Ann Singleton.

— Brian, je... Je suis vraiment désolée de te déranger aussi tard.

La vue du caleçon l'avait manifestement troublée.

— Mais tu ne me déranges pas du tout, dit Brian.

— Tu n'es pas habillé. Je vais aller voir quelqu'un d'autre.

— Ce n'est pas un problème, je peux mettre un pantalon.

— Non, vraiment, Brian, je n'ai pas besoin...

— Écoute ! Je t'ai dit que je t'aiderais, non ?

Le ton de sa voix la décontenança. Elle s'efforça de sourire, faiblement.

— Michael et moi, nous partons au Mexique. Il s'agit de ma valise, que je n'arrive pas à...

— Attends une seconde.

Il enfila un jean et la précéda dans l'escalier jusqu'à son appartement.

Bientôt, il eut dégagé de l'étagère du haut la valise dont Mary Ann avait besoin.

— Merci, dit-elle en souriant. Je peux me débrouiller toute seule, maintenant.
— C'est sûr? demanda-t-il en plongeant son regard dans le sien.
— Oui, Brian.
Elle avait répondu d'une voix ferme, un peu maîtresse d'école. Elle savait à quoi il avait voulu faire allusion et elle refusait. Une fois de plus.
Revenu sur son toit, il ôta son jean et prit ses jumelles, posées sur une étagère près du lit. Tout en scrutant les lumières au sud de la ville, il maudit l'impénétrable Miss Singleton.
D'abord, il vit l'énigme verte et noire de Lafayette Park, l'ultramoderne cathédrale St Mary, puis le drapeau américain de l'hôtel *Mark,* tellement énorme qu'il en devenait obscène, et qui claquait au vent sur le ciel couleur d'encre, comme dans l'hallucination d'un patriote forcené sous acide.
Tout cela, cependant, n'était que préliminaires.
Ce qui l'intéressait vraiment, c'était quelque chose qu'il appelait « Superman Building ».

Le meilleur père de l'année

Pour la première fois depuis des semaines, DeDe se leva avant Beauchamp.
Quand il entra en titubant dans la cuisine à huit heures moins le quart, elle accueillit son mari avec un baiser et un croissant. Elle était de bonne humeur malgré l'heure matinale; de beaucoup trop bonne humeur, pensa Beauchamp, et instinctivement il se tint sur ses gardes.

Il s'adossa au comptoir de boucherie en bois brut et se frotta les yeux.

— Tu as un rendez-vous ou quoi ?

— Je n'ai pas le droit de préparer le petit déjeuner de mon mari ?

— Si, tu peux, dit-il d'un ton goguenard en grignotant du bout des dents son croissant, mais ce n'est pas ce que tu fais d'habitude.

DeDe envoya deux échalotes dans la poêle Cuisinart.

— Nous allons manger de l'omelette. Avec ces merveilleuses saucisses françaises de chez Marcel & Henri, dit-elle avec un faible sourire. Je... Je m'inquiète trop pour tout, Beauchamp, et aujourd'hui... Eh bien, j'ai entendu ces imbéciles de perroquets dans les eucalyptus devant la fenêtre et je me suis dit... Eh bien, je me suis dit que nous avons beaucoup plus de chance que pas mal de gens.

Il se massa les tempes : il n'était toujours pas bien réveillé.

— Je *déteste* ces putains de perroquets, lâcha-t-il.

DeDe se contenta de le regarder droit dans les yeux.

Il se détourna et commença à s'escrimer sur la machine à café. Elle avait sur le visage cette expression idiote et suppliante qu'elle prenait quand elle voulait le culpabiliser. Mais il était hors de question qu'il accepte de subir ça dès le matin.

— Beauchamp ?

Il garda le dos tourné.

— Cette saloperie de cafetière n'a pas été nettoyée depuis au moins...

— Beauchamp ! Regarde-moi !

Il se tourna très lentement en s'efforçant de conserver un sourire pincé.

— Oui, ma chérie ?

— Tu pourrais au moins me dire... si tu es heureux ?

— De quoi ?

Elle posa ses mains sur son ventre enflé :

— De ça, bon Dieu !

Silence.

Elle ne se laissa pas démonter.

— Alors ? insista-t-elle.

— Je suis aux anges.

Elle eut un gémissement mélodramatique et lui tourna le dos.

— DeDe... dit-il calmement. Devenir père implique de grandes responsabilités. J'ai accepté celle d'élever un enfant, mais vraiment à contrecœur. Tu voudras bien me pardonner de ne pas bondir de joie à la perspective de...

— Oh, la ferme !

— Et voilà. Tu recommences à faire de l'esprit.

— Ce n'est pas de tes foutus sermons sur la paternité dont j'ai besoin, mais de ton *soutien*. Je ne peux pas le faire toute seule, Beauchamp, j'en suis tout simplement *incapable* !

Il sourit en levant les yeux au ciel et s'approcha de son ventre.

— Il est sûr et certain que tu n'as pas réussi à faire *ça* toute seule.

— Non, répliqua-t-elle immédiatement, mais il est tout aussi certain que je ne l'ai pas fait avec *toi* !

Ils restèrent à se fixer par-dessus la poêle, toutes dents dehors. Beauchamp finit par rompre le silence d'un petit rire sardonique, puis il assena un coup de poing sur le comptoir et s'affala sur une chaise Marcel Breuer.

— Pas mal, en fait, comme sortie. Venant de toi.

— Beauchamp...

— Tu aurais pu inventer quelque chose de plus malin pour que je m'intéresse à toi, mais tout bien considéré, ce n'était pas trop mal trouvé.

— C'est la vérité, Beauchamp ! Ce n'est pas *toi,* le père !

Silence.

— Bon Dieu, Beauchamp ! Tu ne sais pas compter ou quoi ? Écoute...

Sa voix mourut. Elle tira une chaise à côté de lui et s'assit.

— Ça faisait longtemps que je voulais te le dire. C'est vrai. J'avais même pensé à...

— C'est *qui* ? demanda-t-il froidement.

— Je ne crois pas que nous devrions...

— Splinter Riley, peut-être ? Ou bien le charmant, mais visqueux, Jorge Montoya-Corona ?

— Tu ne le connais pas, Beauchamp.

— Comme c'est *intéressant* ! Mais toi, oui ?

Elle éclata en sanglots et sortit en courant de la cuisine. Il savait qu'elle allait s'enfermer dans sa chambre et faire la tête jusqu'au moment où il serait parti. Et là, elle verserait dans sa paume une dizaine de pastilles de toutes les couleurs et les engloutirait d'un seul coup.

Dans les périodes de crise, elle était incapable de résister aux M&M's.

Lorsque Beauchamp arriva à Jackson Square, Mary Ann Singleton lui transmit ses messages.

— Il y a aussi D'orothea Wilson qui t'a appelé il y a cinq minutes.

Rien de plus : pas de « monsieur Day », ni même « Beauchamp ». Il n'avait plus de nom depuis que cette gourde était devenue sa secrétaire.

— J'imagine qu'elle ne s'est pas donné la peine

de t'expliquer pourquoi on ne l'avait pas vue à *Icehouse* pour la prise de vue Adorable ? grogna-t-il. C'est la troisième qu'elle annule rien que ce mois-ci.

— Elle a dit qu'elle... qu'elle n'est plus comme avant.

— Et ça veut dire quoi, ça, bon sang ?

— Peut-être qu'elle a grossi pendant ses vacances, fit Mary Ann en haussant les épaules, ou alors...

— Ou alors elle n'en a tout simplement plus rien à foutre d'Halcyon Communications ! Peut-être qu'elle veut aller au Mexique, elle aussi !

La pique blessa sa secrétaire exactement comme il l'espérait.

Elle se mit à tripoter un trombone :

— Beauchamp... C'était M. Halcyon qui voulait que je...

— Je n'ai pas envie d'entendre encore une fois la même chanson, dit-il avant de se précipiter dans son bureau et d'en claquer la porte.

Sur ce, il rumina en silence sa colère contre la famille Halcyon.

La lettre de maman

Cher Mikey,

Ton papa et moi avons été très contents d'apprendre que tu allais au Mexique avec Mary Ann. Je sais que vous allez énormément vous amuser tous les deux. Envoie-nous une carte postale si tu peux et n'oublie pas de ne pas trop boire de tequila (je plaisante).

Il a fait vraiment froid à Orlando cet hiver, mais tu le sais sûrement si tu as regardé la télé. C'est le verger près de la nouvelle maison des Bledsoe qui a le plus souffert. Certaines des oranges ont été carrément brûlées par le gel. Papa dit que ça ira quand même parce qu'il les vendra aux usines de jus de fruits. Je fais de mon mieux pour l'aider, mais tu sais comment il est au moment de la récolte (je plaisante).

Papa te fait dire de ne pas t'inquiéter, étant donné qu'on touche 3,50 dollars pour une caisse et que de toute façon la production a augmenté, même malgré le gel et tout ça. Le seul problème qu'on a maintenant, c'est avec les homosexuels.

Tu ne dois pas être au courant. Tout a commencé quand la Commission du comté de Dade a passé une loi en faveur des homosexuels. La loi dit qu'on ne peut pas refuser de les embaucher ou de leur louer une propriété et Anita Bryant s'est élevée contre cela, elle qui est une mère de famille chrétienne avec quatre enfants et qui a été nominée pour Miss Amérique et tout et tout, et tous les gens normaux et chrétiens de Miami l'ont soutenue à cent pour cent.

Nous, on s'en est pas tellement préoccupés, évidemment, parce qu'on n'a pas autant d'homosexuels dans le coin qu'à Miami. Papa dit qu'ils aiment les plages. Enfin, quoi qu'il en soit, en un rien de temps, un groupe d'homosexuels a essayé de forcer la Commission des agrumes à ne plus passer la pub d'Anita Bryant à la télé. Tu imagines ? Anita a répondu qu'ils n'avaient qu'à le faire, si c'était le prix à payer pour que ses enfants puissent circuler en toute sécurité dans les rues de Miami. Dieu la bénisse !

Je ne serais pas autant au courant de tout ça si

Etta Norris (la mère de Bubba) n'était pas passée mardi pour voir Oral Roberts sur notre nouvelle télé couleur. Elle m'a dit qu'elle recueillait des signatures à Orlando pour une pétition de soutien à l'association d'Anita Bryant, « Protégeons nos enfants ». J'ai signé tout de suite, mais papa a dit qu'il ne voulait pas signer parce que tu étais grand et que son fils n'avait pas besoin qu'on le protège des homosexuels. Je lui ai dit que c'était pour le principe et puis aussi, qu'est-ce qu'on ferait si les homosexuels arrêtaient de boire du jus d'orange ? Il a dit que la plupart n'en buvaient pas, mais il a quand même signé.

Nous sommes allés à notre première réunion dans une salle du Fruitland Bowl-a-Rama. Etta a dit que le plus important était de montrer à Anita Bryant qu'on la soutenait. Elle a aussi dit qu'il fallait préciser dans la pétition que nous n'avions pas de préjugés, mais que nous pensions que les homosexuels n'étaient pas des exemples convenables pour les enfants à l'école. Lolly Newton a dit qu'elle pensait qu'il fallait aussi parler des profs, parce que si un prof fait sa tapette devant les enfants toute la journée, les gosses finiront par devenir aussi des tapettes. Ralph Taggart a soutenu la proposition.

Ton père n'a pas arrêté de me dire de me taire et de ne pas me ridiculiser, mais tu me connais, il a fallu que j'y mette mon grain de sel. Je me suis levée et j'ai proposé que nous nous mettions tous à genoux pour remercier le Seigneur que quelqu'un d'aussi célèbre qu'Anita Bryant ait pris les devants pour combattre les forces de Sodome et Gomorrhe. Etta a dit qu'on le mettrait dans nos résolutions et j'en ai été très fière.

Le révérend Harker a dit que nous ne devrions

peut-être rien préciser concernant les histoires de locations, parce que Lucy McNeil loue la chambre au-dessus de son garage à une tapette qui vend des tapis à la galerie marchande Dixie Dell. Lolly a dit que ce n'était pas un problème, étant donné que Lucy avait loué en connaissance de cause et que c'était mieux quand on savait que les gens étaient homosexuels, parce que comme ça on pouvait mettre les enfants en garde.

Tu dois te dire que je suis devenue une vraie croisée, non ? J'espère que tu ne penses pas que ta vieille maman est devenue une idéaliste sans cervelle. Mais je crois tout simplement que le Seigneur nous a tous créés pour que nous propagions Sa parole divine.

J'ai vu Bubba chez Etta ce matin. C'est un si gentil jeune homme. Seigneur ! J'ai du mal à croire qu'il y a huit ans vous alliez tous les deux camper à Cedar Creek. Il a demandé de tes nouvelles. Il enseigne l'histoire au lycée, maintenant, et il n'est pas encore marié, mais c'est sûrement parce que trouver une fille bien de nos jours est devenu très difficile.

Blackie n'a pas beaucoup apprécié le gel et il reste affalé toute la journée dans la maison, l'air épuisé. J'ai peur qu'on ne soit obligés de le piquer. Il est tellement vieux.

Veille bien à toi, mon Mikey.

Ta maman qui t'adore.

P.-S. : Si tu as envie de lire quelque chose pendant ton voyage, je te recommande l'autobiographie d'Anita Bryant. Le livre s'appelle : Mes yeux ont vu la gloire du Seigneur.

Fuite

La veille de leur départ en croisière au Mexique, Mary Ann et Michael étaient penchés avec des airs de conspirateurs sur leurs valises.

— Peut-être que si on le roulait dans des Kleenex et qu'on le planquait dans ton soutien-gorge ?... fit Michael avec un sourire en coin.

— Ça ne me fait pas rigoler, Mouse.

— Bon, écoute : on n'est pas obligés de descendre du bateau avec. Ça n'est pas comme si on allait le fumer dans les rues d'Acapulco. Merde, on verra même pas un douanier avant de revenir à L.A.

Mary Ann soupira et s'assit sur le bord du lit.

— Mouse, tu oublies que j'ai fait partie des guides : les Bâtisseurs de l'Amérique, Mouse.

— Et alors ?

— Et alors, voilà que tu me fais passer de la drogue au Mexique.

— Et que tu voyages en compagnie d'un...

Il baissa la voix et prit un sinistre ton de basse.

— ... « homosexuel notoire ».

— En plus, fit-elle avec un faible sourire.

Il la considéra pendant un instant pour voir jusqu'à quel point elle l'avait pris au sérieux. Il y avait des fois, même encore maintenant, où son ironie approchait dangereusement la façon dont elle considérait réellement les choses. Mais comme elle lui faisait un clin d'œil, il se remit à ses valises.

— J'adore cette expression, dit-il sans lever le nez.

— Laquelle ?

— « Homosexuel notoire ». Je veux dire, on ne parle *jamais* de « chrétiens notoires », non ? Ou de

« représentants de commerce notoires ». Et quand on n'est pas un homosexuel « notoire », on est un homosexuel « *avoué* ». « M. Farquar, financier avoué, a été découvert mort poignardé dans Golden Gate Park à l'aube, ce... »

— Mouse, tu me fiches les jetons !

— Excuse-moi.

Elle tendit la main par-dessus la valise et prit la sienne :

— Je ne voulais pas te brusquer, mais c'est juste que... Eh bien, je suis un peu susceptible en ce qui concerne les cadavres, voilà.

Il allait lui répondre : « J'ai pigé », mais il préféra se taire. Au lieu de quoi, il lui prit la main et la réconforta pour la troisième ou quatrième fois de la semaine.

— Tout va s'arranger, Babycakes. Ça fait seulement deux mois.

Les yeux de Mary Ann s'embrumèrent.

— Pour toi, on n'est pas en train de... de fuir ? dit-elle.

— Fuir quoi ?

Elle essuya une larme, haussa les épaules et répondit d'une toute petite voix :

— La justice ?

— Mais tu n'as pas enfreint la loi, Mary Ann.

— Je n'ai pas signalé sa mort.

Il s'efforça de ne pas perdre patience. Ils avaient rabâché cette affaire tellement de fois que la conversation était devenue un rituel.

— Ce type, dit doucement Michael, était une ordure finie. C'était un pornographe qui utilisait des enfants, nom de Dieu ! Ce n'est pas toi qui l'as poussé de la falaise, Mary Ann. Sa mort était un accident. D'ailleurs, si tu avais signalé sa mort, tu aurais été obligée de dire qu'il menait une enquête sur Mme Madrigal. Et nous aimons tous les deux beaucoup trop Mme Madrigal pour lui faire ça, quel que soit le contenu de son dossier.

La simple mention du dossier fit frissonner Mary Ann.

— Je n'aurais jamais dû le brûler, Mouse, se lamenta-t-elle.

Et Michael recommença là-dessus aussi : le fait de brûler le dossier, lui dit-il, avait été sa décision la plus intelligente. En détruisant le dossier qu'avait le privé sur Mme Madrigal, elle avait doublement triomphé : elle avait manqué l'occasion de connaître des informations qu'elle aurait peut-être été obligée de divulguer à la police. Et elle avait soustrait le dossier des mains des agents.

La police était arrivée au 28 Barbary Lane, à peine Mme Madrigal avait-elle signalé la disparition de son locataire. Ce ne fut apparemment qu'une enquête de routine qui ne dura pas bien longtemps. Norman Neal Williams, leur avait-on appris, avait été un éphémère représentant en vitamines sans parents connus. Son implication dans la pornographie enfantine avait immédiatement été mise au jour, bien que Mary Ann en eût feint l'ignorance.

Elle était « sortie avec lui » plusieurs fois, avait-elle avoué. Elle ne le connaissait pas très bien. Elle l'avait trouvé parfois « un peu bizarre ». Et oui, effectivement, il semblait possible qu'il ait déménagé. Une fois la police partie, Mary Ann avait appelé Michael chez elle et ils avaient réfléchi aux véritables mystères que recelait ce terrible chapitre de leur existence.

La police savait-elle que Norman Neal Williams était un privé ?

Mme Madrigal savait-elle qu'elle avait été l'objet d'une enquête de la part de Williams ?

Le cadavre de Williams finirait-il par être rejeté sur la plage par les vagues ?

Et pourquoi aurait-on pu vouloir enquêter sur une femme aussi chaleureuse, charmante et... inoffensive qu'Anna Madrigal ?

Le voyage au Mexique, évidemment, représentait une fuite, mais pas du registre auquel pensait Mary Ann. La déprime la rongeait comme une moisissure. Eh bien, elle la ferait fondre au soleil, décida-t-elle, revenant à la solution universelle qu'elle adoptait toujours dans son adolescence.

Elle fourra donc dans la pochette de son sac de voyage un flacon de crème solaire Coppertone.

— Tu sais quoi ? demanda-t-elle d'une voix qui vibrait d'un optimisme tout neuf.

— Quoi ?

— Ce voyage va me faire du bien. Je vais rencontrer quelqu'un, Mouse. Je le sens.

— Un homme, tu veux dire ?

— Ce n'est pas que tu ne sois pas le meilleur compagnon du monde, Mouse, mais vraiment, je...

— Écoute, tu ne vas pas m'expliquer ça *aussi*. De toute façon, j'ai un plan du tonnerre. Je repère un type, d'accord ? Disons qu'il est allongé au bord de la piscine du bateau, ou encore... Enfin, peu importe : je m'amène, genre décontracté, avec toi à mon bras, tous les deux superbes et bronzés, et là je lui sors de mon ton le plus macho, genre Lee Majors : « Salut, mec, je m'appelle Michael Tolliver et je te présente Mary Ann Singleton. Lequel des deux tu préfères ? »

— Et si aucun des deux ne lui plaît ? gloussa Mary Ann.

— Dans ce cas, répondit Michael d'un air détaché, à Acapulco, tu le pousses de la première falaise venue.

Mona s'enfuit

Après que Mona eut déposé Mary Ann et Michael à l'aéroport, elle rentra à Barbary Lane et se trouva plongée dans un grand débat intérieur existentiel.

Elle ne savait absolument plus où elle en était, d'une part à cause du bizarre coup de fil de sa mère ; et d'autre part, parce que deux de ses amis avaient réussi à se dégager de ce marais de promiscuité qu'est San Francisco.

En fait, ce dont elle avait besoin, c'était d'un territoire vierge. De cieux à l'azur limpide. D'osmose avec l'Éternel. D'une possibilité de restructurer sa vie en quelque chose qui lui apporterait la sérénité qu'elle désirait si ardemment.

Elle dressa un plan d'action en moins de dix minutes et laissa un mot laconique sur la porte de Mme Madrigal :

Madame M.,

Je m'en vais un certain temps. Ne vous inquiétez pas. J'ai besoin de respirer.

Baisers,

Mona.

Elle, elle prit la fuite en tramway, contrariée par l'ironie de la situation : Tony Bennett ne serait-il pas tout émoustillé d'apprendre que Mona Ramsey, baba cool vieillissante et cynique transcendantale, avait été forcée de fuir la Ville Préférée de Tous dans l'un de ces véhicules pour touristes d'une mièvrerie qui lui donnait la nausée ?

Arrivée à l'angle de Powell et Market, elle descendit et prit le plus vite possible ses distances avec la foule compacte. Elle remonta Market Street jusqu'à la 7e Rue et s'arrêta avec un soupir devant la gare routière Greyhound.

Après trois minutes de réflexion, elle acheta un billet pour Reno, décidant sur-le-champ que soleil, ciel et désert allaient d'une façon ou d'une autre lui offrir de nouvelles perspectives. L'employé lui dit que le car ne partirait que peu après minuit.

Pendant le reste de l'après-midi, elle demeura assise sur un banc d'Union Square, où la présence d'ivrognes, de clochards et de hippies fantomatiques ne fit que renforcer son désir de partir. Puis, la nuit à peine tombée, elle fuma un mélange carabiné d'herbe et d'*angel dust* et repartit vers la gare routière.

Elle était en train de manger un sandwich au fromage, lorsqu'une vieille peau, maquillée comme une voiture volée — quatre-vingts ans au moins —, tenta de lier conversation avec elle au buffet.

— Où c'est que tu vas, poupée ?

— A Reno, répondit-elle sans s'émouvoir.

— L'arrêt après le mien ! Tu prends le bus de minuit ?

Mona acquiesça, tout en se demandant si c'était l'*angel dust* qui faisait paraître cette femme encore plus grotesque qu'elle ne l'était déjà.

— Et si on faisait route ensemble, alors ? demanda la vieille. J'ai un peu peur, en car, avec tous ces pervers.

— Euh, je ne crois pas que je serais d'un très grand...

— Je t'embêterai pas. Je te dirai rien si tu veux pas qu'on cause.

Dans ce qu'elle proférait, quelque chose toucha Mona.

— Pas de problème, dit-elle finalement. C'est d'accord.

— Comment tu t'appelles, poupée ? demanda la vieille avec un sourire.
— Mo... Judy.
— Moi, c'est Mother Mucca.
— Mother... ?
— Mucca. C'est comme qui dirait un surnom. Je viens de Winnemucca, tu piges ? croassa-t-elle d'une voix enjouée. C'est une longue histoire, mais je ne vois pas pourquoi je... Mais dis donc, poupée, tu te sens bien ?
— Oui.
— T'as l'air drôlement défoncée.
— Quoi ?
Un grondement sourd résonna dans sa tête, comme si quelqu'un lui avait appliqué un coquillage géant sur l'oreille.
— Je disais que t'as l'air drôlement défoncée. T'as les yeux tout... T'aurais pas fumé un pétard, poupée ?
— On peut le dire, acquiesça Mona.
— On peut dire quoi ?
— Je ne crois pas que vous...
— Y avait pas que de l'herbe dedans ?
— Vous savez ce que c'est, l'*angel dust* ?
Mother Mucca abattit sa main sur le comptoir avec tellement de violence que le fracas fit lever le nez à plusieurs clients qui somnolaient au-dessus de leur café.
— Bordel de merde ! Mais ce machin, c'est pour endormir les éléphants, ma fille ! Si tu sais pas quoi faire de mieux que de te défoncer avec un tranquillisant vétérinaire, qu'est-ce que tu fous ici ?...
Mona bondit sur ses pieds :
— C'est vrai, je ne suis pas obligée de rester assise à écouter vos...

Une main à l'avant-bras cerclé de bracelets s'abattit avec force sur son poignet et la rassit.

— Oh que si, ma belle ! fulmina Mother Mucca.

Magnétisme animal

— Certains boivent pour oublier, dit Mme Madrigal en se prélassant au soleil dans la cour. Mais personnellement je fume pour me souvenir.

Elle prit une bouffée de son joint colombien et le tendit à Brian.

— Du genre ? demanda-t-il.

— Oh, les anciens amants, les voyages en train, le goût du Coca-Cola quand j'étais môme... L'herbe, c'est merveilleux, c'est sentimental... C'est un produit complètement *Reader's Digest*. Je n'arrive pas à comprendre pourquoi les petits-bourgeois n'aiment pas ça.

Brian sourit et étendit ses jambes sur son drap de bain.

— Ça fait longtemps que vous fumez ?

— Non, pas selon mes critères. Oh, je dirais... Depuis que tu étais ado, probablement.

— Ça ne fait pas longtemps.

Elle sourit :

— J'étais sûre que tu répondrais ça.

— Vous vous rappelez votre première fois ?

— Non, mais la troisième, si.

— La première fois, ça ne vous a rien fait ?

— Si. Ça a marché, glousse-t-elle. Tu ne détestes pas les gens qui disent ça ?

Elle prit une voix de ménagère dans le coup :

— « Les enfants ont absolument tenu à ce que

je fume de l'herbe, alors j'ai essayé, Madge, et ça ne m'a rien fait *du tout.* »

Brian éclata de rire et dit :

— Mais c'est vrai, parfois. La première fois que j'ai fumé, ça ne m'a rien fait.

— Et alors ? fit Mme Madrigal en haussant les épaules. La première fois qu'on couche, ça ne fait rien non plus. Mais c'est quand même la première fois. Ça ne suffit pas ?

— Sans doute que si.

— Il n'y a rien qui fasse autant décoller que la première fois. *Rien.*

— J'ai comme dans l'idée que vous avez eu des tas de premières fois, émit Brian.

— Ç'a toujours été mon cas. Mais là, tu changes de sujet.

— Excusez-moi, je suis pété.

— J'allais te parler de ma troisième fois.

— Ah oui.

— La troisième fois, recommença Mme Madrigal en rajustant les manches de son kimono, a eu lieu au zoo de San Francisco, juste après l'assassinat de Bobby Kennedy.

— Mauvais trip, alors ?

— Non... Je veux dire, je n'ai pas fumé à cause de ça. Il venait d'être assassiné, c'est tout. Enfin, toujours est-il que je connaissais un charmant petit monsieur qui était chargé de s'occuper des singes. En fait, le mot est mal choisi. Disons plutôt qu'il ressemblait à ses singes. Il avait des bras plutôt longs, il était très poilu et les singes *l'adoraient.* Je l'adorais, moi aussi. C'était un merveilleux joueur de backgammon. Quoi qu'il en soit, ce jour-là, nous avons eu une longue et très agréable conversation dans l'espèce d'allée qui conduisait du quartier des gorilles jusqu'à la cage où ils ont l'habitude de se branler en public...

Brian gloussa. Mme Madrigal leva un sourcil.

— Eh bien ? Ce n'est pas à cela que servent les zoos ? Pourquoi les gens iraient-ils voir les gorilles, sinon ?

— Je vois ce que vous voulez dire.

— Donc, nous étions là-dedans, debout dans l'allée, en train de bavarder gentiment, quand une imposante dame gorille est arrivée en trottinant pour se joindre à nous. Elle s'est plantée à côté de mon ami employé du zoo et elle lui a passé un bras autour de l'épaule, comme une vieille copine. A ce moment-là, le type a fait : « Oh, j'allais oublier ! » Et il a sorti un joint de sa poche de chemise. Il l'a allumé, en a pris une petite bouffée et l'a tendu au gorille.

— Non !

— Si ! Et *là,* figure-toi que la dame gorille a pris une bonne taffe et m'a passé le joint !

— Putain ! Et vous avez fait quoi ?

— Je suis bien élevée, mon garçon. Je l'ai pris gentiment, sans faire de genre, et je l'ai tendu à mon copain. La guenon est restée pour prendre deux autres bouffées, puis elle est allée dans la cage saluer les gens. Le temps d'y arriver, elle était complètement *cassée.*

— Elle faisait ça régulièrement ?

— Tous les jours. Ça devait l'aider à supporter sa situation, j'imagine.

— Elle y est toujours ?

Mme Madrigal tapota ses lèvres du bout de son index.

— Je ne suis pas sûre, en fait. Je me demande souvent si elle est encore vivante. Les gorilles peuvent vivre très vieux, je crois. J'aimerais bien la revoir.

— Pourquoi ?

— Oh... Je crois que c'est parce que nous avons beaucoup de choses en commun. C'était une sacrée bonne femme et elle se distrayait du mieux qu'elle pouvait. Et puis... elle a beaucoup appris sur le tard.

— Alors vous, vous avez appris quoi ?

Elle eut un petit sourire réprobateur.

— J'ai appris qu'on devient un petit curieux quand on est défoncé.

— Je ne vous demandais pas de me raconter votre vie.

— Quel dommage ! Tu devrais, de temps en temps. Mais pas quand *moi,* je suis défoncée.

— Pourquoi ?

— Mais mon cher... parce que je *risquerais* de te dire la vérité.

Dans le vif

« Emma se fait vieille », remarqua Frannie avec regret en voyant la bonne noire entrer d'un pas incertain dans la chambre avec le plateau du petit déjeuner.

— J'ouvre les doubles rideaux, Miss Frances ?

Miss Frances ! C'était à ce genre de choses qu'on reconnaissait qu'Emma était une vraie perle, la dernière de son espèce. Pendant tout le temps qu'elle avait travaillé à Halcyon Hill, elle avait donné du Miss Frances, du Miss DeDe, du M. Edgar...

— Non, merci, Emma. Laissez simplement le plateau sur la table, je vous prie.

— Bien, madame.

— Emma ?

— Madame ?

— Est-ce que vous pensez que... Asseyez-vous, je vous prie, Emma.

Emma obéit et alla se poser délicatement sur le rebord d'un petit fauteuil, auprès du lit.

— Vous n'êtes pas... malade, Miss Frances ? demanda-t-elle.

— Non, répondit Frannie.

— M. Edgar n'est plus là, Miss Frances. Il faut s'y faire. Il est parti dans les bras de Jésus-Christ et il n'y a pas une âme sur cette terre bénie qui puisse le ramener avant le jour du Jugement dernier, où Notre Seigneur délivrera Son peuple de...

Frannie l'interrompit en faisant sonner la cloche qu'elle avait sur sa table de chevet.

— Emma, ma chérie... Vous me donnez mal à la tête.

— Oui, madame.

— Bon. Ce que je veux savoir, c'est... Emma, je fais énormément confiance à votre opinion. Je crois que vous le savez et... A votre avis, est-ce que j'aurais besoin d'un lifting, Emma ?

Silence.

— Vous savez ce qu'est un lifting, n'est-ce pas, Emma ?

La bonne hocha la tête d'un air maussade :

— On opère, dit-elle.

— Non... Enfin, oui, entre autres, mais c'est un procédé esthétique complexe qui est tout à fait commun de nos jours. Je veux dire : il y a énormément de dames...

— Des dames blanches.

— Ne soyez pas impertinente, Emma.

Un quart de siècle de service à Halcyon Hill

autorisait Emma à faire la tête, comme elle le faisait en cet instant même.

— Miss Frances, le Seigneur vous a donné un visage parfait, et si le Seigneur avait voulu...

— Pff!... Emma, le Seigneur n'est pas obligé d'aller à des soirées de l'Opera Guild!

— Comment ça, madame?

— Je suis *tellement* vieille, Emma! Et tous les gens que je connais ressemblent à... Nancy Kissinger! Moi, je ne suis plus rien d'autre qu'une vieille dondon fripée!

Elle pinça la peau de ses joues.

— Mais regardez-moi ça, Emma!

Emma prit une expression sévère :

— M. Edgar n'aurait pas aimé ce genre de choses, murmura-t-elle.

Frannie se roula dans ses draps en faisant une moue.

— M. Edgar est mort, dit-elle d'un ton morne.

Pendant qu'Emma s'occupait du linge, Frannie ferma la porte de sa chambre à clé et appela Vita Keating. Agir aussi furtivement lui fit se rendre compte que, même à cinquante-neuf ans, elle n'était toujours pas devenue une adulte. Elle continuait à rendre des comptes à *quelqu'un.*

Cependant, Edgar n'était plus là. Et Emma était tout ce qui lui restait.

Vita, songea Frannie, n'avait jamais connu ce genre de servitude affective. Vita était une pionnière, une indépendante énergique que son titre de Miss Oklahoma, remporté dans les années cinquante et quelques, avait propulsée au rang de presque star à Atlantic City, tout en lui gagnant un mari républicain à San Francisco.

Maîtresse de maison aux états de service irréprochables, Vita choquait parfois ses pairs, plus guindés, en malmenant des traditions sociales établies depuis longtemps dans la ville : après tout, c'était la *première* personnalité locale à oser les sets de table en jean avec du cristal de Waterford. Et elle faisait des choses ravissantes avec des bandanas. Qui d'autre que Vita avait le panache de se montrer au *Cerebral Palsy Ball* dans une robe de grand-mère en guingan, tout en brandissant un lasso ? C'était vraiment un *sacré* numéro !

Naturellement, elle éclata de rire lorsque Frannie bafouilla sa requête.

— Mon chirurgien esthétique ? Mon Dieu, ma chérie, mais pour autant que je sache, il est parti en Suisse mettre en flacon du sperme de mouton. Sa dernière patiente a été un *complet* désastre. Une femme de Santa Barbara qui a fini en Fantôme de l'Opéra.

Frannie ne put dissimuler sa déception :

— Je vois, fit-elle d'un ton lugubre.

— Et les injections, tu y as pensé ? gazouilla Vita.

— Les injections ?

— De sperme de mouton, ma chérie.

— Vita !

— Bon, personnellement, je ne peux qu'être d'accord avec toi, mais Kitty Cipriani dit que ça a fait d'elle une femme neuve. Moi, je crois que dans l'histoire, il y en a qui se font tondre la laine sur le dos !

Vita éclata d'un rire tonitruant et Frannie, malgré son humeur de plus en plus sombre, se joignit à elle.

Puis, brusquement, Vita lui demanda :

— Quel âge as-tu, Frannie ?

La question la piqua plus cruellement qu'elle

n'aurait dû. Vita était plus jeune que Frannie d'au moins quinze ans.

— Je te demande ça parce que c'est un critère important, ajouta Vita sur un ton d'excuse.

— Cinquante-quatre ans, fit Frannie.

— Oh, quel dommage...

— N'en rajoute pas, Vita.

— Mais non, chérie. Je voulais dire que ça aurait été mieux si tu avais eu soixante ans.

— Et en quoi est-ce que ça aurait changé quelque chose ?

Vita gloussa d'un rire de gorge :

— Je ne te le dirai que si tu me dis quel âge tu as vraiment.

Frannie hésita un instant puis elle finit par le lui dire.

— Oh, fantastique ! fit Vita. Ooh, fan-tas-tique !

— Vita, mais qu'est-ce que...

— Attends un peu, Frannie Halcyon ! Tu vas voir !...

La croisière commence

Les affres des valises faites à la dernière minute, son rhume qui s'éternisait et le vol brinquebalant jusqu'à Los Angeles, tout cela s'effaça de sa mémoire lorsque Mary Ann vit se dresser devant eux le *Pacific Princess*.

— Oh, Mouse ! Il est tellement *blanc* !

Michael posa un index sur son avant-bras.

— Eh bien, on déparera pas, hein ?

Mary Ann négligea de répondre, éperdue devant la majesté de l'énorme paquebot que baignait le clair de lune. L'instant avait quelque chose d'effrayant et d'exaltant tout à la fois. Elle avait l'impression d'être comme une parachutiste téméraire, qui, plongeant dans le vide, sait que *cette fois,* ça n'a aucune importance, que cette fois, sûr et certain, cette fois son parachute s'ouvrira à temps.

Le chauffeur de taxi se retourna pour s'adresser au couple assis sur la banquette arrière.

— Vous êtes mariés ?

— On vit à la colle, fit Michael, qui récolta comme de bien entendu un regard noir de la part de Mary Ann.

— Eh bien, glousse le chauffeur. Vous connaissez *La croisière s'amuse* ?

Michael acquiesça :

— Le feuilleton télé, c'est ça ?

— Ouais. Bert Convy, Lyle Waggoner, Celeste Holm...

— Toutes les célébrités !

Le chauffeur hocha la tête.

— Ils l'ont tourné là-dedans. Sur le *Pacific Princess*. Vachement sexy, hein ?

— Mmmh, je me souviens, dit Michael en adressant un petit sourire discret à Mary Ann. Celeste Holm est une dame un peu grassouillette mais charmante qui pense qu'elle n'a plus rien à espérer des hommes, jusqu'au moment où elle rencontre Craig Stevens pendant la croisière. Craig a été son amant il y a des années et Celeste... Eh bien, la pauvre chérie est *terrifiée* à l'idée que Craig découvre qu'elle est devenue une grosse vache.

— Et il s'en aperçoit ?... demanda Mary Ann.

— Non. Tout est bien qui finit bien : entre-temps, Craig est devenu aveugle.

— Tu viens de tout inventer, Mouse !

— Non, parole de scout. Même qu'ils se *marient* à la fin. C'est pas vrai, monsieur ?

— Ouais.

— Manifestement, soupira Michael, le pauvre Craig était infichu de se rendre compte des dégâts, même avec les mains.

Le photographe du bateau les prit par surprise sur la passerelle en leur braillant un jovial : « Souriez, les amoureux ! »

Michael s'y prêta avec complaisance et referma une main sur le sein droit de Mary Ann.

— Mince, fit-il alors qu'ils arrivaient sur le pont. C'est une croisière ou une boum de fin d'année ?

— Mouse, ça ne te ferait rien d'essayer d'être ne serait-ce qu'un *tout petit peu* convenable ?

— Pendant onze jours entiers ?

— C'est un bateau *anglais,* Mouse.

— Oui, mais avec des stewards *italiens* !

Il écarta les mains, index tendus.

Mary Ann rougit, puis elle gloussa.

— Des stewards italiens *hétéros,* corrigea-t-elle.

— Tu aimerais bien, oui ! fit Michael.

Ils étaient logés sur le pont promenade : cabine de luxe avec lits jumeaux, mobilier en bois, fauteuils confortables et baignoire dans la salle de bains. Une bouteille de champagne les attendait au frais.

Peu après, Mary Ann offrait le premier toast :

— A M. Halcyon. Que Dieu le bénisse !

— Je suis d'accord. Béni soit-il ! renchérit Michael.

— Et, ajouta-t-elle en remplissant de nouveau les verres, à... à nos aventures au grand large !

— Et à l'amour.

— Et à l'amour !

— A Mme Madrigal... A la marijuana... Aux petits fours... Et à toutes les bonnes gens de Floride, excepté Anita Bryant !

— Ouais !

— Mais avant toute chose, dit Michael en prenant un air faussement sérieux, à ce monsieur bien élevé, jovial et incroyablement bandant, qui a maté l'un de nous deux lorsque nous sommes montés à bord !

— Où ? Qui ?

— Comment tu veux que je le sache ? Je viens d'arriver, cocotte ! Tu l'as *vu,* non ?

— Je ne crois pas.

Michael leva les yeux au ciel, exaspéré :

— Mais il n'a pas arrêté de nous regarder !

— Un passager ?

— Ouais.

— Qui *nous* regardait ?

— Ça y est, elle a compris !

Mary Ann se mordit le bout de l'index.

— Tu crois qu'il était aveugle ?

Michael poussa un cri de joie et leva son verre.

— OK. Alors... aux aveugles !

— Aux aveugles, répéta Mary Ann.

La proposition de Mother Mucca

Mona se réveilla d'un sommeil inconfortable lorsque le Greyhound s'arrêta à Truckee, Californie, juste avant le lever du soleil. Elle avait l'impression d'avoir la langue en papier mâché. La drôle de vieille assise à côté d'elle lui tapota la main.

— On n'y est pas encore, poupée. Rendors-toi.

« Y »? Qu'est-ce que ça désignait, « y »? Et puis, où était-ce?

— Du calme, poupée. Mother Mucca est là. Je te dirai quand on sera arrivés.

— Écoutez, madame, je...

— Mother Mucca.

— OK. Je vous remercie de votre aide, mais...

— Cette *angel dust* te fout en l'air à chaque fois. Tu devrais t'écouter parler quand tu dors, poupée !

— Je n'ai pas... Qu'est-ce que j'ai dit?

— Des conneries. Des trucs sur Mickey.

— Sur *Mickey*?

— Quelque chose comme ça. Tu disais je ne sais plus quoi : « Où est parti Mickey Mouse? J'arrive pas à retrouver Mickey Mouse. » Et après, tu as commencé à gueuler que tu voulais ton papa. C'était très bizarre, poupée.

Mona se frotta les yeux et regarda les têtes de zombie des passagers du car qui descendaient prendre un café à la gare de Truckee. On aurait dit des fantassins hagards qui essayaient de se préparer à un assaut matinal.

« Mais au nom de Bouddha, pensa-t-elle, qu'est-ce que je fous ici? »

Lorsque Mother Mucca insista pour lui offrir le petit déjeuner, Mona fut trop faible pour refuser. Cela dit, la vieille chouette semblait avoir la tête sur les épaules, même si elle avait quand même l'air de sortir tout droit d'un film de Fellini.

— J'ai eu une fille qui s'appelait Judy, dans le temps.

— Quoi ?

— Tu m'as bien dit que tu t'appelais Judy, non ?

Mona hocha la tête, souhaitant rester le plus anonyme possible. Elle avait déjà subi tout ce que pouvait subir Mona Ramsey.

— Judy était une belle petite poulette, continuait Mother Mucca. Je crois qu'elle est restée avec moi plus longtemps que toutes les autres.

Elle secoua la tête en souriant, perdue dans de tendres souvenirs.

— Ah, ça oui ! c'était une belle petite poulette !

Mona se surprit à la trouver plaisante.

— Vous avez eu beaucoup d'enfants ?

— Des *enfants* ? s'étrangla l'autre.

— Vous venez de dire...

Mother Mucca se remit à croasser :

— Tu es encore plus conne que t'en as l'air, poupée. Je suis en train de te parler du meilleur bordel qu'ait jamais connu le patelin de Winnemucca !

Mona fut prise de court, mais elle n'en fut pas moins fascinée. Bon Dieu, c'était bien sûr : une authentique mère maquerelle du Nevada ! Un fossile datant des premières boîtes de rencontres tarifées du Far West !

— Vous... Depuis combien de temps vous... ?

— Oh, pitié, ma belle ! Ça fait un sacré bail !

Elles explosèrent toutes les deux de rire, partageant le même sentiment pour la première fois depuis leur rencontre. Mona était captivée par le franc-parler et l'absence de pudeur de ce vieil épouvantail, au point de s'en étonner.

— Qu'est-ce qui vous a amenée à San Francisco ? s'enquit-elle.

— La réunion du syndicat des putes.

Mona acquiesça d'un air entendu. L'un des

signes les plus évidents du grand chic de North Beach, c'était d'être résolument familier avec Margo St James et son syndicat de prostituées.

— Tu connais Margo? demanda Mother Mucca.

— Oui, oui, mentit Mona.

Elle avait seulement *vu* cette femme prendre son café et ses croissants au *Malvina,* plusieurs fois.

Mother Mucca haussa un sourcil peint.

— Elle a vachement plus de classe que moi, hein, poupée? fit-elle.

— Je trouve que vous avez beaucoup de classe.

Mother Mucca pencha la tête de côté et souffla sur son café.

— Si, si, insista Mona. C'est vrai, vous êtes quelqu'un de très... très sensé.

— T'es une sacrée baratineuse, toi.

Elle tendit brusquement la main par-dessus la table et serra le bras de Mona juste au-dessus du coude. Pendant un instant, il sembla que son masque de bonne femme endurcie allait se fendiller, mais elle s'éclaircit la voix et reprit d'un ton plus dur que jamais :

— Eh bien, poupée ! Tu m'as toujours pas dit ce que t'allais faire à Reno, la tête farcie d'*angel dust* !

— Il n'y a rien de particulier à dire sur Reno.

— Ça, tu peux le dire ! ricana la vieille.

Mona éclata de rire.

— Non, je voulais... Je ne sais pas... Prendre mes distances pendant un certain temps. Je n'ai jamais vu le désert.

— On n'en manque pas, à Winnemucca.

Mona baissa les yeux sur son assiette, pour esquiver ce qui semblait être une invitation.

— C'est une grande baraque, poupée. J'ai

besoin de quelqu'un pour le téléphone. C'est vachement propre et mignon, aussi. Je crois que tu serais étonnée.

— Je suis sûre que c'est un très joli...

— Merde, poupée ! Je suis pas dans la traite des Blanches ou quelque chose de ce genre ! Tu me tiendras compagnie, c'est tout. Tu pourras partir quand tu voudras.

— Je ne crois pas que je suis...

— Qu'est-ce que tu fous, de toute façon ?

— Quoi ?

— Dans la vie !

— Je... J'étais conceptrice-rédactrice dans la pub.

Mother Mucca émit un rire rugissant :

— Eh ben, y a pas de quoi faire sa bêcheuse !

Mona grimaça un sourire et jeta sa serviette sur son assiette. Elle dit :

— Le car va partir, Mother Mucca.

— Tu veux pas venir, alors ?

— Non, fit Mona en se mordillant l'index. Sauf si j'ai un matelas d'eau à moi toute seule.

La vie chez les A-Gays

Pour les Hampton-Gidde, les mécanismes d'une réception étaient aussi complexes que ceux du dernier modèle de la Rolls Silver Shadow d'Arch Gidde.

Après un tri minutieux, les invités potentiels étaient divisés en quatre classes :

— la classe A ;

— la classe B ;

— la classe A-Gay;
— la classe B-Gay.

Les Hampton-Gidde ne connaissaient personne de classe C, gay ou pas.

En règle générale, la classe A comprenait les Belles Gueules et le Gratin, le genre de personnes à qui Merla Zellerbach demandait dans sa rubrique mondaine du *Chronicle* quelle était la cochonnerie qu'elles préféraient manger ou dans quel endroit elles allaient s'encanailler.

Il y avait bien entendu quelques A-Gays dans la classe A, mais on exigeait d'eux qu'ils sachent se tenir. Un A-Gay qui commençait à faire la folle pendant les petits jeux de salon après un dîner de classe A était irrémédiablement rétrogradé dans le purgatoire des B-Gays.

Les B-Gays, les pauvres, n'avaient même pas le droit de participer aux petits jeux en question.

L'éventail et l'intensité sonore des conversations de salon chez les Hampton-Gidde dépendaient largement de la classe qui y avait été conviée.

Les gens de la classe A pouvaient parler d'art, de politique, et des murs recouverts de daim de la chambre à coucher du maître de maison.

Ceux de la classe B pouvaient parler d'art, de politique, des murs recouverts de daim de la chambre à coucher du maître de maison et des gens de la classe A.

Les A-Gays pouvaient parler de ceux qui sniffaient de la coke dans les toilettes.

Les B-Gays, à fonction principalement décorative, n'étaient pas censés parler.

— Binky *jure* que c'est vrai, déclara William Devereux Hill III, lors d'une soirée où la demeure de Seacliff des Hampton-Gidde grouillait littéralement de A-Gays.

— *Chinois ?* siffla Charles Hillary Lord.

— Et des jumeaux !

— Une *vraie portée* ! s'exclama Archibald Anson Gidde en se joignant à la conversation.

— Je trouve ça à crever !

— Seulement à crever ? Mais chéri, Miss Gidde s'est quasiment cassé les ongles sur son téléphone Princess à force d'appeler tout le monde pour colporter la nouvelle.

— C'est absolument faux, s'indigna le maître de maison.

— Pourquoi ? C'est *toi* qui me l'as dit !

— Oui, mais à personne d'autre.

— Stoker dit que tu le lui as dit aussi.

— Quelle menteuse !

Charles Hillary Lord était avide de ragots supplémentaires :

— Seigneur, Billy, un « Ornemental » ? DeDe a couché avec un « Ornemental » ?

— Ils ont de tout petits zizis.

(Celle-là était d'Archibald Anson Gidde.)

— Je trouve que vous avez *tous* des préjugés révoltants, fit Anthony Latimer Hughes en s'associant à eux.

— Oh, Mary chérie ! Ne nous dis pas que tu es repartie dans une période *chinoiseries* ! Si ?

(Gidde, toujours.)

— Il y a deux choses qu'il faut savoir sur San Francisco, intervint Charles Hillary Lord. Ne jamais rencontrer *personne* au *Top of the Mark*. Et ne jamais traverser Chinatown sous la pluie.

— Pourquoi ? demandèrent-ils tous en chœur.

— Parce qu'ils sont si petits qu'ils éborgnent les Blancs avec leurs parapluies !

De l'autre côté de la pièce, pelotonnés sur le canapé sous le Claes Oldenburg, Edward Paxon Stoker Jr plaisantait avec son hôte, Richard Evan Hampton.

— C'est dommage, disait le premier, que Jon Fielding ne soit pas là.

— Oh, sss'il te plaît ! fit Rick Hampton, qui ne s'était jamais complètement remis de la soirée où Jon Fielding avait brusquement explosé et fait une sortie fracassante. Cette salope est définitivement rayée de mes listes, Edward !

— Oui, mais c'est le gynécologue de DeDe, et je suis sûr qu'il...

— Il sert *aussi* de petit dessert à Beauchamp de temps en temps.

— Plus maintenant.

— Vraiment ?

— Notre docteur, qui est coutumier du fait, comme nous le savons tous, nous a joué tout à coup les saintes nitouches et a envoyé valser Beauchamp. La pauvre était *verte* !

— Je serais ravi d'entendre la version de Jon Fielding !

— Il faudra que tu attendes un moment, je le crains. Il est parti à Acapulco.

— Et pourquoi donc ?

— A ton avis ? Pour une convention de gynécologues.

La plus riche — et plus vieille — moitié des Hampton-Gidde leva péniblement les yeux au ciel.

— Oh, Acapulco... C'est devenu *tellement* vulgaire !

Délires sur la dunette

Quelque part au large du Mexique, un éblouissant soleil de midi trouva des dizaines d'adorateurs empressés étendus sur la dunette du *Pacific Princess*. Mary Ann était à plat ventre — le haut défait — lorsqu'une main imprévue laissa tomber quelque chose de gluant sur son dos.

— Mouse ?

Silence.

— Mouse !

— Yé né connais pas dé Mouse, signorina. Yé souis simple steward italien qui désire faire craccrac avec très jolie femme américaine !

— Tu as fumé, hein ?

Michael s'assit à côté d'elle et poussa un soupir théâtral :

— Si seulement tu savais délirer !

— Qu'est-ce que c'est que ce truc ?

— Quel truc ? Oh, de la crème solaire. C'est le steward qui m'en a donné. Il a dit que c'était fabriqué à Mazatlán.

— Ça sent bon. On en mangerait

— Bof. C'est de la tortue broyée.

— Mouse !

— Hé, c'est *lui* qui me l'a dit.

— Beurk !

— Bon sang, avec quoi tu crois qu'elle se tartine, Polly Bergan ? De la crème de roses ?

Mary Ann s'assit en clignant des yeux dans le soleil et en retenant son haut d'une main.

— Tu me l'attaches, s'il te plaît ?

— Tu veux que je t'attache ? Tu en es *déjà* au bondage ? Mais tu n'as pas encore essayé le loto ! Et puis il y a un cours de mambo pour les vieux cet après-midi dans le salon Carrousel, si jamais tu veux...

— Mouse... Ne regarde pas, mais il vient de plonger.

— Qui ça ?

— L'homme mystérieux. Le type que tu as vu quand on a embarqué.

— Celui qui nous drague ?

Mary Ann le corrigea :

— Qui drague *l'un* de nous deux.

— Peut-être qu'il aime les trucs à trois.

— Mouse, tu crois qu'il est gay ?

— Eh bien... Je dirais qu'il a le crawl un peu maniéré.

— Mouse, je suis sérieuse.

— Alors va lui demander, idiote ! Invite-le à prendre un piña colada !

Mary Ann se tourna et observa le corps blanc et musclé qui fendait l'eau bleue de la piscine. Il était blond cendré, remarqua-t-elle. Il secoua la tête comme un colley en grimpant l'échelle pour sortir du bain. On aurait vraiment dit un chien mouillé qui s'ébrouait.

Elle revint à Michael.

— Tu es sûr que j'en suis pas cap', c'est ça ?

Michael se contenta de lui faire un petit sourire exaspérant.

— OK. Eh bien, regarde !

Le colley était étendu sur une serviette au bord de la piscine. Mary Ann s'en approcha avec un air dégagé, les yeux rivés sur la surface de l'eau. Elle avait prévu d'avoir l'air énergique et libérée, comme une Candice Bergen qui va faire des longueurs après une dure journée de photos dans la brousse africaine.

Le colley leva les yeux et sourit.

— La seule façon d'y arriver, dit-il, c'est de fermer les yeux et de sauter.

— Elle est froide ? demanda Mary Ann.

(Pas si vite ! Candice Bergen n'aurait jamais fait ça.)

— Allez-y, l'encouragea-t-il. Vous supporterez.

Elle haussa les épaules et se décida, en espérant qu'il n'était pas trop tard pour tenter un effet à la Marlo Thomas. Un sourire bienveillant se peignit sur le visage du colley tandis qu'elle retenait son souffle et sautait.

C'était une piscine minuscule. Un vrai mouchoir de poche. Pas de quoi faire des longueurs. L'eau glacée de l'océan était revigorante, mais difficile à supporter bien longtemps. En frissonnant, elle tendit la main vers l'échelle ; mais le colley lui tendit la sienne.

— La chair de poule vous va bien, estima-t-il.

— Merci, dit-elle avec un sourire.

— Accepteriez-vous de prendre un verre avec moi ? Avec votre mari, bien entendu.

— Mon mari ? Oh, ce n'est pas du tout...

Elle se retourna vers un Michael rayonnant qui lui faisait son imitation de la reine Élisabeth en train de saluer les foules.

— ... Michael est juste un ami.

— Très bien, dit le colley.

« Pour qui ? songea Mary Ann. Pour moi ou pour Michael ? »

Le colley se présenta. Il s'appelait Burke Andrew. Il faisait la croisière tout seul. Il donna une poignée de main ferme à Michael et les pria de l'excuser le temps d'aller chercher les verres.

— Bon, fit Mary Ann. Alors, il en est ?

— Comment tu veux que je le sache ? Depuis

56 au moins les pédés ne se grattent plus l'intérieur de la main pour se reconnaître !

— Il est sexy, non ?

— Faut aimer les grosses cuisses, dit Michael en haussant les épaules.

— Je crois que je lui plais, Mouse, soupira Mary Ann en contemplant la mer. Aide-moi à trouver ce qui cloche chez lui.

Le Superman Building

L'ironie du sort, songeait Brian à minuit en rentrant d'un pas las jusqu'à Barbary Lane, c'était qu'il aurait pu rentrer avec elle.

Sans problème.

Putain, elle lui bavait pratiquement dessus ! Chez *Henry Africa's*, elle s'était collée à lui sous la lumière crue, quasi atomique, des lampes Tiffany : il aurait pu l'emballer comme un rien.

Alors pourquoi ne l'avait-il pas fait ? Quelle nouvelle et perverse bizarrerie de sa personnalité l'avait amené à saboter un coup aussi sûr et à se rentrer le cul tout seul jusqu'à sa petite maison sur le toit ?

La scène dans le bar s'était passée ainsi :

— Je n'arrive toujours pas à m'en remettre, pour Freddie Prinze.

« Tu penses, songea-t-il. Avec sa tignasse effrayante à la Farrah Fawcett, ses moues à la Bernadette Peters, elle doit s'inspirer exclusivement de ce qu'elle voit à la télé. Dans cinq minutes, elle va me bassiner avec *Racines*. »

— Je veux dire qu'il était tellement *jeune* !

Même s'il prenait de la drogue et tout, je vois pas pourquoi il aurait déprimé au point de... Mon Dieu, c'est un super gâchis... Lui qui faisait tant de choses pour les Chicanos.

— Il était portoricain, fit Brian sans lever le nez de sa bière.

— D'ailleurs, la cocaïne, c'est pas censé... Ah bon, il était portoricain ?

— Ouais.

— J'ai eu une colocataire portoricaine, dans le temps. Je l'avais contactée par l'intermédiaire de la direction des Études ethniques de l'université.

Brian avala une gorgée de bière et resta impassible :

— Ça s'est bien passé ? s'enquit-il tout de même.

— Ça m'a appris énormément de choses.

— Tant mieux.

— Elle s'appelait Cecilia.

— Joli prénom.

— Cecilia Lopez.

— Mmmh. Moi, j'ai renvoyé un coupon pour recevoir une araignée, quand j'avais douze ou treize ans.

— Euh... pardon ? Je ne...

— Les trucs qu'il y a au dos des mensuels de B.D. : « Élevez un petit animal domestique. Tient dans une tasse, etc. »

— Mais quel est le rapport avec... ?

— Elle s'appelait Cecilia aussi.

— Ah.

— Je l'ai reçue morte. Bien empaquetée dans sa petite boîte. J'en ai été malade.

— Quelle horreur ! C'était... la faute à qui ?

— A personne, en fait.

Elle hocha la tête d'un air solennel.

— C'était un... suicide ! expliqua-t-il.

Elle le regarda d'un air chagriné.

— La drogue, continua-t-il. Et puis, elle était tellement *jeune* !

Elle tendit la main pour prendre la sienne, mais il se leva brusquement et colla un billet sur le bar.

— Désolé, dit-il. Je suis trop déprimé pour baiser ce soir.

Le Superman Building était un immense immeuble qui dominait le coin de Green Street et de Leavenworth Street. Brian l'adorait, parce qu'il le faisait penser à l'immeuble du *Daily Planet* dans les vieux feuilletons télé.

Capable de sauter par-dessus un immeuble d'un seul bond...

Il l'adorait aussi, parce qu'il lui communiquait une sorte de puissance qui confinait parfois au sexuel.

Ce soir-là, tandis qu'il ôtait son Levi's et son polo de rugby, il remarqua qu'il y avait encore six ou huit lumières dans le Superman Building.

Il leva ses jumelles et observa le sixième étage pendant quelques minutes en se concentrant sur un grand appartement du coin. Une femme boulotte aux cheveux courts, vêtue d'un pull rouge, se traînait de pièce en pièce en tapant sur un oreiller.

A minuit ?

Un amant qui arrivait ? Improbable. Un départ de bonne heure le matin ? Peut-être, mais quel invité pouvait donc être aussi important que ça ? C'était sûrement quelqu'un qui s'ennuyait, tout simplement. L'ennui ou l'angoisse... ou la folie.

Comme l'ennui le gagnait à son tour, il porta son regard vers le — voyons — huitième étage. Là, devant la fenêtre éclairée, il vit un homme maigre et chauve qui levait lentement la jambe pour se toucher le pied du bout de la main.

Le mouvement semblait trop expressif pour être un exercice de gym et trop irrégulier pour correspondre à une danse. Une espèce d'art martial, peut-être... Ou alors, ce foutu immeuble était rempli de cinglés !

S'il n'y faisait pas attention, il allait bientôt trouver des surnoms à tous ces gens. Comme James Stewart dans *Fenêtre sur cour*.

Une lumière s'alluma.

Il leva de nouveau ses jumelles et les braqua sur une pièce du onzième qui était baignée d'une lumière rose tamisée.

Quelques secondes plus tard, une femme fit son apparition.

Elle se mit devant la fenêtre, vêtue d'une sorte de robe de chambre, découpant sa silhouette sombre sur le rectangle de lumière couleur chair. Elle resta immobile pendant un certain temps, puis elle baissa les mains à hauteur de la taille et les releva brusquement à son visage.

Elle tenait des jumelles.

Et elle regardait Brian.

La maison

A l'aube, le désert qui environnait Winnemucca semblait gris et son relief déchiqueté, comme s'il était fait de blocs de béton — ou des fragments d'une autoroute précolombienne, qui sait ?

C'est du moins ce qui sembla à Mona à travers la vitre de la vieille Ford Ranchero qui l'emportait à toute allure et sans plus de cérémonie de la gare routière jusqu'à un endroit dénommé le *Blue Moon Lodge*.

— Tiens, la voilà, brailla Mother Mucca en désignant du menton la maison à façade de stuc tapie non loin.

— Jolie, fit Mona.

— Ouais, répondit Mother Mucca.

— Vous l'avez depuis longtemps ?

— Soixante ans. Ça fera assez longtemps, selon toi ?

Mona siffla, ce qui fit émettre à l'octogénaire un gloussement rocailleux :

— Mother Mucca est une *vieille* salope !

Avant que Mona eût pu trouver quelque chose à dire du genre : « L'important, c'est l'âge qu'on a dans la tête », la Ranchero s'engagea brusquement sur un parking poussiéreux qui jouxtait le bordel. Mother Mucca appuya longuement sur le klaxon.

— Bon, alors, elle est où, Bobbi ?

Une porte en aluminium claqua et laissa passer une jeune femme blonde à l'air angoissé qui devait avoir un peu plus de vingt ans. Elle portait un short en jean et un chemisier rose noué sur le nombril. Elle accourut vers la voiture en boitillant.

— Bienvenue à la maison ! dit-elle avec un grand sourire.

— Eh bien, qu'est-ce qui t'est arrivé au pied ?

— Rien.

Mother Mucca sauta de la Ranchero en fronçant les sourcils comme un vieux sachem.

— Comment ça, rien ?

— Mother Mucca, je l'ai pas laissé...

— Alors là, tu vas m'écouter, poupée ! Si tu recommences avec ce barjot qui vient d'Elko, je vais te sortir de chez moi à coups de pied au cul, si vite que tu regretteras d'avoir... T'as rien de cassé, au moins ?

Bobbi secoua la tête.

— Alors, prends les sacs. Tiens, je te présente Judy, fit-elle en désignant Mona du menton. Elle va rester chez nous pour s'occuper du téléphone pendant quelque temps.

Les deux jeunes femmes se saluèrent d'un petit signe de tête.

— File-lui la chambre de Tanya, dit Mother Mucca, qui s'était déjà légèrement radoucie. Mais enlève la balançoire avant.

La première étape fut la cuisine, où Mother Mucca sortit un litre de lait et des tartelettes.

— Elle est gentille, hein ?

— Qui ça ?

— Bobbi.

— Oh... Oui, elle a l'air très sympa.

— Givrée, cela dit. *Loco* comme pas une. Faut la surveiller comme une mère poule. Merde, quand je l'ai dégotée, celle-là, elle était au fond. Elle pouvait pas tomber plus bas.

Mona prit un air compatissant :

— Les drogues dures ?

— Nan, pire : dactylo.

La chambre de Mona donnait sur le désert. C'était la dernière d'une suite de chambres qui s'ouvraient sur une véranda, comme dans un motel.

Le mobilier consistait en un lit (ni en cuivre, ni avec matelas d'eau), un fauteuil en plastique vert, une table de chevet en formica et une coiffeuse qui devait remonter à l'époque d'Eisenhower, sur laquelle trônaient, entre autres choses, un animal en peluche (qui appartenait à Tanya ?), une fougère en plastique et un flacon d'eau de Cologne Avon en forme de diligence.

Mona s'était allongée à plat ventre sur son lit et se demandait si une semaine passée dans un bordel risquait sérieusement de lui bousiller son karma, lorsque Bobbi entra dans la pièce.

— Toc-toc, fit-elle niaisement.

Mona roula sur le côté et se frotta les yeux :

— Oh, salut ! dit-elle.

— Je t'ai apporté des serviettes.

— Merci.

— Tu t'es installée ?

— Ouais. Merci, Bobbi.

— De rien, Judy, répondit-elle gaiement.

Mona lui rendit son sourire en éprouvant un bizarre sentiment de communion avec cette créature un peu simplette.

— Tu vas aimer Mother Mucca, dit doucement Bobbi. Elle a l'air pas facile quand elle parle, mais elle n'est pas du tout comme ça. Elle nous aime toutes comme ses propres filles.

— J'imagine qu'elle n'en a jamais eu aucune ?

— Non. Pas de fille. Un fils, dans le temps.

— Qu'est-ce qu'il est devenu ?

— Il s'est enfui, il paraît. Quand il était ado. Il y a longtemps.

Terre !

Petit déjeuner sur le *Pacific Princess*. La salle à manger du pont Aloha bourdonnait des conversations de passagers brûlés par le soleil, impatients d'apercevoir enfin Puerto Vallarta. Mary Ann fit son entrée sans Michael, qui était encore sous la douche.

— Eh bien, brailla Arnold Littlefield en noyant ses œufs brouillés dans le ketchup, votre petit mari vous a laissée tomber, hein ?

Arnold et sa femme, Melba, partageaient une table avec Mary Ann et Michael. Les Littlefield avaient la quarantaine et portaient toujours des vêtements identiques. Aujourd'hui, vu leur destination, ils arboraient tous les deux des pantalons en toile de sac mexicains. Ils étaient de Dublin, Dublin en Californie.

— Il lui faut toujours plus de temps qu'à moi, dit Mary Ann en s'asseyant avec désinvolture.

Il était infiniment plus simple de faire passer Michael pour son mari plutôt que de se mettre en devoir d'expliquer ce que Michael appelait leur « bizarre, mais vraiment très bizarre relation ».

— Ça, vous pouvez le dire, fit Melba, la bouche pleine de bacon. Les hommes sont pires que les femmes pour s'apprêter.

Mary Ann acquiesça, soulagée que Michael ne soit pas là pour y aller de son commentaire sur cette sortie.

Elle commanda un énorme petit déjeuner, puis elle se souvint de Burke Andrew et annula les gaufres. Elle était en train d'avaler son jus d'orange lorsque Michael apparut, l'air de bonne humeur et propre comme un sou neuf.

Il portait des Adidas, un Levi's et un T-shirt blanc orné, pour le motif, d'une boîte de Crisco.

— Mille excuses, dit-il gaiement en faisant un petit signe aux Littlefield avant de s'asseoir.

— Pas grave, fit Arnold. Mais vous feriez bien de ne pas trop laisser la petite dame toute seule, hein ?

Il fit un clin d'œil à Mary Ann.

— Elle est trop mignonne pour ne pas la garder en laisse.

— Arnold !

C'était Melba.

— Mike le sait bien, observa-t-il. Pas vrai, Mike ?

— Je ne peux pas la quitter des yeux une seconde, reconnut celui-ci.

Melba donna un coup de coude à son mari :

— Tu ne dis jamais ça pour moi, Arnold !

— C'est qu'ils sont plus jeunes que nous et tu te souviens bien comment c'était quand... Dites, Mike, depuis combien de temps êtes-vous dans les lubrifiants ?

— Quoi ? fit Michael.

Il était occupé à mater un serveur à la table voisine.

— Votre T-shirt... Vous travaillez bien chez Crisco ?

Mary Ann avait envie de se cacher dans ses corn-flakes.

— Ouais, répondit Michael, pince-sans-rire. Je suis dans les lubrifiants depuis... Oh, je ne sais pas... Quatre, cinq ans.

— Dans les ventes ?

— Non, les relations publiques.

— Mouse... supplia Mary Ann.

Michael fit un clin d'œil à Arnold :

— Bobonne n'aime pas que je parle boutique à table, fit-il.

— Elle a bien raison, intervint Melba, se rangeant du côté de Mary Ann. Arnold me bassine constamment avec ses structures alvéolaires en aluminium. Ce que ça peut être pénible !

— C'est peut-être pénible pour toi, Melba, mais

il y en a que ça intéresse, surtout quand c'est grâce à ça qu'ils gagnent leur vie! Vous trouvez que c'est pénible, les lubrifiants, vous, Mike?

— Sûrement pas! répondit Michael sans l'ombre d'une hésitation.

Depuis le pont promenade, on avait l'impression de pouvoir presque toucher le sable blanc et les palmiers de Puerto Vallarta. Mary Ann s'appuya contre le bastingage, puis regarda les chauffeurs de taxi et les vendeurs de *serape* qui commençaient déjà à envahir le débarcadère.

— Où pourrait-on aller, Mouse?

— Je ne sais pas. A la plage, non?

— Nous n'avons pas un sou d'argent mexicain.

— Le commissaire de bord a dit qu'ils acceptent... Attends, le voilà!

— Qui?

— Le mystérieux et très bandant M. Andrews.

Mary Ann se retourna lentement et vit le beau blond qui traversait le pont à grands pas, visiblement dans sa direction.

— Andrew, corrigea-t-elle. Sans *s*.

— Oh, avec ou sans *s*, il me plaît autant...

Mary Ann ne prêta pas attention à cette réplique. Burke Andrew lui adressait un grand sourire.

— Je vous cherchais, dit-il.

« *Vous?* Est-ce qu'il veut dire *tous les deux*? » songea Mary Ann.

Babillages

Même les trois scotches qu'il avait bus à l'*University Club* ne réussissaient pas à faire oublier à Beauchamp la lettre qu'il portait dans la poche intérieure de son Brioni.

— Eh bien, dit Peter Cipriani en rejoignant le jeune cadre sur la terrasse, on dirait que la vie n'est *pas* un conte de fées, finalement ?

— Pas du tout, fit Beauchamp avec une grimace.

— Cela pourrait être pire.

— Ah bon ?

— Oui, tu pourrais être à ma place, mon petit. Tu pourrais être condamné à assister ce soir à un dîner chez Langston.

Beauchamp lui lança un regard moqueur pardessus son verre.

— Et quel est le menu de ce soir ? Du faisan à l'antique ?

— Pire. Oh, bien pire !

— De la venaison à la victorienne ?

Peter secoua gravement la tête :

— Il paraît que nous allons avoir — mon Dieu, quand j'y pense ! — de l'élan à l'édouardienne. Je me demande combien de temps la chose a traîné au congélateur. Miss Langston n'a pas tué d'élan depuis au moins la fin des années soixante !

« Tu parles, songeait amèrement Beauchamp dans l'ascenseur qui le conduisait à son appartement au dernier étage de Telegraph Hill. Les problèmes des autres sont vraiment risibles, à côté des miens. »

DeDe était dans la bibliothèque, pelotonnée sur

le sofa en poil de chameau et tenant d'une main un exemplaire du *Sweet Savage Love* de Rosemary Rogers ; l'autre était plongée dans un bol en émaux rempli de M&M's. Depuis le seuil, Beauchamp lui lança un regard noir.

— Regardez-moi ça ! La Femme dans toute sa plénitude !

— J'ai eu une journée pénible, Beauchamp.

Il laissa tomber son attaché-case et se dirigea vers le bar.

— Je n'en doute pas.

— Et ça veut dire quoi, ça ?

Il se servit un verre de J&B en gardant le dos tourné.

— Ça doit être un vrai calvaire de trouver un paquet super-géant de M&M's. Il a fallu que tu ailles jusque chez Woolworth, au moins, non ?

— Très drôle.

— Si *grossir* t'amuse tant, continue à t'empiffrer.

— Puis-je te rappeler que je porte *deux* bébés ?

— Je sais, dit-il en vidant son verre d'un trait. Variété « chocolat » et variété « cacahuètes ».

Le dîner de ce soir-là consista en une quiche froide et une salade. Ils mangèrent dans un silence glacial en évitant de croiser leurs regards, attendant tous les deux avec humeur le moment qu'ils savaient inévitable : celui des explications.

— Il faut qu'on parle, dit enfin Beauchamp.

— De quoi ?

— Bordel ! Tu sais très bien de quoi !

— Beauchamp... Je suis fatiguée d'en parler. Je ne t'en veux pas d'être en colère. Vraiment, je t'assure. Mais je porte deux bébés en moi et je ne peux plus supporter ce... ce harcèlement, dit-elle en le regardant droit dans les yeux. Cela fait longtemps que j'y pense, Beauchamp : j'ai décidé de retourner chez maman.

— Bonne idée. Tout simplement brillante !

— Je ne sais pas si elle est brillante, mais en tout cas je serai...

— Écoute, bon Dieu ! Tu as tout de même quelques éclaircissements à me fournir. Tu ne courras pas te réfugier dans les jupes de maman tant que tu ne me les auras pas donnés.

Il fouilla dans sa poche et en sortit la lettre qu'il lui jeta à la figure.

— Voici la charmante missive anonyme que j'ai reçue au bureau aujourd'hui !

DeDe ouvrit l'enveloppe et déplia la feuille de papier d'une main tremblante. Le message, écrit au feutre jaune, se résumait à ces huit mots :

ET SI TU LES APPELAIS YIN ET YANG ?

— Maintenant, reprit Beauchamp d'un ton menaçant, tu voudras bien me dire ce que ça signifie ?

DeDe fixa l'affreuse lettre pendant un instant, essayant de gagner du temps et de garder son calme. La boucle, se rendit-elle compte, était bouclée. Depuis sa meilleure amie Binky, en passant par Carson Callas de la rubrique mondaine, l'ignoble vérité avait gagné toute la ville. Elle portait les enfants d'un livreur de l'épicerie de Telegraph Hill !

Elle reposa la lettre sur la table, à l'envers.

— C'est répugnant, dit-elle d'une voix tranquille.

— Réponds à ma question, DeDe.

— Beauchamp, je t'en prie...

Il se dressait devant elle comme un cobra prêt à l'attaque.

— Oh, et puis merde, Beauchamp ! Le père de ces deux gosses est un Chinois !

La leçon de Mme Madrigal

Une fois qu'il eut terminé son travail chez *Perry,* Brian rentra directement à Barbary Lane. Mme Madrigal, perchée sur un escabeau dans l'entrée, était en train de remplacer une ampoule. Tout là-haut, auréolée par soixante watts, elle resplendissait comme une Vierge de série B prête à descendre sur un tranquille petit village français.

— Bienvenue à Manderley, fit-elle d'une voix sépulcrale. Je suis Mme Danvers. Je suis certaine que vous vous plairez ici.

— Vous êtes d'humeur *Rebecca,* ce soir ? dit Brian en éclatant de rire.

— Mon cher, pas toi ? Cet endroit est un véritable *cimetière,* avec Mary Ann et Michael partis au Mexique et Mona Dieu sait *où*... Sans parler de toi qui terrorises la moitié de la population féminine.

— J'étais au boulot.

— Mmmh... C'est vrai que c'est du travail, hein ?

Cette pique le vexa, mais il laissa courir. Au sein de sa petite famille de Barbary Lane, elle l'avait catalogué dans le rôle du don Juan vieillissant, et l'étiquette n'était pas plus mal trouvée qu'une autre ces derniers temps.

— Eh bien, soupira-t-il, je crois que je ferais aussi bien d'aller m'attaquer à mon évier. Des champignons commencent à y pousser, je crois.

— Brian ?
— Oui ?
— Ça te dirait de fumer un petit joint vite fait avec une vieille dame ? demanda-t-elle en lui faisant un clin d'œil sans vergogne.
— Bien sûr, répondit-il d'un air complice. Je m'occupe du joint. Occupez-vous de la vieille dame.

L'appartement de Mme Madrigal semblait de plus en plus encombré, comme si ses petits napperons et bibelots divers s'étaient mis à se multiplier d'eux-mêmes. De chaque côté du passage qui menait à la salle à manger se dressaient toujours les deux statues de marbre qui avaient fasciné Brian lors de sa première visite chez la propriétaire : un garçon avec une épine dans le pied et une femme avec une cruche.

Mme Madrigal s'assit sur son antique sofa de velours, dissimulant ses pieds sous son kimono, d'un mouvement qui lui donnait une allure étonnamment gamine. Elle prit une rapide bouffée du joint et le tendit à son locataire.
— Alors, qui est-ce, mon cher ?
— Qui ?
— La créature qui tourne ainsi la tête à un garçon naguère si insouciant.

Brian garda la fumée dans ses poumons le plus longtemps possible.
— Je crois que vous vous trompez de garçon insouciant.
— Vraiment ?

Elle avait de nouveau posé sur lui ses grands yeux bleus, lui offrant refuge dans ce regard.
— Madame Madrigal, il est tard et je n'ai pas très envie de jouer aux devinettes.

Sa brusquerie le gêna lui-même : il éclata d'un rire nerveux.

— Mais bien sûr, ajouta-t-il, si de votre côté vous connaissez des... créatures, je ne dis pas non !

— Brian, Brian... Est-ce qu'*au fond* tu es vraiment comme ça ?...

— Je vous en prie, la coupa-t-il, n'essayez pas de m'analyser.

— Je me fais du souci pour toi, mon cher. Merde, je sais que je ne suis qu'une vieille bique curieuse, mais vois-tu, je n'ai rien de mieux à faire. Je veux dire, si jamais tu as envie ne serait-ce que de *parler* à quelqu'un...

Elle se pencha en avant et sourit comme une Joconde un peu *stone*.

— Puis-je te donner un conseil, même si tu ne me le demandes pas ?

Il hocha la tête, se sentant de plus en plus mal à l'aise.

— La prochaine fois que tu rencontreras une fille — quelqu'un qui te plaira vraiment —, fais-lui croire que tu es un vétéran de la guerre et que côté plomberie, ça ne fonctionne plus.

— Quoi ? dit Brian en souriant d'un air incrédule.

— Je suis tout à fait sérieuse, chéri. Ne le dis à personne — surtout pas à *elle,* pour l'amour du ciel —, mais convaincs-toi qu'il t'est arrivé cette chose affreuse et que le *seul et unique* moyen qui te reste pour communiquer ce que tu ressens, ce sont tes yeux et ton cœur.

— Et si elle veut rentrer avec moi ?

— *Impossible,* mon cher. Tu as perdu ton zizi, n'oublie pas ! Tout ce qui te reste à faire, c'est sourire bravement et l'inviter à dîner le lendemain soir, ou encore l'emmener faire une petite promenade dans un parc. Elle acceptera. Je t'assure.

Brian prit une longue bouffée d'herbe.

— Alors combien de temps... ?

Il expira au milieu de sa phrase et s'assura qu'il avait toujours une expression de tolérance amusée sur le visage.

— Combien de temps suis-je censé faire semblant ?

— Le plus longtemps possible. Jusqu'à ce qu'elle te le demande.

— Qu'elle me demande quoi ?

— Si tu as été blessé à la guerre, évidemment.

— Et qu'est-ce que je dois lui répondre ?

— La vérité, mon cher. Que tout est intact. Ce sera une *délicieuse* surprise pour elle.

Il croisa les bras et lui sourit.

— Et, ajouta-t-elle en levant l'index, ce sera *aussi* une délicieuse surprise pour toi.

— Comment ça ?

— Tu auras eu le temps de connaître cette pauvre enfant, Brian. Et qui sait, tu risqueras peut-être même de l'aimer.

Quelques minutes plus tard, alors qu'il contemplait le paysage par la fenêtre de sa maisonnette sur le toit, il s'émerveillait de la facilité avec laquelle Mme Madrigal lisait en lui, de la rapidité avec laquelle elle avait deviné la présence de « la créature qui tourne ainsi la tête à un garçon naguère si insouciant ».

Est-ce que cela se voyait sur son visage, maintenant ? Ses pupilles étaient-elles dilatées simplement parce que des fantasmes venaient lui titiller le bas-ventre ? Quelle crispation de la mâchoire, quel tic nerveux de la paupière pouvait donc trahir la passion qui avait commencé à le consumer ?

A minuit moins deux, il leva ses jumelles et les

braqua sur le onzième étage du Superman Building.

Elle fit son apparition, comme il en avait prié le ciel, à l'heure pile.

Et il s'entendit gémir lorsque leurs regards se croisèrent par l'intermédiaire des jumelles, quelque part entre les deux bâtiments.

Bobbi

Épuisée par la drogue et le long voyage, Mona s'écroula après le petit déjeuner au *Blue Moon Lodge*. Le torride soleil de midi l'avait déjà contrainte à rejeter ses draps d'un coup de pied lorsque Bobbi vint frapper à la porte de sa chambre minuscule.

— Toc-toc, fit-elle.

Mona grogna presque imperceptiblement. Pendant combien de temps pourrait-elle supporter les effusions guimauve de l'affection que lui portait cette petite pute ?

— Salut, Judy. Mother Mucca m'a demandé de te montrer comment fonctionne le standard.

Argh, le standard ! Mais elle était là pour bosser, non ? Le moment était venu de payer de sa personne. Elle s'efforça de se redresser plus ou moins, s'appuya contre le montant du lit et se frotta les yeux.

— Deux minutes, OK ?

Elle tituba jusqu'à la salle de bains et s'aspergea le visage d'eau. Ça n'allait durer qu'une semaine, se rassura-t-elle, et la prostitution était légale au

Nevada. D'ailleurs, si jamais elle se remettait à la pub, cette escapade ferait sensation sur son C.V.

Alors qu'elle sortait de la salle de bains, son regard fut attiré par deux énormes crochets de métal au plafond.

— A quoi ça sert? demanda-t-elle à Bobbi.

— Quoi?

— Ces crochets?

— Oh, c'était la chambre de Tanya, avant.

« Merci, pensa Mona. Ça me renseigne beaucoup. »

— Tanya faisait quelque chose de spécial avec ces crochets? s'enquit-elle.

Bobbi gloussa, comme si Mona était une petite nouvelle qui ne connaissait rien à rien :

— C'était pour accrocher la balançoire.

« Est-ce que je dois lui demander pour quoi faire? songea Mona. Oui. Je suis réceptionniste dans un bordel. Je suis censée savoir à quoi servent les balançoires. »

— La balançoire lui servait pour ses... prestations?

— Oui, acquiesça Bobbi. Pour la douche. Elle était très réputée pour ça.

— C'est-à-dire?... Je ne comprends pas.

— Oh, ce que tu es bête! minauda Bobbi. Elle leur faisait pipi dessus du haut de la balançoire.

— Ah, je vois! Dans le genre des films d'Esther Williams.

— Hein?

— Non, rien. Qu'est-ce qu'elle est devenue, alors?

— Tanya? Elle est partie dans un autre bordel, à Elko.

— C'était mieux?

— Pour elle, peut-être, fit Bobbi en haussant les

épaules. En tout cas, ça a drôlement enquiquiné Mother Mucca. Mais Tanya va revenir, sûrement. Il n'y a pas tellement de bordels valables, dans le coin. Elko, Winnemucca, Wells... C'est à peu près tout.

Mona réprima un sourire. Cette pauvre innocente, pour qui « pisser » se disait « faire pipi » et « emmerder » se disait « enquiquiner », faisait quand même très bien la distinction entre les bordels valables et ceux qui ne l'étaient pas.

— Et lesquels ne sont pas valables ? demanda Mona.

Bobbi arbora une moue pensive, manifestement ravie de son rôle de spécialiste des bordels.

— Oh, je dirais... Mina, et puis Eureka et Battle Mountain. Battle Mountain, c'est vraiment l'horreur. La fille qui échoue là-bas... eh bien, elle ferait aussi bien de raccrocher.

Le salaire de Bobbi, apprit Mona, était d'environ trois cents dollars par semaine, *après* que Mother Mucca eut prélevé son pourcentage et que Bobbi eut payé sa chambre et sa pension.

Toutes les filles du *Blue Moon Lodge* étaient tenues de travailler trois semaines d'affilée avant de prendre une semaine de repos. Il fallait en outre que l'administration de l'État leur accorde un permis de travail où figuraient leurs empreintes, leur photo et un certificat médical, avant que ces dames aient le droit de reprendre le boulot — ou leurs jeux de balançoire.

La saison la plus intéressante financièrement était selon Bobbi l'été, lorsque la circulation se faisait plus dense sur l'autoroute 80, ainsi que de la mi-septembre à la mi-octobre, lorsque les chasseurs de cerfs envahissaient la région.

Selon la réglementation municipale de Winnemucca, les filles du *Blue Moon Lodge* n'avaient le droit d'aller en ville faire des courses, voir un film au cinéma ou consulter un médecin que chacune à son tour.

Il y avait également une loi qui interdisait à toute femme de travailler dans un bordel de Winnemucca si un membre de sa famille résidait dans le comté.

— Viens par là, gazouilla Bobbi dès que Mona fut prête. Je vais te montrer un truc super.

Mona rassembla tout son courage pour affronter cette nouvelle abomination. Peut-être une chambre tapissée de latex ? Avec des miroirs au plafond ? Une combinaison de plongée griffée Frederick's of Hollywood, avec un trou judicieusement placé ? Un âne en rut ?

Bobbi la précéda dans la véranda inondée de soleil. L'air brûlant du désert rappela cruellement à Mona le but initial de son escapade : la Communion avec la Nature, l'Harmonie avec les Éléments.

Mais non... Oh, non. Telles n'étaient pas les Voies de Bouddha.

Bouddha, pour elle ne savait quelle raison à la con, avait décidé qu'elle devait séjourner dans une chambre pourvue de crochets au plafond.

Leur destination était la chambre de Bobbi, un minuscule placard semblable à celui de Mona, trois portes plus loin, en direction du bâtiment principal. Bobbi ouvrit toute grande la porte d'un geste cérémonieux.

— Là, s'exclama-t-elle, sur l'étagère au-dessus du lit.

Mona resta bouche bée, atterrée.

— Des poupées du monde entier ! s'enorgueillit-elle. Je les collectionne depuis que j'ai douze ans.

— C'est... très joli, concéda Mona.

La gamine rayonnait, toute fière.

— Elles ont la même tête, reprit-elle, mais... Bon, eh bien, on ne peut pas tout avoir.

— Non.

— Tu peux les toucher, si tu veux.

Mona s'approcha de l'étagère et fit semblant d'examiner l'une des poupées.

— Très joli, redit-elle d'un ton morne.

— Tu as justement choisi ma préférée. La Norvège.

— Ah bon ?

— Tu crois que les Norvégiennes portent vraiment des robes comme... ? Pardon... Quelque chose ne va pas, Judy ?

— Non. Je... J'ai eu comme un moment d'absence.

Un peu plus tard, Mona la pria de l'excuser et retourna à sa petite chambre, où elle s'enferma dans le cabinet de toilette pour pleurer.

Parfois l'*angel dust* lui faisait ça.

Le jour de l'iguane

Assis sous un parasol de la *Posada Vallarta*, le curieux trio sirotait des Coco Loco tout en contemplant le plus bleu des océans.

— C'est agréable, dit Burke en s'étirant. Je suis content que vous soyez venus vous joindre à moi.

Je ne me sens pas vraiment... de points communs avec la plupart des gens de cette croisière.

Michael fit un petit sourire par-dessus sa noix de coco :

— Le bleu lavande n'est pas ton truc ?

— Le bleu quoi ? demanda Burke.

— Il parle des vieilles dames qui se teignent les cheveux, traduisit Mary Ann.

— Oh !

Il éclata de rire en regardant tour à tour Mary Ann, puis Michael.

— Je ne suis pas tellement dans le coup, hein ?

Mary Ann secoua la tête.

— Mouse parle toujours en langage codé, Burke. La moitié du temps, je n'ai pas la moindre idée de ce qu'il raconte.

— Vous vous connaissez depuis longtemps ?

Michael lança un coup d'œil à Mary Ann :

— C'était il y a combien de temps, le Safeway ? s'interrogea-t-il. Neuf mois ? Un an ?

— Ouais, je crois.

— On s'est rencontrés dans un supermarché, expliqua Michael. Mary Ann était en train de draguer mon mec.

Burke cligna des yeux :

— Ah, parce que tu es... ?

— ... Pédé comme un foc, oui, fit Michael.

Il se leva en souriant et rajusta son short en satin bleu.

— Je vais aller faire un tour. Je vous donne exactement une heure pour vous mettre d'accord.

Mary Ann se retourna et regarda Michael courir vers les vagues. Elle regarda Burke d'un air d'excuse amusée.

— Je n'arrive à rien avec lui, dit-elle.

— Pas étonnant, dit Burke en riant.

Elle se joignit à lui.
— Non, je ne parlais pas de ça !
— Il a l'air très sympa, en fait.
— Il l'est. Je l'adore.
— Mais ce n'est pas ton...
Elle secoua la tête et s'esclaffa.
— Il dit qu'il se considère comme mon mac.
Son sourire s'évanouit lorsqu'elle vit l'expression de Burke.
— Tu trouves que ça fait vulgaire, ce que j'ai dit ?
— Non, pas du tout. C'est simplement que... Eh bien, je n'ai jamais rencontré de gens comme vous deux.
Songeuse, Mary Ann contempla son visage pendant un moment, s'intéressant à ses mâchoires carrées, ses lèvres pleines et à la stupéfiante naïveté qu'exprimaient ses grands yeux gris. Est-ce qu'il était possible que quelqu'un soit encore *aussi* candide de nos jours ?
— D'où es-tu, Burke ?
Il la considéra un instant, puis :
— De partout, en fait, dit-il en caressant le rebord de sa noix de coco du bout de l'index.
— Ah. Bon, alors, l'endroit le plus récent ?
— Euh... San Francisco.
— Génial ! Moi aussi ! Tu habites où ?
— En fait, je suis de Nantucket. Je veux dire que mes parents, maintenant, y sont installés, et je vis chez eux. Avant, je vivais à San Francisco, mais c'est du passé.
— Où habitais-tu quand tu étais...
Il repoussa brusquement son fauteuil :
— Tu ne voudrais pas nager, ou autre chose ? On devrait profiter de l'heure qu'on nous a accordée.

— Tu as raison, dit-elle en souriant. Allons-y.

Ils longèrent la plage en direction de la ville, s'arrêtant de temps en temps pour chahuter dans les vagues ou contempler les parachutes ascensionnels qui s'élevaient, gonflés de vent, dans le ciel limpide. Burke regardait tout avec un émerveillement sincère et la joie d'un enfant qui découvre pour la première fois l'océan.

Il était charmant, songea Mary Ann, charmant, avec un petit côté primaire et vraiment viril, viril sans être macho pour autant. Impossible de l'imaginer en train de draguer des minettes dans les supermarchés. Ils croisèrent un marchand ambulant qui portait autour du cou d'affreux iguanes empaillés. Burke sortit immédiatement son portefeuille :

— Lequel tu veux ?

— Quelle horreur ! Tu rigoles ?

— Tu veux un chemisier, alors ? Celui-là, avec les broderies ?

— Burke... Tu n'es pas obligé de me faire des cadeaux.

Il plissa gravement le front :

— Comment te souviendras-tu de moi si tu n'as pas un iguane ?

En souriant, elle posa sa main sur ses reins, là où une touffe de poils dorés dépassait de son maillot de bain.

— Je me souviendrai de toi, dit-elle. Ne t'inquiète pas pour ça.

Lorsque DeDe Halcyon Day avait dix ans, ses parents l'avaient envoyée dans une colonie à Huntington Lake. Durant six éprouvantes semaines, elle avait souffert comme seule une gamine trop grosse peut souffrir quand on la force à pagayer dans un canoë, faire de la couture et chanter des chansons sur l'air de *Mon beau sapin*.

La fin du séjour fut un véritable soulagement : elle échappait enfin à la tyrannie des autres enfants pour regagner le refuge confortable et protecteur d'Halcyon Hill.

Elle éprouvait en ce moment un peu de cette sorte d'impatience à retrouver la maison maternelle, tandis qu'elle remplissait ses sacs Gucci et se préparait mentalement à rentrer à Hillsborough.

Elle voulait laisser Beauchamp derrière elle.

Elle voulait le reléguer au même rang que les orties, les lits en portefeuille et les gamines trop jolies qui parlaient de Tampax d'un air entendu.

Elle voulait qu'il disparaisse.

Mais Beauchamp tenait bon :

— Ce que tu es en train de faire ne résout rien, tu sais !

Elle ne lui prêta aucune attention et continua de faire ses bagages.

— OK. Très bien, tu retournes chez ta mère. Et puis après ? Qu'est-ce que tu crois que les gens vont dire quand les gosses seront nés ?

— Je me fiche de ce qu'ils diront.

— Ce que c'est chic, cet anticonformisme !

— Je les désire, Beauchamp, répondit-elle posément.

— Tu crois que leur père les désire ? Qu'est-ce

qu'il va faire, d'ailleurs ? Les emmener sur son porte-bagages quand il fait ses livraisons ?

— Laisse-le en dehors de cela.

— Mais bien sûr ! Au nom du ciel, n'offensons pas sa délicate sensibilité orientale. Tout ce qu'il a jamais fait, finalement, c'est de foutre un petit coup de son machin exotique à...

— La ferme, Beauchamp !

— Si tu arrêtais ton petit numéro à la Pearl Buck, Miss Cul Coincé ! gronda-t-il. Tu n'en as rien à cirer, de ces mômes, et tu le sais très bien.

— C'est faux.

— La moitié de tes copines ont avorté, DeDe.

— Pas au sixième mois.

— Il suffit d'une simple piqûre. Ce n'est pas plus compliqué que...

— Je refuse d'aborder une nouvelle fois ce sujet.

— « Je refuse d'aborder une nouvelle fois ce sujet », minauda-t-il en imitant sa façon de parler. Merde ! Est-ce que tu te soucies un peu de l'humiliation que tu me fais subir ? Est-ce que tu penses un minimum à Halcyon Communications — la boîte de *ton propre père* ?

Il baissa la voix mélodramatiquement, devenant presque geignard.

— Mon Dieu, DeDe, nous allions entrer au P.U. Club cette année.

— *Toi,* Beauchamp. Pas moi.

— C'est la même chose, bordel !

Elle leva les yeux et esquissa un faible sourire par-dessus sa valise :

— Plus maintenant.

Il la considéra avec une lueur assassine dans le regard, puis il claqua la porte de la chambre et sortit de la maison comme une tornade.

Penché sur son bureau d'Halcyon Communications, Beauchamp passa le reste de ce samedi après-midi plongé dans la nouvelle campagne pour Tidy-Teen Tampettes. La concentration exigée par cette tâche lui permit de faire le point et, à dix-huit heures, il avait trouvé une nouvelle façon d'aborder le problème.

Il appela West Portal.

— Ouais ? grogna une voix à l'autre bout du fil.

Beauchamp savait d'expérience que cette voix rauque ne devait rien à une laryngite.

— Bruno ?

— Ouais, ouais.

— Beauchamp Day.

— Oh ! Je vois. Il te faut encore de la neige. Déjà ?

— Non. Enfin, peut-être que oui. Aussi. Mais j'ai un besoin plus particulier, cette fois.

— J'ai de la *Purple Haze,* en ce moment. Et puis des *Black Beauties* qui sont du tonnerre.

— Non. Il s'agit d'autre chose. Tu sais, ton copain qui... qui règle les différends ?

Silence.

— Ce n'est pas ce que tu crois. Rien de grave. J'ai juste besoin de... Eh bien, c'est un peu spécial... Je veux dire, la situation est spéciale.

— Ça va te coûter bonbon.

— Je sais. On peut se voir quand ?

— Ce soir ? A vingt heures ?

— Où ?

— Euh... Au *Doggie Diner.* Sur Van Ness.

— OK. Au *Doggie Diner* sur Van Ness à vingt heures.

— Pas de neige, alors ?

— Non, Bruno, pas ce soir.

Lady Onze

Contrairement à ce qu'aurait dû lui dicter son instinct, Brian Hawkins avait trouvé un nom pour la femme du Superman Building.

« Lady Onze. »

Il ne s'agissait pas d'une espèce de délire malsain, se rassurait-il. Elle était *là-bas,* comme l'Everest. C'était une réalité nocturne aussi immuable et inévitable que le cliquetis des tramways ou la plainte des cornes de brume de la baie. Il n'y avait donc rien de plus normal que de lui donner un nom.

Elle faisait invariablement son apparition sur le coup de minuit (mais est-ce qu'on peut vraiment parler de coup pour un réveil digital ?) et se dressait sur le fond rosé de sa chambre. Ensuite, elle bougeait à peine, sauf pour lever et baisser ses jumelles avant de disparaître moins de vingt minutes plus tard.

Rien ne laissait croire qu'elle était consciente de la présence de Brian et elle ne regardait jamais autre chose que la fenêtre de sa petite maison sur le toit. A l'œil nu, ce n'était qu'une tache sombre sur un lointain rectangle de lumière. Mais avec les jumelles, en revanche, on discernait ses traits.

Elle avait un visage allongé aux lèvres pleines, encadré de cheveux qui étaient... brun foncé ? La couleur en était impossible à déterminer, mais Brian avait décidé qu'ils étaient auburn.

Ses cheveux descendaient plus bas que ses épaules et semblaient noués dans le dos. Son peignoir était d'une couleur claire, sans chichis, et ne laissait pas voir grand-chose du reste de son corps.

Il y avait quelque chose chez Lady Onze qui donnait l'impression qu'elle sortait de la douche.

Brian se demandait à chaque fois si elle avait les cheveux mouillés et s'ils sentaient le shampooing à la pomme.

C'était la sixième nuit.

Quand Brian rentra de chez *Perry,* il ne put s'empêcher de se rappeler à quel point ses comportements avaient radicalement changé. Il était vingt-trois heures, nom de Dieu, et il était déjà rentré !

En outre, il s'apercevait que, désormais, il prenait une douche en rentrant du travail. Ce soir-là, il passa encore plus de temps qu'à l'habitude dans la salle de bains, se pomponnant comme un collégien qui s'apprête à affronter sa première boum.

Après s'être brossé les dents et rasé, il enfila son peignoir en éponge et s'assit dans un fauteuil devant la fenêtre sud avec un exemplaire corné de *Oui*.

Encore sept minutes à attendre.

Le ciel commençait à s'emplir d'un désordre wagnérien. De lourds nuages blancs qui avaient l'air aussi faux que des décors de théâtre défilaient lentement derrière le monolithe fantomatique qu'était devenu le Superman Building. A 23 h 56, une lumière s'alluma au onzième étage.

La lumière.

Brian laissa tomber son magazine et s'approcha de la fenêtre. Il s'empara de ses jumelles et les braqua sur le repaire de Lady Onze. Elle ne se montrait pas encore. Il n'y avait aucun mouvement dans la chambre.

Et à minuit, elle n'était toujours pas là.

Elle lui avait posé un lapin.

Brian resta à la fenêtre, étourdi, déçu par cette trahison, comme un enfant qu'on tire par un matin d'été d'un rêve rempli de sapins de Noël et des cadeaux qui vont avec. Puis, petit à petit, alors qu'il restait appuyé contre la vitre (cette vitre qu'il avait passée au Glassex le matin même), la fureur le gagna et il se mit à maudire la sirène mystérieuse qui l'avait obligé à se raser à minuit.

C'était toujours comme ça, n'est-ce pas ? Celles que vous désirez le comprennent toujours avec un flair imparable. Votre désir, et non son assouvissement, voilà tout ce que ces femmes veulent. Et à peine s'en sont-elles rendu compte, à peine ont-elles senti l'âcre relent de musc effleurer leurs narines qu'elles sortent de votre vie pour toujours.

C'est alors — enfin ! — qu'elle fit son apparition.

Dressée, majestueuse comme une figure de proue à l'avant de l'immense vaisseau blanc qu'était le Superman Building, Lady Onze se matérialisa à sa fenêtre et leva ses jumelles. Brian en fit autant.

Et il retint son souffle.

Car cette fois, elle ne tenait ses jumelles que de la main droite... Et de l'autre, elle était en train de dénouer la ceinture de son peignoir.

Durant cette sixième nuit enchantée, au-dessus d'une ville grouillante de monde, le peignoir glissa sur le sol et celui de Brian aussi.

Formation sur le tas

Le premier après-midi de Mona au *Blue Moon Lodge* fut déscspérément vide. Le téléphone ne sonna que deux fois. Le premier appel émanait d'un homme qui désirait savoir si Monique travaillait toujours là. Après un rapide aparté avec Mother Mucca, elle lui apprit que non.

— Elle est partie il y a un mois, expliqua la maquerelle. Elle travaille aux renseignements téléphoniques à Reno.

— Qu'est-ce que je dis au type, alors ?

— Dis-lui que Doreen sait le faire aussi.

— Sait faire quoi ?

— T'occupe !

Mona fronça les sourcils et reprit le téléphone.

— Euh... Monique ne travaille plus ici, mais Doreen... Doreen sait le faire aussi.

Le client hésita.

— Elle le fait pareil ?

— Euh... oui.

— Avec la patte de lapin et tout ?

— Euh... Un instant, je vous prie.

Mother Mucca eut l'air exaspéré et la houspilla :

— Mais merde, t'es pas foutue de piger ce... ?

— Ce con est en train de me parler d'une putain de patte de lapin !

La vieille dame fit une moue :

— Veux-tu ne pas parler comme ça aux gens de mon âge, poupée ! Nom de Dieu, je vais te laver la bouche avec du savon, moi !

Mona se radoucit :

— Qu'est-ce que je lui dis pour la patte de lapin ?

— Que Doreen sait le faire aussi, dit Mother Mucca en haussant les épaules.

Mona revint à son correspondant :

— Oui, elle sait le faire aussi... avec la patte de lapin.

— Jusqu'au bout ?

— Oui. Satisfaction garantie.

— Les filles de Battle Mountain, elles font juste semblant, vous savez ?

— C'est possible, répliqua Mona, mais nous ne sommes pas à Battle Mountain, ici. Nous sommes au *Blue Moon Lodge* !

Mother Mucca eut un sourire ravi et tapota le bras de Mona :

— Bravo, ma fille. Bravo !

Et Mona se sentit envahie d'une fierté sans mélange.

Une à une, les filles du *Blue Moon Lodge* commencèrent à se rassembler dans le salon. Elles étaient sept au total, Bobbi comprise. La plus âgée semblait avoir un peu plus de la trentaine. Elle avait des cheveux nattés, des lèvres minces et ressemblait à une chanteuse de gospel de la Croisade de Billy Graham.

— C'est toi, Judy, hein ? Moi, c'est Charlene.

Charlene, Bobbi, Doreen, Bonnie, Debby, Marnie et Sherry. Mon Dieu ! songea Mona. Mais c'était quoi, ça ? Des putes ou les Sept Nains ?

— Mother Mucca a dit que c'était toi qui faisais le téléphone cette semaine, reprit Charlene.

— Ouais... Juste pour essayer, tu vois.

Ça sonnait faux, complètement faux : condescendant comme tout. Charlene l'avait bien senti.

— T'es pas en train d'écrire une... comment on appelle ça, déjà ? Une thèse ?

— Non.

— Tant mieux.

Elle s'agenouilla, tendant à l'extrême le tissu de son pantalon vert fluo, et alluma l'énorme télévision. Mona remarqua pour la première fois qu'un buste en plastique de Kennedy trônait dessus.

La plupart des filles étaient absorbées par un feuilleton lorsque le second client appela.

— Qui est-ce ? demanda une voix qui sonnait bien.

— Mon... C'est moi qui fais la standardiste, cette semaine.

— Oh.

— Mother Mucca m'a autorisée à...

— Je crois qu'il vaut mieux que je lui parle moi-même, je vous prie.

— Monsieur, répondit Mona, piquée au vif, si vous désirez prendre rendez-vous, je serai heureuse de...

Sentant le problème, Mother Mucca s'approcha de Mona.

— Il t'emmerde, Judy ?

— Il insiste pour vous parler.

La maquerelle prit le téléphone :

— Ouais, c'est... Oh, oui, monsieur... Non, c'est une petite nouvelle. J'ai... Oui, monsieur, on peut absolument lui faire confiance... Oui, cher monsieur... Bien entendu, monsieur... Non, ce n'est pas trop tard du tout... Je prendrai les précautions habituelles... Très bien, monsieur. Au revoir et merci beaucoup.

La vieille femme raccrocha, curieusement calmée. L'obséquiosité dont elle avait fait preuve durant la conversation stupéfiait Mona.

— Charlene ! fit Mother Mucca.

— Ouais ?

— Débarrasse-toi de tous les michetons, ce soir.

— Hein ?

— T'as bien entendu. Vire-les. Appelle-les pour annuler ou reporter, mais débarrasse-toi d'eux.

— C'était... ?

Mother Mucca acquiesça :

— Il arrive de Sacramento.

Charlene émit un petit sifflement.

— Et il a demandé qui ?
— Il a pas demandé.
— Hein ?
— Il veut une nouvelle.

Désirs ardents

De nouveau en mer, le *Pacific Princess* se dirigeait à toute vapeur vers Manzanillo, illuminé par le clair de lune. Peu après vingt heures, Mary Ann sortit de son bain et s'enduisit le corps de lotion à la tortue.

D'ici à une heure à peine, elle irait à son premier rendez-vous galant avec Burke.

— Est-ce que j'ai commencé à bronzer, Mouse ?
— Quoi ? Oh, ouais... bien sûr.
— Qu'est-ce que tu lis ?
— Putain de merde !
— Oh, ça ne doit pas être mal...

Il émit un sifflement incrédule, toujours plongé dans son livre. Mary Ann s'impatienta.

— Mouse... Montre-moi !

Michael leva son livre de poche. Il s'intitulait *Les Secrets des croisières.*

— J'ai acheté ce foutu machin à la boutique de souvenirs. Ils en faisaient une telle réclame !

Il lui lut un passage :

— « Il y a deux catégories de femmes sexuellement offensives parmi les passagers. Les premières s'intéressent surtout aux galons, les autres veulent simplement coucher. »
— C'est le truc le plus sexiste que j'aie jamais...
— « ... Les premières visent de préférence les

officiers. Les autres n'aiment rien tant que s'infiltrer dans les quartiers de l'équipage et passer le reste du voyage de bras en bras. »

— Eh bien...

— Attends, voilà le meilleur : « Il arrive parfois que de riches homosexuels solitaires... »

— Tu es en train d'inventer !

— Écoute, veux-tu ? « Il arrive parfois que de riches homosexuels solitaires embarquent pour une croisière dans l'espoir d'acheter les faveurs d'un membre de l'équipage. C'est chose facile. »

— Montre-moi ça !

Il lui tendit le livre pour qu'elle puisse voir et il reprit sa lecture :

— « Un pourboire généreux permet de transmettre le message à un matelot bien disposé. Peu de temps après, le téléphone sonne dans la cabine et l'affaire se conclut. »

— Eh bien, je te laisse en faire l'expérience.

— Eh ! Ne fais pas ta bêcheuse sous prétexte que t'as déjà trouvé le Prince Charmant !

Elle essaya trois chemisiers, incapable de décider lequel allait le mieux avec son pantalon en toile beige.

— Mets le bleu, décréta Michael. L'orange te fait ressembler à Ann-Margret.

— Et si j'ai *envie* de ressembler à Ann-Margret ?

Michael poussa un soupir exaspéré :

— Comme tu voudras. Si tu crois sérieusement que ton gentil garçon de Nantucket s'intéresse au genre maîtresse-à-fouet, continue et...

Mary Ann ôta prestement le vêtement incriminé et s'indigna :

— Tu es pire que Debbie Nelson !

— Merci. C'est qui, Debbie Nelson ?
— C'était ma copine de chambre à l'université.
— Le bleu est tout à fait salutaire.
— Salutaire mon cul !
Michael fit semblant d'être atterré :
— Va te laver la bouche, jeune fille !
Il boutonna le chemisier bleu.
— Là. Regarde-toi. C'est pas mieux ?
— C'est ma mère qui t'a engagé, c'est ça ? C'est un coup monté ?
— Oui. Et un bon coup, ce qui ne gâte rien.
— Écoute, tu ne trouves pas que le crème serait...
Michael ne fit pas attention à sa remarque.
— Souffle ! ordonna-t-il.
— Quoi ?
— Souffle-moi ton haleine dans le nez. Tu as mangé de l'ail, ce soir.
— Mouse ! Je suis tout à fait capable...
— On connaît de vrais hommes qui sont devenus pédés pour moins que ça.
Elle souffla.

En quittant la cabine, elle se retourna et lui fit un clin d'œil.
— Ne m'attends pas toute la nuit, Babycakes !
Il lui tira la langue.
— Merci, Mouse. Tu es adorable.
— Garde tes compliments pour Cuisses d'Enfer.
— Qu'est-ce que tu vas faire ?
— Là, je suis en train d'hésiter entre aller jouer à la marelle et me résoudre à l'onanisme.
Elle éclata de rire.
— Il y a un spectacle Cole Porter dans le salon Carrousel...
— Tu vas te sauver, oui ?

Il lut pendant une heure, puis il alla faire un tour sur le pont promenade, où il s'appuya au bastingage et contempla les vagues. Là-haut, loin des chaussures en plastique verni blanc et des lunettes papillon, il lui était plus facile d'imaginer le genre de croisière qui hantait ses rêves : Noel Coward et Gertie Lawrence. De vieilles douairières excentriques, des gigolos prêts à tout et des malles de voyage bourrées de passagers clandestins...

Tout cela n'était qu'illusions romantiques. Tout comme son espoir de trouver un mec, vraiment. Un délire futile, sinon inoffensif, qui ne faisait guère plus que le distraire de la vérité centrale et incontournable de sa vie : il était seul en ce monde. Et il le resterait toujours.

Certains — les bienheureux, probablement — pouvaient supporter ce genre de situation comme ils supportaient le temps. Ils glissaient à la surface de la vie, pleins d'une triomphante indépendance grâce à laquelle ils n'étaient *jamais* seuls. Michael en connaissait un bout sur eux : il avait essayé de les imiter.

Mais le stratagème, malheureusement, ne fonctionnait que rarement. La faim se lisait toujours dans ses yeux.

Revenu dans sa cabine, il fuma un joint et rassembla tout son courage pour appuyer sur la sonnette du steward. Celui-ci fit son apparition cinq minutes plus tard.

— Bonjour, George.

— Bonsoir, monsieur Tolliver. Que puis-je pour vous ?

— Euh... J'aimerais... Je veux dire, si cela ne vous ennuie pas...

Il sortit son portefeuille.

— George, je voudrais vous donner ceci, conclut-il en lui tendant un billet de dix dollars.

— C'est très aimable à vous, monsieur.

— George, voudriez-vous... Je veux dire, vous est-il possible d'arranger... Pensez-vous que vous pourriez me faire apporter des glaces ?

— Certainement, monsieur. Quel parfum ?

— Je... Disons, chocolat.

Le steward sourit en empochant le billet :

— Une petite envie nocturne, hein ?

— Ouais, fit Michael. La pire qui soit.

Vita la bonne fée

Tous les souvenirs d'adolescence de DeDe hantaient encore son ancienne chambre d'Halcyon Hill : un poster des Beatles en lambeaux, une girafe en peluche, un fouet à champagne de la *Tonga Room,* et un bocal de pétales de roses séchées remontant à l'époque de son bal des débutantes.

Rien n'avait changé, rien n'avait été déplacé, comme si l'occupante de cette petite chambre rose et verte dénuée de tout artifice était morte dans un accident d'avion et qu'une mère dévastée par le chagrin et une passion morbide avait conservé telles quelles ces reliques pour la postérité.

D'une certaine façon, en fait, elle était morte. Aux yeux de maman, en tout cas.

— Ma chérie, je suis désolée, mais pour moi cela n'a aucun sens.

— C'est entre Beauchamp et moi, maman.

— Je pourrais faire quelque chose, si tu me le permettais.

— Non, tu ne peux rien faire. Personne ne le peut.

— Je suis ta *mère,* ma chérie. Je suis sûre qu'il y a...

— Laisse tomber.

— En as-tu parlé à Binky ?

L'irritation de DeDe s'accrut :

— Mais qu'est-ce que ça vient foutre là-dedans ?

— Je me demandais...

— Tu te demandais si ces vieilles peaux du Francesca Club n'allaient pas se mettre à colporter des saloperies sur ta précieuse petite fille chérie !

— DeDe !

— Tu penses que Carson Callas va parler dès demain de notre séparation dans sa rubrique mondaine et que tu ne pourras pas garder la tête haute à la *Cow Hollow Inn.* Eh bien, tant pis, maman ! Tant pis et merde !

Frannie Halcyon s'assit sur le bord du lit de sa fille et fixa le mur d'un air atterré :

— Je ne t'avais jamais entendue parler ainsi, DeDe.

— En effet.

— C'est ta grossesse ? Parfois, cela peut...

— Non.

— Tu devrais être radieuse, ma chérie. Quand je t'attendais, je me sentais si...

— Maman, ne recommence pas, je t'en prie.

— Mais pourquoi as-tu agi ainsi à un pareil moment, chérie ? Pourquoi quitter Beauchamp quelques *semaines* seulement avant...

— Écoute, je n'y peux rien. Je n'y peux rien si je ne me sens pas radieuse. Je n'y peux rien du tout en ce qui concerne Beauchamp. Je garde les bébés. Je les veux. Est-ce que ça te suffit, maman ?

Frannie se rembrunit :

— Mais pour quelle raison, mon Dieu, ne voudrais-tu pas les garder?

Silence.

— DeDe?

— J'ai la migraine, maman.

Frannie soupira, l'embrassa sur la joue et se leva.

— Je t'aime, mais tu ne ressembles plus à ma fille. Je crois que j'ai compris... ce qu'a dû ressentir la mère de Patty Hearst.

La maîtresse d'Halcyon Hill était en train de se préparer un cocktail Mai Tai quand le téléphone sonna.

— Madame Halcyon?

— Oui.

— Je m'appelle Helena Parrish. C'est Vita Keating qui m'a demandé de prendre contact avec vous.

Frannie rassembla tout son courage et se résigna à écouter un discours de plus destiné à la convaincre de faire partie d'un conseil d'administration de musée.

— Ah... oui, fit-elle prudemment.

— Je vais être directe, madame Halcyon. On m'a priée de vous contacter parce que vous avez émis le souhait de vous inscrire à *Pinus*.

Frannie ne fut pas très sûre d'avoir bien entendu.

— Vous ne voyez pas très bien qui nous sommes, peut-être?

— Non, je... Eh bien, oui, bien sûr, j'ai *entendu* parler de... Excusez-moi, mais si c'est encore une des plaisanteries de Vita, je ne pense pas que...

Son interlocutrice eut un petit rire de gorge :

— Il ne s'agit pas d'une plaisanterie, madame Halcyon.

— Je... Je vois.
— Pensez-vous que nous pourrions nous rencontrer pour en discuter un peu prochainement ?
— Oui. Oui, bien sûr.
— Que diriez-vous de demain ?
— Très bien. Euh... Voulez-vous que nous déjeunions quelque part ensemble ?
— Pour tout vous dire, nous préférons être discrets. Puis-je vous rendre visite à Halcyon Hill ?
— Certainement. A quelle heure ?
— Oh, disons vers quatorze heures.
— Parfait.
— Très bien. Bye-bye !
— Bye-bye, fit Frannie, qui se sentit l'estomac noué.

En quête d'une dame

Brian passa la matinée dans Washington Square à prendre le soleil pour quelqu'un qui ne verrait probablement pas la différence. Alors qu'il rentrait d'un pas traînant à Barbary Lane par Union Street, il décida brusquement que le moment était venu de voir en face celle qui hantait ses nuits.

Il quitta Union Street pour Leavenworth et remonta jusqu'à Green Street, où le Superman Building étincelait, magique, dans les rayons du soleil.

Vus de près, les modernes hiéroglyphes qui le décoraient lui semblèrent revêtir une signification mystique, comme si c'étaient eux qui recelaient le secret de l'identité de Lady Onze.

Alors que Brian arrivait devant, un taxi Luxor

déposa une passagère, une vieille dame avec des gants blancs, qui s'apprêtait à entrer dans le Superman Building.

— Excusez-moi, madame.

— Oui ?

— Je cherche une amie qui habite ici. Je suis un peu gêné de vous demander cela, en fait. J'ai oublié son nom. Elle habite au onzième étage, elle a à peu près mon âge, des cheveux assez longs et...

Le visage de la vieille dame se ferma immédiatement. Brian était sûr qu'elle avait une bombe lacrymogène dans son sac à main.

— Les noms sont sur les sonnettes, répondit-elle sèchement.

— Ah, oui. Je vois.

Il s'approcha des interphones en sentant le regard de la vieille le suivre. Il resta devant un instant en faisant semblant d'examiner les noms. Puis il se retourna et affronta le regard accusateur.

— Je ne suis pas un violeur, madame.

La vieille dame lui lança un regard noir, se redressa et se précipita dans l'immeuble. Elle dit quelques mots au vigile, qui se tourna et scruta Brian avant de lui répondre.

Brian continua d'examiner nonchalamment les noms, espérant que sa conduite n'éveillerait pas trop les soupçons. Il était rongé par un sentiment de culpabilité et se sentait furieux contre lui-même.

Six noms correspondaient au onzième étage : Jenkins, Lee, Mosely, Patterson, Fuentes et Matsumoto. Ça lui faisait une belle jambe.

Peut-être que s'il donnait un message au vigile... Non, ce connard le regardait déjà d'un sale œil. Et il était hors de question qu'il reste à traîner dans les parages si Lady Onze n'était pas là. D'un autre côté, si...

— Vous cherchez quelque chose ? lui demanda le vigile qui s'était approché en essayant de lui faire un numéro à la Karl Malden dans *Les Rues de San Francisco*...

— Eh bien, je cherche une jeune femme.

Le regard que le type lui lança signifiait clairement : « Je te vois venir, mon p'tit gars. »

— Oh, laissez tomber, fit Brian.

De toute façon, il la voyait dans douze heures.

Il rebroussa chemin et redescendit Union Street jusqu'à la *Contadina*. Il avait besoin d'un verre de vin pour se calmer. Parfois, la vue d'un facho en uniforme suffisait à lui gâcher toute sa journée.

Quand il arriva au restaurant, une silhouette incongrue, assise dans un immense fauteuil qui ressemblait à un trône, lui fit signe derrière la vitrine. C'était Mme Madrigal, arborant un turban à motifs en cachemire, un sarouel et du fard à paupières bleu. Elle lui faisait signe d'entrer.

— Veux-tu te joindre à moi ?

— Bien sûr, dit-il en s'asseyant en face d'elle.

Il se trouvait un peu déplacé, avec son short de gym et son sweat-shirt. De son côté, Mme Madrigal avait l'air un peu affolée sur les bords :

— Brian... Tu n'as pas vu Mona ?

— Non. Ça fait bien une semaine.

— Je suis inquiète. Elle m'a laissé un mot lorsque Mary Ann et Michael sont partis. Elle me disait qu'elle s'absentait pour une courte période, mais je n'ai pas eu une seule nouvelle depuis. Je me disais que tu aurais peut-être... Rien, hein ?

Brian secoua la tête :

— Non, désolé.

Mme Madrigal tripota nerveusement son turban.

— Il lui arrive d'être un peu... imprudente, parfois.

— Je ne la connais pas aussi bien que vous. Depuis combien de temps habite-t-elle à Barbary Lane ?

— Oh, largement plus de trois ans ! Brian, t'a-t-elle jamais... parlé de moi ?

— Jamais, répondit-il après un instant de réflexion. Pourquoi ?

— J'ai peur d'avoir été moi-même un peu imprudente. J'espère simplement qu'il n'est pas trop tard.

— Je ne...

— Mona est ma fille, Brian.

Ses locataires, songea Brian, étaient toujours « ses enfants ». Il eut un sourire entendu.

— Vous devez être très proche d'elle.

— Non, Brian. Je veux dire par là que c'est ma fille pour de *vrai*.

Il resta bouche bée :

— Votre... Mona est au courant ?

— Non.

— Je croyais qu'elle disait que sa mère vivait dans...

— Je ne suis pas sa mère, Brian. Je suis son père.

Avant qu'il ait pu prononcer un mot, elle posa un doigt sur ses lèvres pour lui intimer l'ordre de se taire.

— Nous en reparlerons une fois rentrés, chuchota-t-elle.

Visiteurs

Il y avait quelque chose de bizarre dans le brusque changement d'ambiance qui s'était opéré au *Blue Moon Lodge*. Mona le sentit immédiatement en voyant la tension monter tandis que Mother Mucca mobilisait ses filles pour l'arrivée du gros client de Sacramento.

— Bobbi, tu vas chercher du Harpic dans la cuisine et tu me nettoies les chiottes de la chambre de Charlene. On dirait qu'on est dans une station-service, là-dedans ! Marnie, tu t'occupes de ranger le salon. Vire-moi tous ces magazines de cinoche. Bonnie, tu vas prendre la Ranchero et descendre en ville chercher le costume chez le Chinois. Non, mais je te jure ! Il faut qu'il se pointe ici comme par hasard le jour où j'ai envoyé le costume chez le teinturier !

Mona se tenait à l'écart de tout ce remue-ménage, désireuse de se rendre utile, mais certaine de gêner. Voyant qu'elle était mal à l'aise, Charlene lui fit un petit clin d'œil et lui tendit un chiffon.

— C'est la folie, hein ?

— Un peu ! répondit Mona. Qui c'est, ce type, d'ailleurs ?

— Je... Il vaudrait mieux que tu le demandes à Mother Mucca.

— Où veux-tu que je fasse la poussière ?

« Eh bien, Mona, tu as décroché le cocotier ! se dit-elle en son for intérieur. J'en connais qui seraient surpris d'apprendre que la charmante Miss Ramsey... gagne sa vie en faisant le ménage dans un bordel ! »

— Là-bas, derrière le bar. Et puis essuie aussi la statue de Kennedy sur la télé.

— OK. Charlene ?
— Ouais ?
— Mother Mucca a dit qu'il voulait une nouvelle. Elle va en faire venir une d'un autre bordel, ou quoi ?
Charlene continuait à s'activer :
— Ouais. Elle pourrait faire ça.
— Tu veux dire... Elle ne l'a jamais fait jusqu'ici ? demanda Mona.
— C'est la première fois qu'il demande une nouvelle.
— Ah. Mais alors, comment ça se fait qu'elle ne...
— Arrête de bavasser, on perd du temps.
Un peu plus tard, Mother Mucca fit une entrée fracassante dans le salon, vit Mona en plein travail et glapit à l'intention de sa sous-maîtresse :
— Charlene ! Qu'est-ce que fait Judy avec un chiffon à poussière ?
— Eh bien, vous avez dit que tout le monde...
— Judy est réceptionniste, Charlene ! Elle n'a pas à faire la poussière...
— Je vous assure, Mother Mucca, intervint Mona, ça ne me gêne pas de donner un coup de main pour...
— Évidemment que non, Judy. Mais ce n'est pas normal que tu te mettes à faire le ménage alors que je t'ai engagée comme réceptionniste.
Mona haussa les épaules devant un tel souci du protocole et sourit d'un air désolé à Charlene, qui se rembrunit et fit la tête.
— Allez, dit Mother Mucca en prenant le bras de Mona. On va aller boire un petit verre de lait dans la cuisine.

La requête de la vieille femme lui fit l'effet d'un coup de massue :

— Quoi ? hoqueta Mona en manquant de s'étrangler avec son lait.

— C'est du gâteau, répondit Mother Mucca.

— Eh bien, qu'elles le mangent, *elles,* le gâteau ! Je suis réceptionniste, n'oubliez pas.

— Je te paierai des heures sup, Judy.

— Mais vous êtes... C'est non ! Non et non ! Vous pigez ? *Non !*

Mother Mucca se pencha et attrapa la main de Mona par-dessus la table.

— Il veut quelqu'un qui a de la classe, Judy. Personne à Winnemucca n'a le genre de classe que tu possèdes.

— Merci mille fois.

— Tu n'auras pas à baiser avec lui.

Mona resta stupéfaite :

— Mais alors, qu'est-ce qu'il peut bien... ? Non, laissez tomber. Épargnez-moi les détails sordides.

— Judy, tu crois vraiment que la bonne vieille Mother Mucca aurait pu... ? Judy, tu es comme la chair de ma chair. Je ne ferais rien qui puisse t'humilier. Je te le jure, je suis affreusement vexée que tu aies pensé...

La vieille femme lâcha la main de Mona et fourragea dans son giron pour trouver un mouchoir. Elle se retourna et se tamponna les yeux.

Mona était bouleversée.

— Mother Mucca, écoutez...

— Tu m'as fait du mal, chérie !

— Ce n'est pas ce que je voulais.

— Je vais te dire la vérité vraie. Je dirige cet endroit depuis soixante ans et tu es la première fille envers qui... Judy, je t'adopterais si tu me le permettais.

Cette fois, ce fut Mona qui prit la main de la maquerelle :

— Vous avez été très gentille avec moi, Mother...

— Tu sais que j'ai eu un petit garçon, dans le temps ?

— Non.

— Eh bien, si. C'était le plus charmant petit garçon qui soit. Il s'asseyait juste là, par terre, et il rigolait, il gloussait ; les filles et moi, on aurait fait n'importe quoi pour ce petit bout de chou, et je n'aurais jamais cru...

— Je vous en prie, ne pleurez pas.

— Je n'aurais jamais cru que ce petit amour s'enfuirait à l'âge de seize ans et qu'il laisserait sa maman toute seule. Je n'ai jamais cru qu'il ferait une chose pareille. Judy, c'est comme si...

Elle se tut au moment où Bonnie et Debby faisaient leur apparition avec le paquet qu'elles rapportaient de chez le blanchisseur.

— Virez-moi ça ! ordonna Mother Mucca.

— Mais, commença Bonnie d'un air contrit, vous avez dit...

— Virez-moi cette saloperie !

— Attendez un instant, dit Mona. Il faut que je voie s'il me va.

Mother Mucca fixa Mona pendant une seconde, puis elle se sécha les yeux et sourit :

— Tu es un ange, poupée.

— Et vous une sacrée cabotine, dit Mona.

La chanson de l'année

— C'est chouette, dit Mary Ann en sirotant un piña colada dans le salon Starlight du *Pacific Princess,* pendant qu'un pianiste jouait *I Write the Songs*.

Burke répondit d'un petit hochement de tête et lui sourit.

— Michael dit que cette chanson, c'est le *What I Did for Love* de cette année, continua-t-elle.

— Je ne comprends pas, dit-il.

— Mais si, tu sais bien. Chaque année, il y a une chanson que tout le monde enregistre. Il y a deux ans, c'était *Send in the Clowns* — à moins que ce soit il y a trois ans ? Enfin, l'année dernière, c'était *What I Did for Love,* que j'ai adorée, même si on l'a entendue jusqu'à plus soif. Je veux dire par là que si une chanson est bonne, je ne vois pas pourquoi on ne la passerait pas tout le temps...

— Non, je suppose que tu as raison.

— Je crois que *What I Did for Love,* c'est ma préférée. En tout cas... Eh bien, c'est la seule de l'album qu'on peut fredonner. Ce n'est pas que ce soit crucial, mais... Enfin, tu vois, qui pourrait fredonner *The Music and the Mirror,* par exemple ?

— Là, tu me coinces, je ne sais même pas de quel album tu parles.

— Mais tu sais bien : *Chorus Line...*

— Excuse-moi, dit-il en secouant la tête.

— La comédie musicale, Burke ! Elle est passée à San Francisco !

— Je t'ai dit que j'étais complètement hors du coup.

Mary Ann haussa les épaules, mais elle se sentit soulagée intérieurement. « Impossible qu'il soit gay s'il n'a jamais entendu parler de *Chorus Line.* » Elle décida de changer de sujet. Burke n'avait pas l'air très à l'aise avec la musique.

— Depuis combien de temps vis-tu à San Francisco, Burke ?

— Pas tellement longtemps. En fait, c'est Nantucket que je considère comme chez moi.

— Tu y travailles ?

Elle s'était dit qu'il y avait plus de tact dans cette manière de formuler la question que dans cette autre : « Qu'est-ce que tu fais dans la vie ? » Ses neuf mois passés à San Francisco avaient définitivement effacé ce type d'interrogation de son répertoire.

— Si on veut. Mon père est dans l'édition. Je lui file un coup de main de temps en temps.

— Oh, c'est sympa !

« Tu parles d'une réponse ! », pensa-t-elle. Mais pourquoi cette conversation sonnait-elle faux comme ça ?

— Mary Ann, suggéra-t-il, si on allait prendre un peu l'air ?

Arrivés sur le pont arrière, ils s'appuyèrent au bastingage et regardèrent la lune se lever sur la mer impassible. Comme toujours, ce fut elle qui brisa le silence :

— Je parle trop, c'est ça ?

Il lui passa un bras autour des épaules :

— Pas du tout.

— Si. J'ai remporté la première place au concours d'élocution du lycée et je ne me suis pas arrêtée de parler depuis.

— C'est vrai, tu fais les questions et les réponses, dit-il en riant.

Elle ne riposta rien et contempla la mer, puis :

— Tu sais ce qui m'a sidérée, ce matin?

— Quoi?

— L'exercice d'alerte, avec les canots de sauvetage... Ce que le capitaine a dit. Je ne savais pas que les femmes et les enfants d'abord, ça ne se pratiquait plus.

— Ouais. Les temps changent, apparemment.

— C'est dommage, déplora-t-elle.

Il lui serra l'épaule pour toute réponse.

— Je trouve que ce n'est vraiment pas juste, reprit Mary Ann. On dit que c'est toujours le même refrain, mais ce n'est pas vrai. Comment veux-tu qu'on puisse jouer les Ingrid Bergman, de nos jours?

— Ah, *là,* je connais! dit-il.

— Quel âge as-tu, Burke?

— Vingt-sept ans.

— Tu as l'air... Je ne sais pas... Pas *plus vieux,* mais plus... C'est dur à expliquer. On dirait que tu as vingt-sept ans, mais comme quelqu'un qui a eu vingt-sept ans il y a longtemps.

— En d'autres termes : complètement hors du coup.

— Pourquoi dis-tu tout le temps ça? C'est précisément ce qui me plaît chez toi, Burke.

Il se pencha et l'embrassa doucement sur les lèvres :

— Et chez toi, dit-il, c'est l'ensemble qui me plaît.

— C'est vrai?

— Oui. Beaucoup, Mary Ann.

— Ingrid, dit-elle en lui rendant son baiser.

Planning familial

Sous les néons du *Doggie Diner,* les bosses et crevasses qui marquaient le visage de Bruno Koski prenaient des proportions lunaires. Les coins de sa bouche, remarqua Beauchamp, étaient luisants de mayonnaise.

— Bon, dit Koski, alors on met les choses au net, mec. Tu veux pas qu'on la liquide, tu veux juste...

— Baisse le ton, Bruno !

Bruno haussa les épaules et jeta un regard méprisant autour de lui.

— C'est tous des défoncés, mec. Ils écoutent pas.

— Tu n'en sais rien.

— Les défoncés, je les repère à dix kilomètres.

Effectivement, Bruno en était capable. Beauchamp posa les yeux sur son hamburger.

— OK. Je ne voulais pas... Écoute, je suis juste un peu énervé. C'est la première fois que je fais ça.

— Bon, alors déballe-moi ce que tu veux, mec.

Beauchamp garda la tête baissée et entreprit laborieusement d'ôter les oignons de son plat :

— Je veux que tu... fasses en sorte qu'elle n'ait pas le bébé. Les bébés.

Bruno le regarda d'un air ingénu.

— Tu veux que je la tabasse ?

— Je ne veux pas que tu lui fasses de mal, Bruno.

— OK. Tu veux qu'on la tabasse sans lui faire de mal.

— Te fous pas de moi, Bruno.

— Oh, je t'emmerde !

— Écoute : c'est ma femme, vu ? Je ne veux

pas... Je ne veux pas qu'il y ait la moindre trace. Si tu ne peux pas me le certifier, on laisse tomber tout de suite.

— Comment tu veux que je te le garantisse... ? Et si... Je veux dire : il pourrait y avoir des — comment on dit, déjà ? — des complications.

Beauchamp prit son air patient-mais-exaspéré, une expression qui ne manquait jamais d'irriter les directeurs artistiques débordés de travail d'Halcyon Communications.

— Écoute, Bruno, elle est enceinte de sept mois. Ça ne devrait tout de même pas être si difficile que ça... qu'il lui arrive un accident quelconque ?

Le dealer de coke fixa son client droit dans les yeux.

— Écoute, mec...

— D'un autre côté, reprit Beauchamp d'un air goguenard, il est possible que tu n'en sois absolument pas capable.

— Qui c'est qui dit ça ?

— Tu as l'air un peu hésitant. Peut-être que je devrais m'adresser à quelqu'un de... de plus professionnel.

Bruno prit un air boudeur, puis il releva le nez :

— Combien ?

— Qu'est-ce que ça vaut ?

Le dealer resta décontenancé un instant, puis bafouilla :

— Euh... Cinq mille. A cause des problèmes.

— Je t'en file sept. Mais je veux que ce soit bien fait.

— Je t'avertis que je vais sous-traiter.

— Je m'en tape.

— Je veux du liquide. En avance.

— Tu l'auras. Quand ?

— Dès que j'ai quelqu'un pour.

— Ça doit être fait très vite, Bruno.
— Va te faire foutre !
— Bruno ?
— Ouais ?
— Essuie-toi la bouche.

Un quart d'heure plus tard, Beauchamp appela DeDe à Halcyon Hill. Elle lui répondit d'une voix sans émotion, qui trahissait clairement qu'elle restait sur la défensive en ce qui concernait leur séparation de la veille.
— Je venais juste prendre des nouvelles, fit-il.
— Merci.
— Ta mère, est-elle là ?
— Oui.
— Bon. Si tu as besoin de quelque chose, préviens-moi, OK ?
Silence.
— OK, DeDe ?
Elle se mit à pleurer :
— Pourquoi est-ce que tu es... aussi gentil, merde ?
— Je ne sais pas. Probablement parce que tu me manques.
— Beauchamp, je veux tellement ces bébés. Je n'essaie pas de te faire souffrir, je te le jure.
— Je sais, chérie. On va laisser couler de l'eau sous le pont, d'accord ?
— Si je savais où j'en suis, je serais une meilleure épouse. J'ai simplement besoin de... Je veux être un peu seule pendant un certain temps.
— Je comprends.
Elle renifla et se moucha :
— Il y a de la terrine de volaille dans le congélateur et puis un reste de quiche dans...
— Ça ira.

— Beauchamp... Je t'aime, tu sais.
— Je sais, répondit son mari. Je sais.

La confession de Mme Madrigal

Pour la première fois de toute sa vie, Brian refusa le joint qu'on lui proposait.

Il voulait être clair pour entendre la suite.

— Il était une fois, commença Mme Madrigal, un petit garçon du nom d'Andy Ramsey. Andy n'était pas un petit garçon particulièrement extraordinaire, mais il avait grandi dans des circonstances quelque peu exceptionnelles : sa mère était une maquerelle. Elle tenait un bordel à Winnemucca, dans le Nevada, le *Blue Moon Lodge,* et les copines et nourrices d'Andy étaient les prostituées qui vivaient là-bas. C'est peut-être pour cela — ou peut-être pas — qu'Andy fit une alarmante découverte lorsqu'il atteignit la puberté : il n'y avait rien en lui d'un garçon.

« Oh, il avait *l'air* d'un garçon, pas de problème. Toute la plomberie était là et fonctionnait. Mais il s'était toujours senti comme une fille, une fille prisonnière d'un corps de garçon. A sa grande horreur, ce sentiment s'était intensifié à mesure qu'il vieillissait. Arrivé à l'âge de seize ans, il fut si effrayé qu'il s'enfuit du bordel et parvint en stop jusqu'en Californie.

« Pendant un certain temps, il réussit à concilier corps et âme comme ouvrier saisonnier. Ensuite, il fut serveur dans un bar de Salinas, puis de nouveau ouvrier saisonnier, cette fois à Modesto. Peu après son vingtième anniversaire, il quitta Modesto pour

Fort Ord, où il s'engagea dans l'armée. C'était un bon soldat, mais il resta cantonné à Fort Ord pendant toute la guerre — je parle de la Seconde Guerre mondiale — à taper des rapports pour un colonel alcoolique. Au bout d'un certain temps, cependant, Andy finit par trouver insupportable cet univers exclusivement masculin qu'est l'armée, autant qu'il avait détesté l'univers exclusivement féminin du bordel. Et la sensation d'être en réalité une femme ne l'avait jamais quitté.

« Un soir, peu de temps après la guerre, Andy rencontra une jolie jeune femme dans un dancing de Monterey. Elle était très jeune, en fait : dix-sept ans à l'époque. Andy en avait vingt-cinq. Elle était de Minneapolis et séjournait chez un cousin à Carmel. Elle s'appelait Betty Borg et Andy s'éprit d'elle, d'une certaine façon. Elle avait un esprit incisif et indépendant qu'il admirait, et il fut soulagé de s'apercevoir qu'elle l'attirait. Même sexuellement.

« Betty voulait se marier et repartir à Minneapolis. C'est en fait elle qui demanda Andy en mariage et celui-ci jugea que c'était peut-être le meilleur remède à son problème. Et du coup... eh bien, il accepta. Andy assuma ses responsabilités de mari en travaillant dans une librairie de Minneapolis. Un an plus tard, une petite fille naquit. Ils la baptisèrent Mona, comme la mère qu'Andy avait abandonnée à Winnemucca.

« Mais tout cela ne marcha pas très longtemps. Pour Andy, en tout cas. Il finit par abandonner femme et enfant — il s'enfuit — alors que Mona n'avait que deux ans. Pendant les quinze années suivantes, il fit le mort, dérivant de ville en ville, comme une malheureuse épave qui avait ruiné sa vie et celles de ceux qui l'entouraient. Tout cela, cependant, prit fin lorsque Andy atteignit quarante-quatre ans. C'est à ce moment-là qu'il décida d'aller au Danemark et d'utiliser ses économies pour subir une opération et changer de sexe.

— ... Et il est revenu sous le nom d'Anna Madrigal.

Brian venait ainsi de conclure. Plus fasciné que choqué, il sourit à sa logeuse, qui fit de même en retour.

— C'est un joli nom, tu ne trouves pas ? C'est une anagramme.

— Mais si Mona est votre fille... ? Enfin, vous m'avez dit qu'elle n'était pas au courant.

— Non, elle n'en sait rien. Elle est venue à San Francisco il y a trois ou quatre ans et peu de temps après, j'ai lu dans la rubrique d'Herb Caen un entrefilet sur une certaine Mona Ramsey qui travaillait chez Halcyon Communications. Je savais qu'il ne pouvait pas y avoir trente-six Mona Ramsey dans le monde, alors j'ai fait ma petite enquête et je l'ai coincée un soir au *Savoy-Tivoli*.

— Et... ?

— Et elle m'a tout de suite appréciée, excusez du peu ! Alors je l'ai invitée à habiter à Barbary Lane. Elle se prend pour une bohémienne et je crois qu'elle était ravie à l'idée d'avoir un transsexuel comme propriétaire.

— Donc, elle était au courant de ce détail.

— Oh, oui, depuis le début.

— Est-ce que votre... votre femme sait où vous êtes ? Ou votre mère ?

Mme Madrigal secoua la tête.

— Elles doivent penser que je suis mort, dit-elle avec un faible sourire. Andy, lui, est mort, évidemment.

— Et là, vous pensez que Mona a découvert que vous êtes son père et qu'elle a piqué sa crise ?
— C'est envisageable, tu ne penses pas ?
— Je ne suis pas en état de penser très clairement, dit-il.
— Oh, mon pauvre enfant !
— Je... Je suis très flatté que vous m'ayez fait cette confidence, madame Madrigal.
— Bon. Alors, *maintenant,* on peut le fumer, ce joint ?
Il éclata de rire.
— Volontiers... Mais attendez un peu. Comment « Anna Madrigal » peut-il être l'anagramme d'« Andy Ramsey » ?
— Ça ne l'est pas.
— Mais vous avez dit...
— J'ai dit que c'était une anagramme. Je n'ai pas dit de quoi.
— Alors, quelle est la clé de l'énigme ?
— Mon cher enfant, dit la logeuse en allumant enfin le joint, tu es en train de parler à une Femme Mystérieuse !

Une fois n'est pas coutume

Bobbi tourbillonnait en babillant autour de Mona comme une demoiselle d'honneur qui arrange à la dernière minute la robe d'une mariée.
— Je crois que la coiffure est de travers, Judy. Essaie de... Non, dans l'autre sens ! Là. Regarde comme c'est joli !
— Mais bon sang, Bobbi ! Ce n'est pas censé être *joli* !

— Peut-être, mais toi, tu es quand même jolie. Tu devrais être très fière.

Mona parvint à esquisser un sourire :

— Arrête de faire tout ce que tu peux pour me mettre de bonne humeur, dit-elle.

— Tu vas être la meilleure, Judy. Il va *t'adorer* !

— Je préférerais que non.

— Ne t'inquiète pas, gloussa Bobbi. On a des tas de clients comme lui.

— Qui aiment *ça* ? demanda Mona en désignant son costume.

— Non, mais ils... Eh bien, ils veulent pas te baiser. Ils veulent simplement... comme qui dirait des trucs spéciaux qu'ils peuvent pas trouver ailleurs. Une fois, par exemple, j'ai eu un type de Stockton qui voulait que je porte une petite culotte en dentelle noire et que je m'assoie sur ses genoux pendant qu'il me dictait son testament.

— Oui, bien sûr...

— Je te jure, Judy. Et ça a duré, mais duré ! Il a fallu que j'aille voir le docteur Craig, cette fois-là, d'ailleurs.

— Pourquoi ?

Bobbi égrena un petit rire nerveux avant de continuer :

— Il a dit qu'à moi toute seule, j'avais fait passer la crampe de l'écrivain dans la catégorie des maladies vénériennes !

Toujours en costume, Mona repartit dans le salon et prit une bière dans le réfrigérateur derrière le bar. Elle mourait d'envie de fumer un joint.

Charlene fit son apparition et fut surprise de voir Mona déjà habillée.

— Eh bien, dis donc, lui lança-t-elle, tu seras pas en retard.

— Je n'aime pas me précipiter, répondit Mona.
— Il vient pas avant une heure.
— Ça va.
— Tu vas transpirer.
— Arrête, Charlene !
— T'as les jetons, hein ?
Elle avait posé la question méchamment. « Elle doit m'en vouloir, songea Mona. Elle est furieuse parce que Mother Mucca m'aime bien. »
— Je me sens très bien, répondit Mona, imperturbable.
— Peut-être, fit Charlene, mais tu es en train de renverser ta bière, tellement tu trembles.

Un quart d'heure avant l'arrivée du client, Mona alla s'asseoir dans le salon pour patienter. Mother Mucca arriva de la cuisine et s'assit tranquillement à côté d'elle.
— Ça va ?
Mona hocha la tête.
— C'est quelque chose que tu pourras raconter à tes petits-enfants.
— Oui, c'est ça.
La vieille femme passa gentiment son bras autour des épaules de Mona en prenant bien garde de ne pas froisser le costume.
— Tu es vraiment... très jolie, comme ça.
— Merci.
— Les autres filles sont toutes dans leurs chambres. Elles doivent y rester jusqu'à ce qu'il soit reparti. Tu prendras la chambre de Charlene et je te dirai quand il faudra y aller. Il t'y attendra. Tu te rappelles ce que tu as à faire ?
— Je crois.
Mother Mucca lui tapota la main :
— Tu t'en sortiras très bien.

— Mother Mucca, comment peut-il... ? Comment est-ce qu'il va arriver ?

— Oh, en limousine.

— En *limousine* ?

— Bien sûr, fit Mother Mucca en pointant son index sur son front pour montrer que c'était un type malin. Comme ça, personne ne s'imagine que c'est lui, tu vois ?

On frappa à la porte de Mona.

— Il est arrivé, chuchota Mother Mucca.

Mona sortit dans la nuit étoilée. Un petit vent chaud soufflait du nord et faisait voler les pans de son costume. Mother Mucca jeta un dernier regard à sa nouvelle protégée, arrangea la guimpe et repartit prestement dans le salon. Après quoi, Mona ouvrit la porte de la chambre de Charlene.

Le client était assis en tailleur sur le sol, près du lit. Il portait la robe safran d'un moine bouddhiste.

— Ma sœur... J'ai péché.

Mona s'éclaircit la voix :

— Je sais, mon enfant.

Le fouet, comme prévu, était posé sur le lit.

Idylle interrompue

Sur le trajet en taxi, depuis Manzanillo, le paysage n'offrait guère plus que la vision de stands de hamburgers croulants, de paillotes et, çà et là, d'ânes qui fourrageaient dans les ordures amoncelées au bord de la route.

Cependant, le lieu où se rendaient Mary Ann et Burke était un endroit ravissant.

Perchée sur un promontoire balayé par la brise au-dessus d'une baie d'un bleu azur, la résidence Las Hadas scintillait avec la splendeur d'un rêve d'opium des *Mille et Une Nuits*. Des bougainvillées fluorescentes étincelaient sur les murs chaulés, des gargouilles ornaient des minarets qui dominaient des cours noyées de soleil, des oiseaux chantaient et les palmes ondoyaient dans le vent.

Le cœur de Mary Ann fut soulevé d'allégresse.

— Oh, Burke, mais regarde donc tout ça !

Ce n'était pas ce qu'elle voulait dire, bien sûr. Ce qu'elle voulait dire, c'était : « Regarde-nous : quel beau couple ! »

La plage formait un croissant de sable d'un blanc argenté dont l'eau était si claire que Mary Ann voyait les minuscules poissons virevolter entre ses jambes. Burke l'entraîna dans l'eau avec la joie débordante d'un enfant. Lorsqu'ils émergèrent de nouveau au soleil, il la tenait par la taille.

Cela faisait combien de temps que quelqu'un lui avait fait cela ? Combien de temps qu'elle attendait que ce sourire, ces yeux, cette joie de vivre simple, cette énergie viennent à elle dans cet univers avili par l'envie, les angoisses et le sexe par téléphone ? Et combien de temps cela durerait-il, mon Dieu ?

Ils s'allongèrent au soleil ensemble, l'un à côté de l'autre, main dans la main.

— Où est Michael, aujourd'hui ? demanda Burke.

— Il est resté sur le bateau.

— Il aurait pu venir avec nous, tu sais.

— Je crois qu'il avait la flemme.

— Ah, bon.

— Burke ?

— Ouais ?

— Pourquoi as-tu quitté la Californie ?

Il y eut un silence, puis :

— Je ne sais pas... répondit-il vaguement. Je crois que c'était à cause de mon père, tout ça.

— De ton père ?

— De sa maison d'édition. Il avait besoin d'un coup de main.

— Tu étais dans... dans l'édition, à San Francisco ?

— Non. Je traînais.

— Pendant trois ans ?

Il roula sur le côté et la regarda avec un léger sourire.

— Est-ce que tu ne serais pas en train de me demander si je gagne bien ma vie, par hasard ?

Cela donnait effectivement cette impression, et elle fut horrifiée de sa gaffe.

— Non, Burke ! Vraiment. C'est juste que je... Laisse tomber. Je suis un peu prise de court, je crois.

— Pourquoi ?

— Oh, c'est tellement le coup classique !

— Quoi ?

— Tu sais bien. Tu rencontres quelqu'un de sympa et tu t'entends merveilleusement bien avec lui, donc, évidemment, il faut qu'il vive à quatre mille bornes de chez toi ! C'est un sale coup, c'est tout.

Il s'approcha d'elle et lui prit le visage dans une main.

— Et la nuit dernière, c'était un sale coup ?

— Non. Tu le sais très bien.

Il l'embrassa sur le bout du nez.

— Nous avons une semaine, Mary Ann. Profitons-en au maximum, tu ne crois pas ?

Ils déjeunèrent devant la mer dans un jardin tropical maniéré. Une cascade artificielle se déversait bruyamment dans la piscine qui se trouvait derrière eux.

Un enfant arriva avec une pancarte annonçant les prochaines réjouissances de la résidence.

— Comme c'est mignon ! s'extasia Mary Ann en remarquant son costume de clown bleu et ses poulaines assorties.

Mais quand il s'approcha, elle découvrit que ce n'était pas du tout un enfant.

C'était un nain.

Gênée, elle se détourna en espérant que le petit homme ne s'attarderait pas auprès de leur table et rejoindrait le groupe de touristes qui chahutait au bord de la piscine. Malheureusement, non. Il aborda les deux amoureux avec un sourire de toutes ses dents, d'un air implorant, et en brandissant une rose rouge.

La suite était inévitable.

— Burke, dit-elle, tu n'aurais pas un peso pour lui ?

Son compagnon ne répondit pas. Il était blanc comme un linge et pétrifié comme un mort.

— Burke, est-ce que... ?

Ce qu'il émit fut tout juste un gémissement, la plainte d'un animal pris au piège :

— Chasse-le, supplia-t-il.

— Burke, mais ce n'est qu'un...

— Je t'en prie, je t'en prie... Dis-lui de partir !

Le nain ne demanda pas son reste. Il était déjà trois tables plus loin lorsque Burke tituba jusqu'aux buissons et tomba à genoux pour vomir. Mary Ann accourut et caressa doucement les boucles blondes de son cou.

— Ça va aller, fit-elle, ça va aller.

Une minute après, il se redressa et tenta de recouvrer sa dignité :

— Pardonne-moi, je t'en prie. Je suis vraiment désolé. J'aurais dû...

— Ce n'est pas grave, dit-elle doucement. Je comprends qu'il ait pu...

Burke secoua la tête.

— Ce n'était pas à cause de lui, Mary Ann.

— C'était à cause de quoi, alors ?

— De la rose.

Raclure

Autrefois night-club philippin spécialisé dans les chanteuses aux poitrines opulentes, le *Mabuhay Gardens* s'était mué presque du jour au lendemain en l'unique salle de concerts punk de San Francisco. Dans ce décor, au milieu de palmiers et de roseaux décatis, Bruno Koski avait tout à fait l'air du méchant tout droit sorti d'un des premiers films de Bogart.

Les punks et les punkettes le dévisageaient avec une envie à peine déguisée, secrètement jaloux de son visage grêlé, de ses yeux de veau mort-né, bref : de son aspect naturellement dégénéré.

Bruno Koski, c'était pour de vrai.

Jimmy, le régisseur, le reconnut immédiatement :

— Hé, Bruno ! Qu'est-ce que tu... ?

— Je cherche Raclure.

— Tu la connais, celle-là ?

— Contente-toi de me dire où elle est, mec.

— Là-bas. Près de l'ampli. Celle qui est habillée avec un sac-poubelle.

Bruno considéra d'un air renfrogné le matériel

en évitant le regard des punks. Il y avait au moins trois punkettes qui portaient des sacs-poubelles transformés en ponchos et attachés avec des épingles à nourrice.

— Oh, pardon! rectifia Jimmy en voyant l'irritation de Bruno. C'est celle qui a les cheveux verts.

Bruno alla l'aborder.

— C'est toi, Raclure?

— Ouais.

Elle mâchonnait un chewing-gum d'un air mauvais. Ses cheveux, d'une nuance plus claire que le vert du sac-poubelle, étaient coupés — enfin, taillés à la cisaille, sûrement — à quelques millimètres du crâne. Elle portait un badge qui disait : PUNK POWER.

— Je m'appelle Bruno.

Elle mâchonna de plus belle :

— Et alors?

— Alors je veux te parler.

— Nan. Y a Crime qui passe, fit-elle en désignant du menton la scène, où un groupe de musiciens en cuir noir prenait position pour monter à l'assaut du public.

Bruno lança un regard noir à Raclure, mais décida de la ménager. Après tout, il avait *besoin* de cette petite salope. Il pouvait bien la supporter encore quelques minutes.

Crime jouait tellement fort qu'il eut bientôt l'impression d'avoir le cerveau réduit en bouillie. Les punks et punkettes étaient rendus hystériques par la musique et gigotaient spasmodiquement comme une centaine de condamnés sur autant de chaises électriques. Le titre de la chanson était : *You're So Repulsive*.

A la première pause, elle se retourna vers lui :

— Super, hein ?
— Ouais, mentit-il.
— T'aurais vu ça quand Mary Monday and the Bitches sont passées !...
— Ouais ?
— Putain, mec. Elles ont démoli les micros et les tables, et le régisseur a eu drôlement les jetons... Et puis, mec, c'était vraiment des dépravées.
— Apparemment.
— Évidemment, c'est rien — mais rien du tout — à côté des Damned ou des Nuns. Je veux dire que ça, c'est du *heavy metal*... des trucs vachement graves. Il y a des trucs qu'ils font, ça te donne salement envie de gerber !
Cette bouche de ruminant commençait à taper sur les nerfs de Bruno :
— Hé, crache ton machin, tu veux ?
Elle le regarda droit dans les yeux, sans ciller, pendant un long moment, puis elle sortit son chewing-gum de sa bouche, en fit soigneusement une boulette et se la fourra dans une narine.

Elle ne broncha pas une seconde lorsqu'il lui fit sa proposition.
— Je la secoue juste un petit peu, c'est ça ?
— Ouais. Elle habite pas loin d'ici.
— Tu me fileras son emploi du temps et tout ? Je veux dire, j'aurai pas besoin de rentrer chez elle, hein ?
— Nan. On arrangera tout. Je m'en occupe, punkette.
En l'entendant elle se rengorgea : là, elle était une vraie punk, elle gagnait une vraie crédibilité.
— Hé, Bruno... et je gagne quoi dans l'affaire ?
— Combien tu veux ?

Elle réfléchit un instant :

— Je veux monter mon groupe à moi. Il nous faut trois cents dollars.

— Tu les auras.

— Tu connais les Scorpions ?

— Bien sûr.

— On va faire un groupe comme ça. Sauf que ça sera que des nanas et qu'on fera nos concerts seulement quand on aura nos règles, comme ça on pourra faire des trucs bien dégueulasses au public quand on...

— Hé, la punk... Ça va. Ça va !

Raclure fit un grand sourire :

— Merde, mec. J'ai drôlement hâte d'avoir treize ans !

Un homme neuf

Brian allait sortir lorsque le téléphone sonna dans la petite maison sur le toit.

— Ouais ?

— Alors ! Qu'est-ce que tu racontes ?

Ça ne pouvait être que Chip Hardesty. Chip Hardesty était le genre à demander « Alors, qu'est-ce que tu racontes ? » à l'enterrement de sa grand-mère. Il vivait à Larkspur, mais peu de choses distinguaient son appartement de son bureau de Northpoint. Les deux étaient décorés de fougères, de miroirs et de fauteuils en rotin suspendus à des chaînes. C'était un dentiste qui n'avait pas particulièrement bien réussi.

— Pas grand-chose, répondit Brian, qui, pour la

première fois depuis des années, mentait effrontément.

— Super ! J'ai un plan.

— Ouais ? fit Brian sans trop s'engager.

Le dernier plan de Chip avait consisté en une caisse de bière, un bungalow loué à Tahoe et deux secrétaires médicales, des étudiantes stagiaires de l'École de médecine de Bryman. L'une des deux — celle de Chip, évidemment — était le portrait craché d'Olivia Newton-John. Celle de Brian ressemblait d'une manière gênante à Amy Carter et avait passé toute la soirée à prendre des positions étranges pour essayer de dissimuler un sein gauche qu'elle était convaincue d'avoir plus petit que le droit.

— Tu bosses, ce soir ? demanda Chip.

— J'ai bien peur que oui.

— A quelle heure tu finis ?

— Vingt-trois heures.

— OK. Écoute. Tu te souviens de Jennifer Rabinowitz ?

— Nan.

— OK. De gros nibards, tu vois ? Elle bosse au *Cannery*. Elle a un piercing au nez...

— Celle qui a gerbé à une soirée au *Tar and Feathers*.

— Qui c'est qu'a dit ça ?

— Moi. Celui sur qui elle a gerbé.

— Tu m'as jamais raconté ça.

— Désolé. J'aurais dû le préciser sur ma carte de vœux.

Un silence vexé s'ensuivit. Puis :

— Je suis en train de te rendre un service, mec. C'est à prendre ou à laisser.

— Vas-y. J'écoute.

— OK. Jennifer a une copine...

— Oui. Qui fait elle-même ses vêtements. Personnalité fascinante. Toutes les filles du campus adorent...

— Mais qu'est-ce qu'il y a qui cloche chez toi, mec ?

— Je viendrai pas, Chip. Compte pas sur moi.

— Mais qu'est-ce que ça veut dire, « je viendrai pas » ?

— Je suis crevé. Épuisé. Vingt-trois heures, c'est un peu tard pour...

— Merde ! Ça fait des années que tu te pieutes pas avant deux heures du mat' !

— Bon, peut-être, alors, que c'est parce que je me fais vieux.

— Ouais. C'est sûrement ça.

— Chip ?

— Ouais ?

— Va te faire faire un brushing, tu veux ?

En réalité, il n'était pas fatigué le moins du monde lorsqu'il en eut fini avec son dernier client chez *Perry*. Il se sentait en pleine forme, de bonne humeur, l'exaltation d'un gamin de quatorze ans qui s'apprête à s'enfermer dans la salle de bains avec un exemplaire de *Playboy*. Lady Onze était la meilleure chose qui lui fût arrivée depuis des années.

Plus tard, lorsqu'il sortit de sa douche, il se rendit compte qu'il éprouvait un puissant désir de fidélité à l'égard de la sirène du Superman Building. Elle lui *appartenait,* dans le sens le plus pur et le plus satisfaisant du mot. Et il lui appartenait. Quand bien même cela ne durait qu'une demi-heure.

Il avait rencontré son égale, enfin.

Les Hampton-Gidde furent les premiers à rentrer du ballet.

— Les magnifiques treillages ! s'extasia Archibald Anson Gidde en admirant la nouvelle décoration de la terrasse de leur hôte.

Peter Cipriani acquiesça :

— J'ai déniché une charpentière sublime, à la Mission. Pas chère du tout et avec des pecs comme ça. Jason je-ne-sais-trop-quoi.

— C'est drôle, n'est-ce pas ? Ils s'appellent toujours Jason.

— Ou Jonathan, ricana Peter.

— Il avait l'oreille percée ?

— Non. Mais il portait un short en jean au ras des fesses... à *mourir* ! Avec des grosses chaussettes et des rangers de films pornos. Il était craquant !

— Et dans une cuisine, qu'est-ce qu'il donnerait ?

— Aucune idée. Je ne l'ai essayé que dans ma chambre, chéri.

— Oooh ! fit Archibald Anson Gidde.

Quelques minutes avant minuit, la terrasse était remplie d'A-Gays qui discutaient en connaisseurs d'entrechats et de jetés-battus. Charles Hillary Lord approcha sa cuiller de cocaïne d'une narine d'Archibald Anson Gidde.

— J'ai parlé à Nicky, aujourd'hui.

— Et alors... ? fit Archibald après avoir sniffé sa poudre bruyamment.

— Je crois qu'il se joindra à nous.

— Très bien, fit Archibald d'un ton indifférent. Voilà qui devrait considérablement t'aider.

— Ce n'est pas d'*aide* que nous avons besoin, Arch. Le projet est sûr d'aboutir. Je veux simplement que tu t'y associes dès le départ.

— Alors tu ne seras pas vexé si je dis non.

Chuck Lord soupira d'un air théâtral et embrassa d'un geste large les toits de Russian Hill.

— Arch... As-tu la moindre idée du nombre de pédés qu'il y a là-dedans ?

— Une seconde, je regarde dans mon carnet d'adresses.

— Il y a, et c'est une estimation pessimiste, cent vingt mille homosexuels pratiquants dans l'agglomération urbaine de San Francisco.

— Et chacun sait que c'est à force de pratique qu'on atteint la perfection !

— Ces cent vingt mille homosexuels vont vieillir ensemble, Arch. Certains retourneront peut-être dans le Kansas ou dans je ne sais quel trou du cul du monde dont ils se sont enfuis, mais la plupart vont rester ici, à Shangri-La, et continuer à se draguer jusqu'à ce qu'ils aient besoin de pace-makers.

— Arrête, il faut que je prenne un Valium.

— Mais bon sang, Arch, tu ne comprends pas ? Nous sommes à l'abri du besoin. Nous avons des maisons, des voitures, des rentes, et suffisamment de... d'actifs pour nous offrir un gigolo par jour jusqu'à cent deux ans, si nous en avons envie. Ce sont les pauvres types qui vivent d'expédients, qui vendent des saloperies aux puces et qui repeignent les maisons du Haight, qui auront besoin de cela quand le moment sera venu.

Arch prit une expression grave :

— Est-ce que ça ne pue pas l'exploitation, pour toi, Chuck ?

— Oh, pour l'amour du ciel ! Il faut bien que *quelqu'un* le fasse ! Tu le sais très bien, Arch. Pourquoi ne serions-nous pas les premiers ?

— Je ne sais pas. Cela semble... risqué.

— Risqué ? Arch, c'est de l'histoire sociale ! C'est du gâteau pour le *Wall Street Journal* ! Réfléchis-y ! La première maison de retraite du monde pour gays !

Arch Gidde se retourna et contempla la ville :

— Laisse-moi un peu de temps, OK ?

Chuck lui passa un bras autour des épaules et prit un ton plus affectueux :

— Nicky a même pensé au nom.

— Lequel ?

— *Un dernier tour de manège.*

— Oh, mon Dieu...

— Mais imagine ! Une décoration western très macho du meilleur goût, avec chambres et réfectoires ambiance saloon...

— Sans oublier la housse en jean pour l'urinal ?

Chuck le regarda droit dans les yeux.

— Tu plaisantes, mais je sais que tu vois qu'il y a de l'argent à faire là-dessus.

Silence.

— Écoute, Arch : d'une certaine façon, c'est très civilisé. Je veux dire, nous pourrions installer un sauna et tout ça. Et les membres du personnel pourraient être des modèles de chez *Colt* !

— C'est toujours agréable de le savoir, surtout quand ils vous trimballeront jusqu'aux toilettes. Écoute, Chuck, tout le monde ne te ressemble pas. Ce n'est que ton idée *à toi.* Qu'est-ce que tu comptes faire des travelos, par exemple ?

— Nous pourrions... Je ne sais pas : nous pourrions créer une aile à part.

— Et pour les concours de sosies de Marilyn ?

— Eh bien, je ne vois pas pourquoi...

Il fut interrompu par Peter Cipriani tout excité qui essayait de discipliner ses invités.

— OK, ne vous ruez pas tous en même temps. Un à la fois, messieurs, un seul à la fois.

Il tendit une paire de jumelles à Rick Hampton, qui les braqua vers le nord.

— Quelle maison? demanda Rick.

— Celle à colombages. Sur Barbary Lane. Avec la petite maison sur le toit, tu vois?

— Oui, mais je ne...

— La fenêtre de droite.

— Diable!

— Qu'y a-t-il? interrogea Arch, tandis que les autres accouraient.

— Oh, mon Dieu, regardez ce qu'il...

— Que fait-il? piailla Arch.

— Attends ton tour, Mary. Mais je rêve, c'est *insensé*!... Depuis combien de temps cela dure-t-il, Peter?

— Deux semaines au moins. Il y a une femme dans l'immeuble blanc là-bas. C'est elle qu'il regarde.

— Il est *hétéro*?

— Apparemment.

— C'est impossible! Un hétéro ne peut pas avoir un corps comme ça!

— Laisse-moi voir! fit Arch.

Entre copines

Revenue dans sa chambrette, Mona s'assit, resta parfaitement immobile sur son lit et se lança dans le seul rite d'exorcisme qu'elle connût.

Elle récita son mantra.

Ce n'était pas qu'elle se sentît coupable, en fait,

ni même gênée. Elle avait respecté sa part du contrat et elle n'en mourrait pas. Elle avait fait plaisir au client. Elle avait fait plaisir à Mother Mucca. Elle avait adopté une conduite irréprochablement années soixante-dix de bout en bout.

Ce n'était donc pas la honte qui la consumait. C'était... rien. Elle n'éprouvait rien du tout et cela la terrifiait complètement. Le trou noir béant qu'était son existence avait atteint des proportions gigantesques et elle s'approchait dangereusement de l'abîme. Si elle ne continuait pas à courir, si elle ne continuait pas à changer, le hasard et l'irrationalité monstrueuse de l'univers l'engloutiraient vivante.

— Toc-toc.

Silence.

— Toc-toc.

— Ouais. Bobbi ?

La gamine pointa prudemment le bout de son nez. Elle agita un paquet enveloppé de cellophane par l'entrebâillement de la porte, telle une tueuse de vampires qui brandit un crucifix.

— J'ai apporté des Oreos à grignoter. Tu veux m'aider à les finir ?

— Je ne crois pas, Bobbi.

Un silence, puis :

— Ça va, Judy ?

— Pourquoi ça n'irait pas ? C'est *l'autre* qui a morflé !

Bobbi gloussa et agita de nouveau son paquet :

— Tu n'en veux même pas un petit peu ?

— Je vois que tu commences pas par lécher ce qu'il y a au milieu...

— Non, je déteste ça.

— Moi aussi.

— Ma mère ne me laissait pas en manger si je léchais le milieu.

Mona sourit. Les mères étaient bonnes à quelque chose, apparemment. Alors, si on finissait dans les spécialités S.M. d'un bordel de Winnemucca, qu'est-ce que ça changeait ? On se rappelait quand même qu'il ne fallait pas lécher le milieu des Oreos, ni s'asseoir en écartant les jambes, ni montrer les gens du doigt ou se gratter quand ça vous démangeait.

— Alors ? insista Bobbi.

— OK, fit Mona. Pourquoi pas ?

Sautant sur le lit avec une gaieté non dissimulée, Bobbi déchira complètement l'emballage du paquet de gâteaux et en offrit à Mona.

— Alors, demanda-t-elle, qu'est-ce que tu as pensé de lui ?

— J'en reste sur le cul, répondit Mona d'une voix atone.

— Je trouve qu'il est drôlement beau, dit Bobbi.

— Bobbi, je n'ai pas envie d'en parler, OK ?

— OK. Excuse-moi.

Bobbi ramena ses genoux sous son menton et les entoura de ses bras. Elle mastiqua méditativement un Oreo comme un taste-vin goûte un grand cru. Puis elle regarda Mona d'un air affectueux :

— Tu sais quoi, Judy ?

— Non...

— Tu es ma meilleure copine.

Silence.

— Je te jure, Judy.

— Eh bien, c'est... Merci.

— Je peux rester dormir ce soir ?

— Ici ?

— Oui, fit Bobbi, comme quand on était gosses et qu'on allait coucher chez sa copine.

— Bobbi, je ne crois pas...

— J'suis pas gouine, Judy.

— Et si *moi,* je l'étais ? dit en souriant Mona.

Bobbi sembla tout d'abord inquiète, puis amusée :

— C'est impossible, répondit-elle en riant. Pas toi !

Mona se mit à rire elle aussi, malgré le mensonge qu'elle venait de faire implicitement. Après tout, D'orothea était sortie de sa vie depuis longtemps. Aux yeux de Mona, sa période lesbienne n'avait été rien de plus que la suite logique de sa période macrobiotique et de sa période « cri primal ». Elle s'y était impliquée, mais elle n'y avait guère trouvé de satisfaction réelle et ne militait pas pour.

Mona prit un Oreo et le partagea en deux :

— Comment tu veux qu'on fasse comme quand on était ados sans une pile de quarante-cinq tours et un tourne-disques ?

— Je connais des histoires qui font peur, se vanta Bobbi.

Mona réprima une grimace.

— On pourrait se faire les ongles des pieds, dit-elle.

— Je les ai vernis hier.

— Oh, bon, alors on pourrait...

— ... Lécher le milieu des Oreos !

Elles piaillèrent en chœur tandis que Mona brandissait la moitié du gâteau d'où coulait un peu la crème. Bobbi tira la langue.

— Il faut du lait ! s'écria Mona en lâchant l'Oreo dans la main de Bobbi et en sautant du lit.

Elle évita de passer par le salon, où elle entendait Mother Mucca mettre en rang quatre de ses filles devant deux routiers éméchés. Elle entra dans la cuisine par l'arrière, tâtonna à la recherche de l'interrupteur et se dirigea vers le frigo. Il y avait un litre de lait sur l'étagère du haut.

Ce serait bien de le verser dans une cruche, décida-t-elle. Elles pourraient se servir mutuellement le lait. Bobbi serait contente.

Elle trouva sur une étagère au-dessus de la cuisinière une cruche vert pâle datant manifestement de la Crise de 29, qui aurait valu son pesant d'or dans une boutique d'antiquités de San Francisco.

En tendant la main pour l'atteindre, elle frôla une pile de livres de cuisine et en fit tomber un. Elle se pencha pour le ramasser. Le nom inscrit sur la page de garde la figea instantanément : *Mona Ramsey*.

Colères

Un beau matin, deux jours avant l'arrivée prévue à Acapulco, Michael se réveilla et s'aperçut qu'il était seul dans la cabine. Le lit de Mary Ann n'avait pas été défait. Impatient d'avoir tous les détails, il se doucha à la hâte et fonça prendre le petit déjeuner sur le pont Aloha.

Mary Ann était déjà assise, tout comme Arnold et Melba Littlefield, resplendissants dans leurs ensembles en jean. Celui d'Arnold était brodé d'arcs-en-ciel et celui de Melba de papillons. « Dieu nous vienne en aide, songea Michael. Le *Summer of Love* n'est pas fini à Dublin ! »

— Alors, brailla Arnold tandis que Michael s'asseyait, vous n'êtes pas fichus de bouffer à la même heure, vous deux ?

Mary Ann rougit et jeta un regard inquiet à son compagnon.

Michael prit son petit air espiègle :

— Bobonne s'est tellement dépensée qu'elle meurt de faim.

Mary Ann lui donna un coup de pied sous la table.

Arnold gloussa d'un air entendu et fit un clin d'œil à Michael.

Melba, comme d'habitude, n'avait rien compris :

— Vous vous êtes éclatés toute la nuit? demanda-t-elle.

Melba était anormalement friande d'expressions comme « s'éclater », « super » ou « un max ». Michael était convaincu qu'elle avait trouvé ça dans la presse pour jeunes.

— Éclatés? releva-t-il, décidé à s'amuser un peu.

— Oui, vous savez, comme on dit pour faire la fête. Il n'y avait pas une disco hier soir, au *Skaal Bar*?

— Ah oui, j'avais oublié! s'exclama le jeune homme. Je me suis pieuté de bonne heure. Avec Christopher Isherwood.

Mary Ann était sur des charbons ardents :

— Mouse, tu n'as pas passé ta commande.

— Attendez une seconde, fit Arnold à Michael. Refaites-la-moi, celle-là?

— C'est un livre, dit Mary Ann.

— *Christopher et son monde,* acquiesça Michael.

— Mouse, je crois que le serveur...

— De quoi ça parle? demanda Arnold.

— C'est celui qui a écrit *Cabaret,* dit Mary Ann.

— Un film sur les Boches, c'est ça?

— Entre autres, plaisanta Michael.

— Il y a des pancakes aux myrtilles, aujourd'hui, Mouse.

— Liza Minnelli est tellement *chouette,* non ? soupira Melba.

— OK, dit Michael à peine eurent-ils quitté la salle à manger. Donne-moi les détails croustillants.

Mary Ann fit sa mauvaise tête.

— Allez ! insista-t-il. Il t'a troussée sur le pont avant ?

Silence.

— Il t'a culbutée à fond de cale ? Il t'a sucé les doigts de pied ? Offert un café ?

— Mouse, tu as *gâché* mon petit déjeuner !

— Tu aurais pu demander à Burke de t'accompagner.

— Oui. J'aurais pu aussi lui faire du pied pendant que tu racontais tes âneries sur bobonne à Arnold et Melba !

— Hé, écoute : c'est toi qui voulais qu'on se fasse passer pour de jeunes mariés, n'oublie pas !

— Baisse la voix.

— Toi la première ! Pour qui tu me prends, d'ailleurs ? Un mari de location ?

Mary Ann lui lança un regard noir, gronda de fureur et le laissa planté dans le couloir. Michael alla se calmer sur le pont promenade, qu'il arpenta jusqu'à ce qu'il eût l'esprit clair. Un quart d'heure plus tard, il revint à la cabine.

Mary Ann était assise à une table et écrivait des cartes postales. Elle ne se retourna pas.

— Tu sais quoi ? fit Michael.

— Non ? répondit-elle d'une voix sciemment dénuée de toute expression.

— Je suis jaloux.

— Mouse, ne...

— Si. Je suis une petite pédale jalouse, je suis jaloux de Burke parce qu'il m'a volé ma copine et je suis jaloux de toi, parce que tu t'es trouvé un mec.

Mary Ann se retourna, les larmes aux yeux :

— Mais tu vas trouver quelqu'un, Mouse, le consola-t-elle. Je le sais. Peut-être même à Acapulco.

— Peut-être que cette fois ce sera la bonne, hein ? Comme dans la chanson ?

Elle sourit et le prit dans ses bras pour le serrer très fort :

— Je t'adore pour ça, Mouse.

— Pour quoi ?

— Ton don de tout ramener à des paroles de chansons.

— Ouais, fit Michael. Liza Minnelli est tellement *chouette,* non ?

Après quoi, ce fut à Mary Ann de faire ses excuses :

— Je mc suis mal conduite aussi, Mouse. Je veux dire... Eh bien, je suis un peu sur les nerfs, je crois.

— A cause de quoi ?

Elle hésita, puis :

— De Burke.

— Il n'a pas été... ?

— Il est parfait, Mouse. Il est sensible, fort, attentionné. Nous sommes — tu vois — sexuellement... je ne sais pas comment on dit. Il a une attitude protectrice, mais, en même temps, il me traite en égale. Il ne fait pas craquer ses jointures. Il est parfait.

— Mais pas à cent pour cent ?

— Il a peur des roses, Mouse.

— Euh... Comment ça ?

— A Las Hadas, un nain a voulu nous offrir une

rose et quand Burke l'a vue, il est devenu blanc comme un mort et est allé vomir dans les buissons.

— Peut-être qu'il est de Pasadena.

— Ça m'inquiète, Mouse. Ce n'est pas normal, tu ne crois pas ?

— Et c'est à *moi* que tu le demandes ?

— J'ai essayé de lui en parler et il a changé de sujet. Je crois qu'il n'a pas la moindre idée de ce qui l'a fait réagir comme ça.

Les mystères de Pinus

Tout, chez Helena Parrish, était élégant, mais raisonnablement. Elle portait une capeline bleu marine, un tailleur Mollie Parnis bleu marine, ainsi que des talons aiguilles en box-calf bleu marine de chez Magnin. Pour Frannie, elle avait l'air du genre de femme qui n'aurait manqué pour rien au monde une conférence géographique du Century Club.

— Voulez-vous encore du thé ? demanda Frannie en se demandant où sa visiteuse était allée se faire faire un balayage aussi réussi.

— Non, merci, dit avec un sourire Helena Parrish en se tamponnant les lèvres avec une serviette de lin.

— Un biscuit ?

— Non. Ils sont délicieux, cela dit. Puis-je vous appeler Frannie, au fait ?

— Bien sûr.

— Que savez-vous de *Pinus*, Frannie ?

La maîtresse de maison rougit, prise de court par cette approche si directe du sujet :

— Oh... Eh bien, ce sont surtout des ouï-dire, je suppose.

A ce stade, la discrétion semblait plus sage. Helena pouvait faire les frais de la conversation.

Sa visiteuse hocha gravement la tête.

— Le bouche à oreille, nous nous en sommes aperçues, est notre meilleur rempart, dit-elle avec un léger sourire. La discrimination semble être un mot affreux, de nos jours, vous ne trouvez pas ?

— C'est épouvantable.

— Nous préférons appeler cela du contrôle de qualité. Et bien entendu, moins nous bénéficions de publicité, plus nos capacités à... satisfaire les besoins de notre clientèle en sont accrues.

— Je comprends.

— Hormis les critères sociaux, la seule exigence pour être membre est d'avoir atteint son soixantième anniversaire.

Elle avait prononcé les deux derniers mots d'un ton de conspiratrice, comme pour s'excuser de cette embarrassante bien que nécessaire indiscrétion.

— Le moment est presque parfaitement choisi, répondit Frannie avec un sourire piteux.

— Je sais, dit Helena.

— Vita ?

Helena hocha la tête et poursuivit :

— Selon notre philosophie, les femmes parvenues à la maturité où nous en sommes ont le droit légitime de se forger le style de vie qu'elles sont en mesure de s'offrir. Après tout, nous avons observé scrupuleusement les règlements pendant quarante ans. Nous avons élevé des enfants, toléré des époux, fréquenté les clubs qu'il fallait, soutenu les œuvres qui convenaient.

Elle se pencha en avant et regarda Frannie droit dans les yeux.

— Nous avons payé de notre personne, Frannie, et nous n'allons pas passer le reste de notre vie à souffrir comme des veuves geignardes et éplorées !

Frannie était hypnotisée. Helena Parrish avait commencé à acquérir à ses yeux l'aura d'un gourou.

— Bien entendu, il y a d'autres solutions. *Pinus* n'est pas la seule qui existe. C'est simplement la seule qui soit gratifiante. Et si nous en avons les moyens, pourquoi donc devrions-nous gaspiller notre argent en liftings, liposuccions et autres injections de collagène ? Par bonheur, les gens de notre sorte peuvent se permettre ce genre de... luxe. Et qu'y a-t-il de mal à cela ? Qu'y a-t-il de mal à exiger notre part de ce délicieux gâteau qu'est le plaisir ?

Elle tendit une brochure à Frannie. Elle était imprimée à l'encre brune sur vélin gaufré crème et ne comprenait, évidemment, aucune illustration.

PINUS

Pour les dames de soixante ans exigeantes

Douillettement blotti dans les opulentes collines de Sonoma, *Pinus* est, sans aucune équivoque, la plus exceptionnelle résidence de vacances du monde. Résidence de vacances est peut-être un mot mal choisi. Car *Pinus* offre avant tout un style de vie. *Pinus* est le royaume idyllique, celui où s'épanouit la femme mûre, un rêve d'abandon à la nature. Une fois que vous aurez connu l'expérience *Pinus,* rien ne sera plus pour vous tout à fait pareil.

— Je vous laisse la brochure, dit tranquillement Helena. Je suis certaine que vous aimerez y réfléchir seule, à tête reposée.

— Oui. Je vous remercie.

— Comme vous le savez peut-être, Frannie,

l'admission dépend en dernier ressort de notre conseil d'administration. Dans votre cas, cependant, je suis convaincue qu'il n'y aura aucune...

Elle termina sa phrase en balayant l'air d'un petit geste désinvolte. Le rang social de Frannie n'avait jamais été un problème.

— La décision vous appartient, désormais, Frannie. Si vous vous sentez prête, passez-moi un coup de fil à *Pinus*. Le numéro figure sur la brochure.

— Merci. Euh... Helena, quand pourrais-je... Enfin, à partir de quand... ?

— Le jour de votre anniversaire, si vous le souhaitez, dit sa visiteuse avec un sourire cordial. Nous offrons même pour ce genre d'occasion un gâteau *très* intéressant.

— Oh, comme c'est amusant !

— Oui, dit Helena. Il était temps, n'est-ce pas ?

Mona bis

Dans un bordel pourvu de dix chambres, Mona ne s'attendait guère à ce que ce fût dans la cuisine qu'elle dût éprouver son plus grand choc. Mais c'était pourtant bien là qu'elle se trouvait, figée par l'angoisse, après avoir lu son propre nom sur la page de garde du livre de cuisine.

Son propre nom ! Pourquoi ? Pourquoi ?

Elle laissa tomber le livre et examina les autres, presque certaine de ce qu'elle y trouverait. *Mona Ramsey... Mona Ramsey... Mona Ramsey!* Ils étaient tous pareils, ils portaient tous le même nom, inscrit de l'écriture incertaine et hésitante d'un enfant — ou peut-être d'un adulte presque analphabète.

Un flash. C'était ça. C'était le fameux flash d'acide dont on lui avait parlé. Elle s'effondra sur une chaise avec un petit gémissement, attendant avec une patiente résignation que les énormes chenilles mauves commencent à sortir de l'évier en rampant.

Quelques minutes passèrent. Pas de chenilles. Rien d'autre que la lointaine et insidieuse plainte du vent du désert et le bruit insistant du robinet qui fuyait. Dans le salon, elle entendait le rire rauque d'un routier en compagnie de Marnie, laquelle n'arrêtait pas de répéter : « Oh, ce que t'es dégueulasse ! Oh, ce que t'es dégueulasse ! » avec son accent de Modesto.

Mona se leva, les jambes tremblantes, et alla se passer de l'eau sur le visage. Après quoi, elle s'épongea avec le torchon imprimé aux effigies de J.F.K., Bobby Kennedy et Martin Luther King et repartit par la porte du fond dans l'obscurité.

Elle compta les portes jusqu'à parvenir à la sienne. Derrière, la lumière était toujours allumée.

Bobbi leva la tête et sourit :

— Pas de lait, hein ?

— Non.

— Je crois qu'il y a du Dr Peppers dans le bar, si tu... Judy, qu'est-ce qui se passe ?

— Je ne sais pas.

Mona s'effondra sur le bord du lit et fixa d'un regard brouillé de larmes le chien en peluche abandonné sur la coiffeuse par l'ancienne occupante de la chambre.

— Bobbi... Comment je m'appelle ?

— Hein ?

— Comment je m'appelle ?
— Mais tu es... ?
— Réponds, s'il te plaît.
— Judy.
— Judy comment ?
— Je sais pas, tu me l'as jamais dit.
— Si je... Si j'avais un autre nom et si tu le connaissais, tu me le dirais ? Ou bien est-ce que tu me ferais de sales blagues pour ça, Bobbi ? Est-ce que tu crois que Charlene... ?

Elle fut incapable de terminer sa phrase. Si Charlene avait voulu la tourmenter à cause de sa véritable identité, pourquoi donc serait-elle allée l'écrire sur la page de garde d'une saloperie de livre de cuisine ?

Bobbi sourit d'un air indulgent :

— Beaucoup d'entre nous ont de faux noms, Judy. Le vrai prénom de Marnie, c'est Esther. Je m'en fous complètement de savoir si tu ne t'appelles pas vraiment...
— Depuis combien de temps tu travailles ici, Bobbi ?
— Tu sais, ça va, ça vient...

« Travaille-t-on d'une autre manière dans un bordel ? » se demanda Mona.

— Oh, disons trois ans.
— Tu connais la plupart des filles qui sont passées par ici, alors ?
— Bien sûr, fit Bobbi avant de s'enfourner un Dentyne dans la bouche et de le mastiquer discrètement, se rendant soudain compte qu'elle subissait un interrogatoire.
— Est-ce que tu te souviens d'une fille qui se serait appelée Mona ?

Bobbi continua de ruminer. Si le nom éveillait en elle un souvenir, elle n'en avait rien montré.

— « Mona », que tu dis ?
— Ouais.
— Non, fit Bobbi en secouant la tête d'un air indolent. Pas immédiatement.
— Réfléchis, Bobbi, je t'en prie.
— Tu connais son nom de famille ?
— Ramsey. Mona Ramsey.
La lumière se fit dans l'esprit de Bobbi. Elle gloussa en constatant sa propre étourderie :
— Oh ! fit-elle. Mais on l'appelle jamais comme ça !
— Qui ça, Bobbi ?
— Mother Mucca.
— *Mother Mucca ?*
— Eh bien, oui. Mona Ramsey, c'est le vrai nom de Mother Mucca.

Quelques minutes plus tard, après le départ de Bobbi, Mona resta toute seule, assise sur le lit, à méditer sur la paranoïa croissante qui la gagnait. Elle ne s'était pas sentie aussi désorientée et effrayée, aussi complètement abandonnée, depuis le jour où elle avait découvert que Rennie Davis, l'idole de sa jeunesse, était vendeur d'assurances dans le Colorado.

Mais pourquoi Bouddha lui jouait-il un tour pareil ?

Deux Mona Ramsey dans le même bordel ! L'une, vieille, décatie et marquée par la débauche ; l'autre, un peu amochée bien qu'encore assez jeune, mais frôlant dangereusement la folie.

Le passé et l'avenir ? Le Yin et le Yang ? Donny et Marie Osmond ?

Mother Mucca avait vu juste depuis le début : « Cette cochonnerie d'*angel dust* te fout en l'air à chaque fois ! »

Et c'était bien le cas, songea Mona.

« Je suis tellement ravagée qu'on ne peut plus rien faire pour moi. Aucune loi ne peut plus s'appliquer à mon cas. Il n'y a encore qu'un miracle qui pourrait me sauver, maintenant. »

Dans un état second, elle retourna au salon désormais désert et appela le 28 Barbary Lane.

— Madrigal, j'écoute.

— Dieu merci !

— Qui est à l'appareil ?

— C'est moi, madame Madrigal. Mona.

— Mon enfant ! Mais où es-tu ?

— Oh, pourriez-vous l'imaginer ?... A Winnemucca !

Silence.

— Madame Madrigal ?

— Est-ce que tu vas bien, ma chérie ?

— Eh bien, je... Non, je suis dans le trente-sixième dessous.

— Es-tu... Es-tu au *Blue Moon* ?

— Comment le savez-vous ? geignit Mona.

— Mona, je...

— *Comment le savez-vous ?*

— La question, ma chérie, est plutôt : « Comment savais-tu, toi ? »

— Comment je savais *quoi* ?

— Pour... Winnemucca ?

— Je vais craquer, madame Madrigal !

— Je t'en prie, Mona. Je t'aurais tout raconté avant si...

— Raconté *quoi* ?

— J'avais tellement peur que tu me détestes à cause de ça, de cette fugue...

— Mais je n'ai pas *fugué* ! J'avais besoin de réfléchir toute seule. Je vous l'ai expliqué dans mon...

— Je ne parle pas de *ta* fugue, ma chérie, mais de la mienne !

— Quoi ? Mais vous ne vous êtes pas enfuie. Qu'est-ce que vous êtes en train de me chanter ?

Silence.

— Madame Madrigal ?

— J'ai comme l'impression qu'il vaut mieux commencer par le début, ma chérie. Es-tu seule ?

— Oui.

— Bon, alors assieds-toi. J'ai une petite histoire à te raconter.

Blues à Acapulco

Le crépuscule tombait sur le *Pacific Princess*. Michael était assis dans un transat et fumait un joint tout en contemplant les courbes douces et lascives de la plage d'Acapulco. L'air était chaud et le ciel exactement de la couleur qu'il fallait.

Même avant qu'il fût défoncé.

— Mouse ?

C'était Mary Ann, habillée de pied en cap pour un rendez-vous amoureux.

— Salut, fit Michael.

— Je t'ai cherché partout.

— Mais j'étais là, mam'zelle Sca'lett !

Elle tira un transat et s'assit sur le bord.

— Ça va, Mouse ?

Il hocha la tête :

— Je vais toujours bien.

— Tu n'es pas descendu dîner.

— Le petit me donne déjà des coups de pied, it-il en se caressant le ventre.

— Burke et moi avons cru que tu étais peut-être... Nous voudrions vraiment que tu viennes avec nous en ville ce soir. Quelqu'un nous a parlé d'un endroit qui s'appelle *BabyO's*.

— Merci, mais je ne crois pas que j'aie tellement envie de ça, ce soir.

— C'est une boîte.

— Demain, peut-être. D'accord?

Elle balaya une mèche rebelle qu'il avait sur le front.

— Tu es sûr?

Il hocha la tête tandis que la main de Mary Ann glissait sur sa joue, qui était humide. Son amie resta avec lui pendant presque une minute à le consoler, sans rien dire.

— Tu ferais mieux d'y aller, dit-il enfin. Ça va.

— Tu te fais du mal, Mouse.

— Si ce n'est pas moi qui le fais, fit-il en haussant les épaules, ce sera quelqu'un d'autre. Alors...

— Mouse, tu es le plus merveilleux...

— Je sais, Mary Ann. Je sais que je suis un type bien. Je le sais vraiment. Je sais que tu m'aimes. Je sais que les vieilles dames m'aiment, et puis ma mère, les chiens, les chats... Et tous ceux que je rencontre, sauf ceux dont je tombe amoureux... Je t'en prie, ne commençons pas!

— Mouse, si seulement je pouvais...

— Et le pire, dans tout ça, c'est que je connais la réponse. La réponse, c'est qu'on ne doit jamais, jamais faire confiance à quelqu'un si on veut avoir l'esprit tranquille. Quand on le fait, on se bousille, mais alors quelque chose de bien! Pas immédiatement, peut-être, mais à plus ou moins long terme. Il faut... Je ne sais pas... Il faut apprendre à vivre avec soi-même. Il faut apprendre à faire son lit tout seul et à mettre un seul couvert sur la table sans se sentir pitoyable. Il faut être fort, confiant et heureux de son sort, sans jamais donner la moindre impression d'être infichu de vivre sans quelqu'un. Il faut constamment faire semblant et tenir le choc.

— Mais tu ne fais pas semblant, Mouse. Tu *es* fort.

— J'en ai marre. J'en ai marre de devoir tout le temps recoller les morceaux et continuer à aller de l'avant. Je veux que ça marche, ne serait-ce qu'une *seule* fois.

Il se frotta le coin de l'œil et sourit brusquement en haussant les épaules.

— Je veux faire une pub pour les matelas Dunlopillo avec le cow-boy de Marlboro.

Mary Ann lui serra la main encore plus fort :

— Nous sommes tous comme ça, Mouse.

— Je sais. Seulement il y en a pour qui ça marche.

— Ça marchera aussi pour toi.

— Non.

— Mouse...

— J'en crève trop d'envie, Mary Ann. Le premier crétin venu s'en aperçoit. Quand tu crèves d'envie de quelque chose, personne ne veut de toi. Personne n'est attiré par... par un tel désespoir.

Il se détourna d'elle et s'essuya les yeux.

— Merde ! murmura-t-il en lui reprenant la main. Mais regarde ce ciel !

Après le départ de Burke et de Mary Ann, Michael passa une demi-heure dans la cabine à lire un autre chapitre du livre d'Isherwood, puis il repartit se promener sur le pont.

Les lumières de la ville lui faisaient des clins d'œil.

« Pourquoi n'irais-je pas ? se demanda-t-il. Pourquoi n'irais-je pas me refaire du mal une fois de plus ? Qui pourrais-je trouver dans une ville étrangère, que je pourrais quitter au bout de deux jours sans en avoir le cœur brisé ?

« Et puis, quelle Lacoste pourrais-je mettre ? La verte ou la rose ? »

Le chauffeur du taxi arborait une énorme moustache blanche et un bon visage jovial de grand-père. Michael en fut malade de lui poser la question :

— Euh... Vous connaissez des endroits gays ?

Le chauffeur eut l'air interloqué :

— Des bordels ?

— Non, pas bordels. Endroits pour *hommes.*

— Pour hommes ?

— *Sí.*

— Ah, homosexe !

— *Sí.*

Le chauffeur se retourna et considéra son passager pendant un instant.

— Homosexe... répéta-t-il avant de regarder de nouveau la route.

L'homme en blanc

La route qui montait dans les collines était très mal éclairée. Michael n'en retint qu'un vague souvenir de feuillages poussiéreux, de palmes noires, de maisons en stuc délabrées qui se recroquevillaient dans les phares comme des amants illégitimes surpris par le flash de l'appareil photo d'un détective.

Le taxi s'arrêta devant un vaste bâtiment blanc dont l'entrée formait une arche. Les grilles qui la fermaient portaient le nom : SANS SOUCI.

Pas de soucis ! A Acapulco ? Dans un bar gay au nom français ? Décidément, l'ironie du sort ne s'embarrassait pas du sens des mots !... Il se rendit compte, avec un peu de gêne, qu'il y avait vraiment été un peu fort avec Mary Ann. Elle avait percé son âme à jour dans l'un de ses moments les plus noirs, les plus dénués d'humour, un moment empoisonné par l'auto-apitoiement. Elle avait vu ce que cachait la façade du gentil lutin à la Disney et ce n'était sûrement pas joli à voir.

Il paya le chauffeur et passa l'arche en saluant d'un signe de tête la vieille femme qui balayait le sol. Elle lui rendit son salut sans expression. Michael se demanda si elle avait dans son vocabulaire un mot particulier pour dire « pédale gringo ».

L'arche ouvrait sur une terrasse qui donnait à voir une colline et un morceau de la baie. A un bout se trouvait un bar sous une paillote, où un vieil homme semblait servir à la fois de sentinelle et de barman. L'endroit était tellement mal éclairé que Michael trébucha sur une chaise en faisant son entrée.

Recouvrant son sang-froid, il jeta un regard autour de lui pour le cas où il y aurait eu des témoins de sa maladresse. Il n'y avait personne, l'endroit était vide. Le seul bruit qu'on entendait était le froissement sinistre des palmes sur le flanc de la colline et le gémissement sépulcral de Donna Summer qui chantait *Winter Melody*.

Il y avait quelque chose qui clochait salement.

Salement, ou pas du tout. Peut-être que c'était *exactement* comme ça que devait être un bar gay mexicain. A moins qu'il y ait eu un petit problème linguistique dans le taxi? Non. Qu'est-ce qu'« homosexe » pouvait bien signifier d'autre? Ou alors, c'était une farce? Une bonne vieille blague que jouait un macho à un pauvre pervers américain?

Il était vingt et une heures trente lorsque Michael commanda une Dos Equis au vieil homme et s'assit à une table au bord de la terrasse. Il se perdit dans ses songes en contemplant le miroir d'onyx de la baie et l'immense croix illuminée de la Capilla de la Paz. Une enseigne Pepsi au néon luisait d'une manière obscène, au loin, sur une colline.

Plusieurs personnes arrivèrent l'une après l'autre sur la terrasse. Des femmes. Des lesbiennes? Un homme apparut. Il était attifé d'un pantalon blanc et portait plusieurs douzaines de chaînes en or et un brushing de *latin lover* qu'on aurait dit tout droit sorti de *GQ*. Il aurait été hétéro, à L.A., c'est certain. Oui, mais ici...?

L'homme commença à danser tout seul en roulant des yeux comme quelqu'un qui vient de rendre le dernier soupir en copulant. C'est en le regardant évoluer que Michael comprit : non seulement il avait le petit doigt en l'air, mais c'était le genre à avoir aussi le petit orteil en l'air.

La piste de danse fut envahie de monde dès avant vingt-trois heures. Les clients, pour la plupart, étaient des folles, mais Michael repéra une petite bande de bûcherons d'opérette vêtus de chemises à carreaux qui regardaient les autres avec un amusement mal dissimulé. Il s'efforça de les éviter. Si c'étaient des gens de San Francisco, il ne voulait même pas leur parler. Il était hors de question de rencontrer sur une colline mexicaine quelqu'un avec qui il avait peut-être déjà fricoté dans la backroom d'un bar.

Un homme l'invita à danser. Michael accepta, mais il se sentait mal à l'aise et n'en avait guère envie. Il ne voulait pas vraiment danser, en fait ; il voulait seulement que quelqu'un le serre dans ses bras.

— C'est la première fois ? demanda l'autre, tout en se dandinant sans grand enthousiasme.

C'était un Mexicain.

— Oui, répondit Michael en faisant de grands efforts pour ne pas parler petit nègre, ce qu'il faisait généralement quand il avait affaire à des étrangers.

— Tu n'es pas heureux, je crois ?

— Excuse-moi, dit Michael en souriant faiblement, je....

— C'est OK. Parfois... moi aussi.

« Merde, pensa Michael. Essaie pas d'être gentil comme ça, toi. Si t'es aussi gentil, je vais te chialer sur l'épaule. »

— La plupart du temps, je suis heureux, c'est vrai, mais parfois...

Il abandonna toute tentative d'explication et se rabattit sur un cliché de drague auquel il n'aurait jamais osé recourir en Californie :

— Tu viens souvent ici ?

Quand la réponse lui parvint, Michael n'écoutait déjà plus.

Il avait les yeux braqués sur l'arche, où un grand type blond en costume de lin blanc s'était arrêté pour considérer la piste de danse. Par une habitude trop ancienne pour qu'il s'en défît, Michael le déshabilla du regard pendant une fraction de seconde, puis il cessa avec la soudaineté d'un chien qui s'aperçoit qu'il est en train de se mordre la queue.

C'était Jon Fielding.

Il y avait des moments où Brian était certain qu'elle le suivait.

Son imagination la lui faisait apparaître dans les endroits les plus inattendus : dans les lavomatiques, le samedi matin, dans les tramways bondés, sur les escalators déserts et dans l'obscurité des salles de cinéma lorsqu'il était complètement défoncé à la colombienne.

Cela commençait généralement par un regard. Un regard appuyé. Un clin d'œil d'une paupière lourde, rien que pour lui. Puis un long sourire sardonique le dévorait de la tête aux pieds. Il avait l'habitude de ce genre de choses, évidemment, mais avant, cela n'avait pas la même signification.

Avant, cela signifiait « conquête » — *sa* conquête : une simple aventure sans complications, une situation dont il avait la maîtrise du début jusqu'à la fin.

Mais désormais...

Désormais, c'était peut-être une femme qui savait pleinement dans quel état de dépendance il se trouvait vis-à-vis d'elle.

Désormais, cela pouvait être Lady Onze.

Et c'était *elle* qui pouvait avoir la maîtrise de la situation.

La question qui le minait restait la même : si elle savait qui il était, si elle savait où le trouver, pourquoi n'aurait-elle pas voulu venir chez lui ouvrir un nouveau chapitre de leur histoire ?

Peut-être, bien sûr, qu'elle avait essayé de faire précisément cela. Peut-être qu'elle était allée voir au 28 Barbary Lane tout comme il l'avait cherchée au Superman Building. Son nom à lui, il s'en souvenait maintenant, n'avait jamais été marqué sur la boîte aux lettres.

Toutefois, elle aurait pu *demander*. Mme Madrigal le lui aurait dit, nom d'un chien ! Peut-être que Mme Madrigal le lui avait dit à *elle*, mais qu'elle avait oublié de lui en parler à *lui*...

D'un autre côté, il y avait peut-être quelque chose qui n'allait vraiment pas chez cette femme. Peut-être qu'elle avait peur de le rencontrer et qu'il découvre qu'elle était... quoi ? Handicapée ? Folle ? Aveugle ? Bravo, Brian : les aveugles ont toujours une paire de jumelles à portée de main, c'est bien connu !

Et puis aussi, il était *possible* que ce fût quelqu'un de célèbre, une personnalité locale qui ne pouvait se permettre d'affronter le scandale d'une liaison sexuelle publique. Ou bien quelqu'un qui faisait des travaux de recherche bénévoles pour le Rapport Hite ? Ou une lesbienne qui essayait de revenir dans le droit chemin, mais petit à petit ? Ou encore, une star du porno qui répétait pour la grande scène ?

A moins que ce ne fût une connasse américaine comme il y en a tant, qui essayait de faire tourner Brian Hawkins en bourrique.

Cette nuit-là, alors qu'ils se déshabillaient devant leurs fenêtres respectives, Brian décida d'essayer une nouvelle stratégie. Il ôta tous ses vêtements jusqu'à son caleçon, mais il refusa d'exhiber son sexe. Puis il posa les jumelles sur le rebord de la fenêtre, se croisa les bras et attendit.

Lady Onze l'observa avec ses jumelles, puis elle adopta la même pose.

Brian compta jusqu'à vingt et reprit son appareil.

Lady Onze en fit autant.

« C'est un *jeu* de cons, pensa-t-il. Nous sommes

là comme deux sales mômes à jouer à nous singer l'un l'autre. D'accord, salope! Voyons voir comment tu vas réagir à ça! »

Il quitta la fenêtre et courut dans la cuisine, d'où il revint avec un grand sac en papier kraft. Il le déchira et l'ouvrit en deux, bien à plat. Puis, avec un gros marqueur, il écrivit sept chiffres sur sa banderole improvisée :

928-3117

Après quoi, il la brandit devant la fenêtre, tout en épiant la réaction de Lady Onze. Elle resta immobile pendant un instant, puis elle finit par lever ses jumelles et lire le numéro. Elle resta dans la même attitude pendant un long moment.

Soudain — nom de Dieu de nom de Dieu! — elle quitta la fenêtre et revint un peu plus tard avec un téléphone. Brian bondit sur le sien, remerciant le ciel d'avoir opté pour la version sans fil.

Ils étaient désormais tous les deux en position, l'un imitant de nouveau l'autre.

Brian l'observa avec ses jumelles. Dans le rose nacré de sa chambre, son corps enveloppé du peignoir semblait vibrer de chaleur. Il *savait* quelle était son odeur : le parfum suave et boisé de ses cheveux mouillés, celui ambré et chaud de sa poitrine...

Oh, putain : voilà qu'elle composait le numéro!

Un... deux... trois... quatre... cinq... six... sept.

Le téléphone de Brian sonna.

Il répondit avec douceur en prenant bien garde de ne pas l'effrayer.

— Allô? dit-il d'une voix calme et bien posée.

Silence.

— Écoutez, si vous vouliez bien me donner votre numéro, nous pourrions... Je pourrais vous appeler, c'est tout.

Il l'entendait respirer. Il la voyait distinctement, debout, immobile et muette, son téléphone à la main.

— Hé ! Dites-moi votre nom, alors... Je suis un type bien, je vous jure. Nom de Dieu ! Vous ne trouvez pas que tout cela est un peu tordu ?

Le souffle se fit haletant. Au début, il crut qu'elle jouait avec lui, et qu'elle voulait l'exciter en faisant de petits bruits affriolants ; puis il s'aperçut qu'elle pleurait.

— Oh ! Excusez-moi. Je vous assure, je ne voulais pas que vous...

Elle lui raccrocha au nez. Il la vit s'effondrer dans un fauteuil et se recroqueviller sur elle-même, désespérée. Un instant plus tard, elle se leva et tira les rideaux.

Brian tira une chaise et s'assit devant la fenêtre pour attendre. Mais il s'endormit.

En famille

La conversation de Mona avec Mme Madrigal prit trois quarts d'heure. Quand ce fut terminé, elle alla se promener dans le désert. A une centaine de mètres de la maison, elle trouva une épave de camion dont la cabine lui offrit un refuge.

Elle s'y assit et contempla le ciel nocturne pendant un long moment, pensant vaguement qu'une soucoupe volante allait apparaître et l'emporter loin de ce paysage irréel et hideux.

En ce moment, à San Francisco, les collines devaient être vertes, d'un délicat vert céladon, et douces comme le duvet qui couvre les cornes des cerfs. Il devait y avoir des jonquilles dans Washington Square, les haies de Barbary Lane devaient être en fleurs et des dizaines et des dizaines de lis devaient s'épanouir pour assister au numéro de Michael imitant comme chaque année Katherine Hepburn.

Et son *père* qui l'attendait là-bas ! Son père, sa mère, sa meilleure amie et logeuse, tous ces personnages réunis en une seule personne pleine d'amour et de bonne humeur !

Elle sauta du camion et rentra en courant jusqu'à la maison, le cœur bondissant d'excitation dans sa poitrine, le cerveau au bord du court-circuit à force d'espoir. Mais qu'est-ce qu'elle allait chercher, avec sa soucoupe volante ? Telle Dorothy dans *Le Magicien d'Oz,* elle n'avait besoin que de taper trois fois du pied pour retrouver le chemin de la maison de tante Em.

Sans s'arrêter, elle ouvrit toute grande la porte de la chambre dc Mother Mucca, plus du tout intimidée par la vieille grincheuse.

La maquerelle était en train de se brosser les cheveux.

— Tu pourrais frapper, non ?

— Mother Mucca... Oh, excusez-moi, mais je...

Elle s'adossa au mur et tenta de reprendre son souffle.

— Il y a quelque chose que...

Un pli inquiet barra le front de la vieille femme :

— Ça va, Judy ?

— Non. Pas Judy. Mona.

— M'appelle pas comme ça, poupée.

— Mais non, Mother Mucca, ce n'est pas ça. Je suis en train de vous dire que je ne m'appelle pas Judy. Mais Mona. Mona Ramsey, exactement comme vous.

Mother Mucca la fixa une seconde, puis elle se retourna vers son miroir et entreprit de continuer à se brosser les cheveux.

— Je t'avais déjà avertie pour l'*angel dust,* poupée.

— Mother Mucca, je n'ai pas...

— Si jamais je te reprends à en fumer chez moi, je te fous dehors à coups de pied au cul, Judy !

Mona recouvra son sang-froid et tenta d'argumenter avec elle :

— Écoutez, je *sais* que vous n'allez pas le croire. J'y crois à peine moi-même. C'est comme... Eh bien, c'est comme un miracle, Mother Mucca. Une sorte de force cosmique invisible nous a rassemblées toutes les deux, parce que nous avons besoin l'une de l'autre, parce que nous...

— Écoute, poupée, si ça t'embête pas...

— Je vais aller chercher mon sac ! Je vais vous montrer ma... Enfin, je ne peux pas vous montrer mes papiers, en fait. Je vous *jure* que c'est mon nom. J'ai prétendu que je m'appelais Judy, parce que je... J'étais un peu gênée de travailler ici et tout ça... S'il vous plaît, répondez à une seule question !

— Allez, dégage de là !

— Pas avant que vous ne m'ayez répondu.

— J'ai dit...

— Comment s'appelait votre petit garçon ?

— Mais qu'est-ce que tu crois que tu...

— *Comment s'appelait-il ?*

Mother Mucca décrocha le téléphone posé sur sa coiffeuse :

— J'appelle Charlene, Judy.

— Mona !

— Tu me fais tellement pitié dans l'état où tu es que je n'ai même pas...

Mona lui arracha le téléphone des mains :

— Écoutez-moi ! Je vous aime, merde ! C'était Andy, qu'il s'appelait, n'est-ce pas ? Votre fils s'appelait Andy !

Silence stupéfait, puis :

— Qui t'a dit ça ?

— A votre avis ? Charlene ? Marnie ? Bobbi, peut-être ? Vous ne l'avez jamais dit à *personne,* n'est-ce pas ? Cela devait vous faire tellement souffrir d'en parler...

Mona reprit son souffle et tomba à genoux en prenant les mains de la vieille femme dans les siennes.

— Mother Mucca... *Il* me l'a dit. *Andy* m'a tout raconté. J'habite avec lui à San Francisco, et c'est mon père.

La maquerelle avait les yeux pleins de larmes :

— Je suis une vieille dame, poupée. Un mensonge, ça peut vraiment me tuer.

— Je serais incapable de vous faire du mal, Mother Mucca.

— Pourquoi... Pourquoi es-tu venue ici ?

Mona lui sourit :

— C'est vous qui m'avez embarquée, n'oubliez pas.

— Ça n'a pas de sens.

— Je vous l'ai dit ! C'est un miracle ! Je suis votre petite-fille. Mother Mucca, j'ai découvert mes putains de racines !

La vieille femme plissa les yeux :

— Qui c'est qui t'a appris à parler comme ça, Mona ?

L'amour toujours

L'homme qui dansait avec Michael se rendit compte que quelque chose n'allait pas.

— Excuse-moi... Tu connais cet homme ?

Michael était dans un état second, proche de la transe.

— Je... Oui. J'espère que ça ne t'ennuie pas. C'est quelqu'un avec qui... Pardonne-moi.

L'homme hocha la tête, apparemment plus interloqué qu'offensé, et alla rejoindre le bar tout en continuant de danser. Michael resta pétrifié là où il était, tout en cherchant ce qu'il allait bien pouvoir dire. Jon ne l'avait pas encore vu.

Un *Cherchez la femme* qui craquait jaillit des haut-parleurs. C'était le même air que celui qu'on passait au *Endup* la nuit où Michael avait gagné le concours de danse en slip... et où le docteur Jon Fielding était sorti pour toujours de sa vie.

Mais les « pour toujours » de Michael ne duraient jamais très longtemps.

— Hé, gringo ! Tou veux asséter ma sœur ? Elle, vierge !

— Michael, mon Dieu !

— Je t'en prie : Michael tout court ! On est entre nous.

Jon le serra chaleureusement dans ses bras. Le genre d'accolade, songea Michael, que Danny Thomas aurait pu faire à George Burns au *Johnny Carson Show*.

— Mais qu'est-ce que tu fous ici ?

— C'est la seule boîte de folles d'Acapulco, fit Michael en haussant les épaules.

Jon éclata de rire :

— Mais non, je voulais dire : qu'est-ce que tu fous à Acapulco ?

— Je fais une croisière.
— Avec le *Pacific Princess* ?
— Ouais. Et toi, qu'est-ce qui t'amène ici ?
— Oh, les infections vaginales.
— Tu as *l'air* en bonne santé, pourtant.
Le gynécologue eut un sourire en coin :
— Je participe à une convention, banane !
— Tu t'amuses follement, quoi...
— Oui, en fait. On a beaucoup de temps libre.
Voilà qui embêtait Michael. Les gens qui lui bottaient n'étaient pas censés s'amuser en son absence. Mais si le docteur passait d'excellents moments sans lui, pourquoi se torturer ?
— Ça m'a fait plaisir de te voir, Jon.
— Tu t'en vas ?
— Ouais. Cette boîte, on dirait le *Kokpit* dans ses plus mauvais soirs. J'en ai marre.
Jon jeta un regard circulaire sur la terrasse :
— Je vois ce que tu veux dire.
— Ouais. Bon, eh bien, je suis sûr que tu vas trouver quelque chose.
— Je pensais que c'était déjà fait.
Michael fit semblant de n'avoir rien entendu :
— Peut-être que l'ambiance s'améliore à mesure que la nuit avance, dit-il.
— J'ai une voiture, Michael. On pourrait aller faire un tour.
Michael le regarda un instant, puis il secoua la tête :
— Je ne crois pas, Jon. Merci quand même.
Le docteur sourit faiblement :
— Tu es en train de me punir, n'est-ce pas ? déduisit-il.
— Pour quoi ?
— Pour... ce qui s'est passé l'autre fois au *Endup*.

Michael parvint à prendre un air détaché :

— C'était une soirée minable. Je ne peux pas t'en vouloir de...

— Non. C'est moi qui ai été minable ce soir-là. J'étais... gêné, Michael. J'étais accompagné de folles snobs de Seacliff et je n'ai pas été à la hauteur de la situation. C'est moi qui étais en défaut, pas toi.

— J'ai gagné, au fait, tu sais, sourit Michael.

— Tu ne pouvais que gagner.

— *Gracias.*

Ils se rendirent à la Capilla de la Paz dans la Volkswagen qu'avait louée Jon. Comme des inconnus qui se rencontrent dans une ville étrangère, ils discutèrent avec animation de la vie nocturne d'Acapulco, de l'ennui des croisières et des dangers de fumer de l'herbe au Mexique.

En haut de la colline, la chapelle était déserte. Au-dessus, dans le ciel semé d'étoiles, se dressait le calvaire gigantesque, pâle comme les os blanchis d'un monstre antédiluvien. Ils marchèrent jusqu'au bas de la croix en silence.

— On m'a dit, commença Jon, que c'était un monument érigé à la mémoire de deux frères qui se sont tués dans un accident d'avion.

— C'est émouvant. Je veux dire... Je trouve qu'avoir eu cette idée est émouvant.

— Tu sais, j'ai peut-être mal compris l'histoire.

— Peu importe, ça me plaît quand même.

— On voit le paquebot, regarde, dit Jon en désignant le bateau qui clignotait dans le port au-dessous d'eux.

Michacl sentit l'haleine du docteur sur sa joue.

— Et là-bas, continua Jon, derrière cette rangée d'hôtels... Michael ?

— Excuse-moi, j'avais la tête ailleurs.

— Où ?

— Je pensais aux monuments. Aux enterrements, en fait.

— Agréable !

Michael le regarda :

— Ne me dis pas que tu n'as jamais imaginé tes propres obsèques ?

Jon secoua la tête en souriant.

— Eh bien, écoute ça, alors, dit Michael. Je voudrais pour les miennes qu'on donne une grande fête au Paramount, à Oakland, avec plein de dope et de petits fours et tous mes copains défoncés jusqu'aux yeux dans cette décadence Arts déco. Et une fois que ce serait terminé, je voudrais qu'ils m'installent sur un siège au premier rang, qu'ils sortent du cinéma... et qu'ils enterrent le tout.

Jon éclata de rire et lui pinça la nuque :

— Tu ne crois pas que tu pourrais faire ce genre de fête sans avoir besoin de mourir ?

— Mmm. Si. Et c'est ce que je fais, d'ailleurs.

Jon s'esclaffa, prit le visage de Michael dans ses mains et l'embrassa.

— Ne meurs pas, OK ? En tout cas, pas avant que j'en aie fini avec toi.

Le problème de Burke

Assise dans l'un des boxes rose et orange du *Denny's* d'Acapulco, Mary Ann examina ses frites et trouva qu'elles avaient une couleur grisâtre suspecte.

— Quelle horreur! fit-elle en en soulevant une sous le nez de Burke pour qu'il lui donne son avis.

Il sourit sans protester.

— Idem pour le milk-shake, dit-il.

— Excuse-moi, Burke.

— De quoi?

— Je n'aurais pas dû te traîner ici. J'avais juste envie d'un hamburger, je crois.

— Ce n'est pas grave. Moi aussi.

— On aurait dû déjeuner au *Colonel Sanders.*

— On mangera sur le bateau ce soir, la rassura-t-il.

— Je ne suis pas trop... chiante?

— Je ne peux pas te dire, murmura-t-il suavement. Je suis trop amoureux de toi.

Ils louèrent un attelage et traversèrent la ville au rythme des sabots des chevaux, tandis que les ballons accrochés à la voiture flottaient derrière eux. « C'est comme dans les romans Harlequin, se dit Mary Ann. Trop mièvre, trop parfait pour être vrai. Si jamais j'y pense trop ou si je fais le *moindre* projet, ça va foirer. » Du coup, elle nicha sa tête contre l'épaule de Burke et s'efforça de ne penser à rien.

— Comment va Michael? demanda Burke, alors qu'ils passaient devant le *Ritz.*

— Beaucoup mieux. Il était avec quelqu'un hier soir. Et ce matin aussi. J'ai découvert la chose un peu brusquement.

— C'est-à-dire?

— Je suis tombée sur eux en rentrant.

— Le type blond avec qui il prenait le petit déjeuner? demanda Burke malicieusement.

— Mmm. Mon Dieu, je *n'ose pas* imaginer ce que Melba et Arnold ont dû penser.

— Qui sont Melba et Arnold?

— M. et Mme Assortis. Le couple qui mange à notre table. Ils croient que Michael et moi sommes mariés.

— Comment ça se fait ?

— Eh bien... C'est moi qui le leur ai fait croire. Je veux dire : je n'avais pas envie qu'ils croient qu'on... vivait à la colle ou un truc comme ça. Et puis si je leur avais dit qu'il était homo, ils auraient sauté au plafond et ils m'auraient prise pour une fille à pédés.

— Une *quoi* ?

Mary Ann l'embrassa sur l'oreille :

— Je t'adore. Tu ne connais rien à *rien*.

Revenus sur la plage, ils s'enduisirent de lotion à la tortue et s'allongèrent sur le sable. Devant la beauté et l'innocence de la scène, Mary Ann se rendit cruellement compte que ses jours avec Burke étaient comptés.

« Mais n'en fais pas trop, se morigéna-t-elle. Il ne faut surtout pas lui faire peur. »

— Burke ?

— Mmmh ?

— C'est vraiment génial.

— Je pense bien !

— Tu sais... Je n'aurais jamais cru que je rencontrerais quelqu'un comme toi au cours de ce voyage.

— Arrête ! Mignonne comme tu es ?

— C'est gentil de me dire ça, mais je le pense vraiment. La plupart des types que je rencontre à San Francisco ne cessent pas de me bassiner avec leur Porsche, leur chaîne ou leurs fichus problèmes psychologiques. Ce n'est pas parce que je fréquente Michael que je suis... désespérée ou un truc de ce genre. C'est simplement parce que... eh bien, avec Michael, j'ai l'impression de valoir quelque chose. Et j'en étais arrivée à penser qu'un hétéro était incapable de me procurer la même sensation.

Silence.

Elle rougit immédiatement :

— J'ai dit quelque chose qui t'embête, c'est ça ?

— Non, vraiment...

Il tendit la main pour prendre la sienne.

— Je n'ai jamais été très communicatif, Mary Ann.

— Je ne parle pas de ce que tu *dis,* Burke. Je parle de... je ne sais pas : la façon dont tu me considères, ta manière de réagir. Je sais que tu me considères avant tout comme un être humain. Et je t'en serai toujours reconnaissante, je voulais que tu le saches.

Il roula sur le côté et l'attira contre sa poitrine, ce qui fit ricaner deux gamins qui passaient. Mary Ann s'en moquait complètement. Pendant un bref moment d'euphorie, elle fut *convaincue* qu'ils ressemblaient tous les deux à Burt Lancaster et Deborah Kerr dans *Tant qu'il y aura des hommes.*

— Burke ?

— Oui ?

— As-tu envisagé de jamais revenir à San Francisco ?

Silence.

« Tu as tout gâché, se dit-elle. Idiote ! Il est fâché contre toi. »

— Excuse-moi, Burke. Je n'aurais pas dû dire ça.

— Ce n'est pas grave.

— Si. Mais changeons de sujet. Je te promets de ne plus te ressortir de trucs aussi lourds.

— Non, il faut qu'on parle. J'aurais dû te dire quelque chose depuis longtemps.

Elle avait toujours su plus ou moins qu'ils en arriveraient là. Tout son corps se tendit alors qu'elle attendait que la vérité lui tombe dessus comme la hache du bourreau.

— S'il te plaît, dit-elle d'une toute petite voix, je préfère que tu ne dises rien.

— Mary Ann, j'ai vécu à San Francisco pendant trois ans... Trois années entières de ma vie !

Oh non ! Michael avait-il donc vu juste dès le début ?

— Et tu sais pourquoi je suis complètement à côté de la plaque, Mary Ann ?... Sais-tu d'où vient cette foutue naïveté de gosse ?

« Mon Dieu, s'il vous plaît, non ! Faites qu'il ne soit pas... »

— Je ne me souviens de *rien*, Mary Ann. Il ne me reste rien, pas le moindre détail de ces trois ans passés à San Francisco.

Elle s'écarta de lui :

— Tu es... *amnésique* ?

Il hocha la tête.

« Merci, mon Dieu, songea-t-elle en le prenant dans ses bras. Merci, mon Dieu ! »

Mais essaie de te rappeler !

— Je suis désolé, dit Burke en se redressant pour s'asseoir sur le sable et en se frottant le front du bout des doigts. Il aurait mieux valu t'en parler plus tôt.

Mary Ann pesa soigneusement ses mots :

— Tu... ne te souviens de rien du tout ?

Il secoua la tête.

— Rien de tout le temps passé à San Francisco. Je me rappelle tout le reste. Je veux dire : tout jusqu'en 73. Quand j'étais à Nantucket. Il y a bien quelques... images, si on veut, qui me reviennent à l'esprit de temps en temps. Mais elles ne signifient rien, en fait.

— Par exemple ?

— Mary Ann, ça ne sert à rien de...

— Je veux t'aider, Burke.

Il traça une ligne sur le sable.

— Tout le monde veut m'aider.

Puis, voyant son expression, il adoucit son ton :

— Non, ce n'est pas ce que je voulais dire. Tu n'es pas tout le monde. C'est simplement que... Eh bien, on a tout essayé. Mes parents m'ont même offert cette croisière pour que je puisse... Tu comprends...

— Ça n'a aucune importance pour moi, Burke.

— C'est une forme de folie.

— Ce n'est pas mon opinion.

— Je ne peux pas être honnête dans une relation, Mary Ann. Je ne sais pas ce sur quoi je peux être honnête. Je ne sais même pas *pourquoi* je...

Mary Ann le coupa :

— J'y suis, Burke ! Cette histoire avec les roses ?...

— Par exemple, acquiesça-t-il. Attendrissant, hein ? J'ai également peur des passerelles bordées de rambardes.

— Où ?

— Partout. N'importe quelle passerelle. Tu n'as pas remarqué, sur le bateau ? C'est pour ça que je suis sur le pont arrière à longueur de temps. J'ai une trouille bleue du bastingage, Mary Ann.

Mary Ann s'approcha de lui et posa une main rassurante sur son genou.

— Bon, écoute : si tu n'arrives pas à te souvenir de ce qui t'est arrivé à San Francisco, je me demande comment tu as fait pour retourner à Nantucket...

— Ce n'est pas exactement comme ça... Tu es sûre que tu veux que je te raconte tous les détails ?

— Sûre et certaine.

— Eh bien, on m'a retrouvé.

— Qui ?

— Des flics, dans Golden Gate Park. La police montée. Je m'étais... évanoui, ou quelque chose comme ça, dans les bois. Il leur a fallu trois jours pour découvrir qui j'étais.

— Et après tu es rentré chez toi ?

Il confirma.

— J'ai eu de la chance, je pense. Les souvenirs de Nantucket sont revenus presque immédiatement, avec le nom et tout ça. Ce qu'il y a, c'est que je ne savais absolument pas ce que je trafiquais à San Francisco.

Mary Ann sourit tristement :

— Eh bien, tu n'es pas le seul ! dit-elle.

Ils se promenèrent longuement sur la plage en regardant le ciel prendre lentement la couleur d'une nectarine mûre. Mary Ann continuait gentiment à lui poser des questions, convaincue qu'il se fermerait définitivement si elle cessait de parler.

— Au fait, tu ne m'as pas encore dit pourquoi tu étais à San Francisco.

— Oh, j'étais journaliste. Pour l'A.P.

— Les magasins A.P. ont des journalistes ?

Il lui toucha le bout du nez :

— Je parle de l'*Associated Press*.

— Je disais ça juste pour plaisanter, dit-elle, rougissante.

— Évidemment.

— Bon, mais qu'est-ce que tu faisais avant ? Avant l'A.P. ?

— Je ne faisais rien. J'ai quitté l'entreprise de mon père et j'ai passé un entretien au siège social de l'A.P. à New York. Ils m'ont collé dans un aquarium avec tout un tas d'informations éparses sur le mariage de Lucille Ball en... je ne sais plus trop combien. Je leur ai rédigé un article à la manière A.P. et... Et ils m'ont posté au bureau de San Francisco.

— Et tu ne te souviens de rien de ce qui a suivi ?

— Oh, si ! gloussa-t-il. Cette époque-là est affreusement claire. Je m'emmerdais, je croulais sous le boulot, on était continuellement charrette. J'ai donné ma démission cinq semaines plus tard. Et là, c'est le trou noir.

— Mais tes parents ? Tu n'as quand même pas disparu pendant trois ans ! Tu as dû leur écrire, je ne sais pas, moi...

— Pas suffisamment pour qu'ils sachent vraiment ce qui se passait. Juste le genre : « Ça va, ne vous inquiétez pas pour moi. » J'ai habité sur Nob Hill pendant un certain temps, ça je le sais. J'ai fait de petits boulots, dans un bureau. Il m'est arrivé aussi d'aller à la messe à la Grace Cathedral.

— Au moins, tu te souviens de *ça*.

— Non, dit-il, c'est parce que je leur en avais parlé dans mes lettres. Moi, je ne me rappelle rien du tout.

— Tu veux dire qu'il ne reste aucune trace ?... Aucune preuve de l'endroit où tu étais et de ce que tu as fait pendant...

— Attends !

Il s'arrêta brusquement et fouilla dans ses poches.

— Tends la main, lui demanda-t-il.

Un peu réticente, elle obéit. Il posa un petit objet métallique dans le creux de sa main.

— Une clé ? fit-elle. Qu'est-ce que ça signifie ?

— C'est à toi de me le dire. C'est tout ce qui me reste.

— Quoi ?

— Elle était dans ma poche, ma poche de chemise, quand on m'a trouvé dans le parc.

Elle examina la clé de plus près.

— Elle est... plus petite qu'une clé d'appartement ou de voiture. Je crois que ça pourrait...

Mais elle haussa les épaules et renonça.

Il haussa à son tour les épaules et lui sourit. Il avait repris son air de colley. Gentil, blond doré et vulnérable comme elle n'avait jamais osé y songer dans ses rêves les plus fous. Elle comprit immédiatement pourquoi elle avait eu le coup de foudre. Il était une page blanche, un terrain vierge...

Et elle allait pouvoir lui montrer le chemin.

Retour à Babylone

Voilà qu'elles se retrouvaient au même endroit, là où elles s'étaient rencontrées, dans la vieille gare miteuse des cars Greyhound de San Francisco, sur la 7e Rue.

Mona contempla le buffet, éprouvant un soudain accès de nostalgie, tandis que Mother Mucca buvait bruyamment un café à la cuiller. La vieille dame était toujours aussi grincheuse, mais au moins, elle avait consenti à faire cette visite.

Trois jours seulement avaient passé depuis que Mona lui avait tout raconté sur Andy/Anna.

Et les retrouvailles de la mère et de l'enfant allaient avoir lieu dans moins d'une heure.

Mother Mucca rota.

— Je me sens pas trop bien, grommela-t-elle.

— Ah, non, vous n'allez pas recommencer.

— Je ne recommence pas, Mona. Mais j'ai comme qui dirait le ventre...

— Ça n'a rien à voir avec le ventre. Vous êtes juste un peu inquiète, Mother Mucca. Tout va bien. Il n'y a rien de plus simple que de...

— Eh bien, pour moi, c'est pas simple, ma fille. C'est sûrement pas le bon moment pour...

— Je vous en prie, Mother Mucca ! Je *sais* pertinemment que vous vous en tirerez très bien. Nous en avons déjà parlé et nous sommes tombées d'accord : c'est... bon, c'est la meilleure chose à faire, point final.

La vieille dame pencha la tête de côté d'un air renfrogné :

— Pour *toi,* peut-être.

— Pour nous *toutes.*

— Merde, j'ai pas vu mon fils depuis quarante ans !

— Ma fille, rectifia Mona.

— Hein ?

— C'est votre *fille,* désormais. Je sais que c'est un peu dur à encaisser, mais cela a tellement d'importance pour Mme Madrigal... Je veux dire : pour Anna. Essayez de ne pas l'oublier, d'accord ?

— Peu importe, répondit Mother Mucca, déterminée à ne pas lever le nez.

— Non, pas de « peu importe ». C'est votre fille. Anna.

— Je l'ai appelé Andy pendant seize ans !

— Je sais, mais bien des choses ont changé. Vous aussi, vous avez dû changer.

— Qui c'est qu'a dit ça ?

— Je vous en prie, ne rendez pas les choses plus difficiles.

— De quoi il a l'air ?

— Je vous l'ai *déjà* dit.

— Bon, eh bien, merde, tu vas me le redire encore une fois !

Mona se creusa la cervelle :

— Elle est très... majestueuse.

Sa grand-mère ricana :

— On croirait que tu parles d'une espèce de cheval de course.

— Vous verrez bien.

— Est-ce qu'il... me ressemble ?

— Vous n'avez qu'à attendre.

Mother Mucca jeta un regard noir à sa petite-fille, puis à un adolescent boutonneux en pattes d'ef pailletées et semelles compensées qui mangeait des beignets à la table voisine.

— Y a rien que des tarés dans cette ville, maugréa-t-elle.

A peine Mona eut-elle aperçu Barbary Lane qu'elle sentit sa gorge se serrer. Rien n'avait changé dans la ravine boisée. Les chats étaient toujours là, tout comme les minuscules cottages, les eucalyptus et la cour de Mme Madrigal qui brillait sous le clair de lune.

— Tu lui as dit qu'on arrivait ? demanda Mother Mucca en contemplant la vieille maison d'aspect si accueillant.

— Non. Elle sait qu'on arrive, évidemment, mais je ne lui ai pas dit précisément quand.

— Andouille !

— Je ne voulais pas qu'elle ait des vibrations négatives en nous attendant, rétorqua Mona.

La vieille dame papillota des yeux d'un air interloqué.

— Je ne voulais pas qu'elle soit mal à l'aise à cause de notre arrivée, traduisit Mona en souriant.

— Ça t'a pourtant pas gênée de me mettre sacrément mal à l'aise, moi !

— Allons, ça suffit. Ne faites pas d'histoires.

Mona monta sous le porche qui abritait les sonnettes. Mother Mucca lambinait et arpentait la cour d'un air angoissé.

— Allons, l'encouragea Mona. Ça va bien se passer.

— J' peux pas, Mona.

Mona se retourna et vit l'air piteux de la vieille femme. Mother Mucca s'approcha :

— Mona chérie... J'ai quand même pas l'air d'une vieille sorcière, si ?

— Oh, Mother Mucca... Vous êtes belle ! Ne vous inquiétez pas. Anna va vous adorer.

— On lui a rien amené.

— Si : nous ! dit Mona en la prenant dans ses bras. Elle n'a besoin de rien d'autre.

— Ouais ?

— Ouais, lui assura Mona en souriant.

— Bon, eh bien ? Alors sonne, ma fille !

La clé qui ouvre le cœur

Dans le salon Starlight, Mary Ann et Burke levèrent leur piña colada et proposèrent un toast.

— Aux nouveaux souvenirs ! dit Burke.

— D'accord, et à...

Elle fronça soudain les sourcils en se rendant compte que le pianiste s'était mis à jouer *La Vie en rose.*

— Burke, si ça t'embête, ça ne me gêne pas d'aller lui demander de jouer autre chose.

— Je n'avais rien remarqué, dit-il avec un faible sourire.

— Jusqu'au moment où j'en ai parlé, hein ?

— Ça va aller.

— Excuse-moi, Burke.

Il vida son verre d'un trait :

— Je ne vais quand même pas me fourrer la tête dans le sable, Mary Ann.

— Si seulement je pouvais...

— Ce n'est rien de plus que quelque chose avec quoi je dois vivre, c'est tout. Je veux dire par là qu'on ne peut pas éviter les roses, n'est-ce pas ?

Il écarta les lèvres en un rictus lugubre.

— Essaie un peu pour voir !

— Je sais. Ce doit être... Burke, est-ce qu'un psychiatre ne pourrait pas faire quelque chose ? Apparemment... Enfin, si tu étais guéri de ton amnésie, tu ne crois pas que c'en serait terminé de ta peur des roses et des... passerelles ou je ne sais quoi ?

— J'ai déjà vu un psy.

— Ah.

— Il m'a hypnotisé et interrogé. Il a tout fait. C'est tout juste s'il n'a pas essayé le coup de la poupée et des épingles... Et ça n'a rien donné du tout. A part des honoraires qu'il a fallu payer à la fin du mois.

Mary Ann baissa les yeux et fixa son verre un instant en se demandant comment elle allait formuler sa prochaine question.

— Burke, se décida-t-elle, et si tu...
— Ouais ?
— Oh... rien.
— Ça n'avait pas l'air de rien.
— Eh bien, je me demandais si... Est-ce que ta mémoire ne te reviendrait pas si... si tu revenais t'installer à San Francisco ?

Un interminable silence s'ensuivit. Elle n'avait pas risqué cette question une seule fois, mais deux. Elle rougit immédiatement et Burke sembla sentir qu'elle était embarrassée.

— Ça en vaudrait la peine, répondit-il enfin. Rien que pour être avec toi.

Mary Ann déchira le bord de sa serviette en papier.

— C'est simplement que... Eh bien, si tu revois des endroits du passé et que tu revis des choses, peut-être que ta mémoire te reviendra et que tu pourras... exorciser tes phobies, en quelque sorte.

Elle leva les yeux d'un air implorant. Son regard était embué de larmes.

— Oh, mais je me demande bien qui j'essaie de convaincre, là...

Il lui essuya les yeux avec sa propre serviette.

— Pas moi, dit-il en souriant.
— Je déteste les adieux. Je me fais toujours avoir. *Toujours.*
— Je sais. Moi aussi.
— Rien ne sera jamais aussi beau que ce qu'on vit là.
— Je sais. Et je suis d'accord avec toi.
— Vraiment ?

Il hocha la tête.

— Mais alors, pourquoi ne... Oh, merde, est-ce que j'ai l'air de te supplier ?

Il prit ses deux mains dans la sienne.

— Est-ce que j'ai l'air de dire non, idiote ?

Ils se blottirent l'un contre l'autre sous une couverture, sur le pont arrière, et contemplèrent les lumières de la côte.

— Tu ne le regretteras pas, dit-elle.

— Tu n'as pas à me le promettre. Tu ne peux pas.

— Et tes parents ?

— Je vais les appeler pour leur dire. Ils comprendront.

— Est-ce qu'ils ne vont pas avoir un peu... la trouille ? Je veux dire : à cause de San Francisco ?

— Pas plus que moi.

— Tu n'as aucune raison d'avoir peur. Je serai avec toi, cette fois.

Elle marqua une pause, puis adopta le ton le plus détaché possible.

— En fait, si ça te dit, je crois qu'il y a un appartement libre dans mon immeuble.

— Formidable ! Et où c'est ?

— Sur Russian Hill. Barbary Lane. C'est une petite allée délicieuse, on dirait qu'elle sort tout droit d'un conte de fées et la logeuse est géniale. Michael habite l'étage au-dessous.

— Où est l'appartement libre, alors ?

— Juste en face du mien.

— Pratique.

Elle gloussa :

— Le type qui y habitait a déménagé pour prendre la petite maison qui est sur le toit.

Pas la peine de lui raconter ce qu'était devenu celui qui habitait la petite maison en question.

Burke se redressa, fouilla dans la poche de son coupe-vent et en sortit un petit paquet enveloppé de papier de soie qu'il tendit à Mary Ann. Elle le déballa couche après couche, presque sans quitter des yeux le visage gêné de Burke.

A l'intérieur, accrochée à une chaîne en or massif, se trouvait la curieuse petite clé qu'il lui avait montrée sur la plage.

— Ça vaut ce que ça vaut, dit-il en s'excusant à moitié. Je t'aime.

DeDe débarque en ville

DeDe était consciente d'offrir un spectacle ridicule : une femme enceinte de huit mois en train de dîner seule au comptoir de chez *Vanessi,* son fourre-tout Gucci affalé contre son tabouret.

Eh bien, rien à foutre, songeait-elle. North Beach avait été témoin de choses plus étranges. *Beaucoup* plus. Comme cette môme qui traînait devant chez *Enrico,* les cheveux teints en vert et habillée avec un sac-poubelle. Beurk !

De toute façon, elle adorait ce restaurant. Elle appréciait sa sophistication sans chichis et les chefs italiens bourrus qui maniaient la poêle à frire avec la précision et la grâce de tennismen.

Beauchamp, se rendit-elle compte, était probablement à l'appartement, c'est-à-dire à quatre rues de là sur la colline. En même temps qu'elle redoutait la perspective d'une confrontation avec son mari, elle tirait une sorte de plaisir pervers à se savoir en train de rôder toute seule dans leur ancien quartier.

Ce qui la laissait perplexe, en ce moment, c'était que sa mère n'avait pas protesté lorsqu'elle lui avait annoncé une expédition en ville aussi peu orthodoxe. Frannie avait à peine levé les yeux de la valise qu'elle était en train de faire en vue de son voyage à Napa. Elle semblait curieusement distraite.

Mais par quoi ?

— Ne seriez-vous pas plus à l'aise dans un box ? lui demanda-t-on soudain.

DeDe leva les yeux de ses ris de veau et croisa le doux regard brun de celle qui avait posé la question. La femme était très jolie, avec des cheveux noirs bouclés et des pommettes pour lesquelles Veruschka aurait été capable de meurtre.

— Merci, je regarde le spectacle, dit-elle en désignant les chefs qui s'activaient derrière le comptoir.

— Oh, mon Dieu, n'est-ce pas *merveilleux* ? Je trouve que c'est la meilleure thérapie qui soit, de les regarder envoyer valser leurs *zucchini* en l'air. On s'attend toujours à ce que ça tourne mal, mais c'est toujours parfait.

— Contrairement à la vie.

La jeune femme éclata de rire et acquiesça :

— Contrairement à la vie !

Un serveur déposa une énorme assiette de pâtes devant la nouvelle arrivée.

— Eh bien, soupira-t-elle avec un sourire en coin. Voilà qui ne va pas m'arranger.

— Vous n'avez pas de problème, dit DeDe. C'est moi qui devrais faire attention.

— Mais vous mangez pour *deux,* ma chère !

— Trois.

La femme émit un petit sifflement admiratif.

— Alors vous avez droit au dessert.

Elles pouffèrent en chœur toutes les deux. La

femme avait la peau plutôt claire, observa DeDe, mais il y avait quelque chose de presque « noir » dans sa chaleur et ses manières. DeDe l'apprécia immédiatement.

Posant sa fourchette, la femme lui demanda gentiment :

— Vous n'êtes pas mariée ?

Silence.

— Oh, mon Dieu ! reprit-elle. Si vous êtes une touriste, pardonnez-moi. Nous sommes plus libérés que nous ne devrions, dans cette ville.

— Non... Je veux dire : oui, je suis mariée, mais je suis séparée. Ou plus exactement, *nous sommes* séparés. Mais j'habite ici, je suis née à San Francisco.

— Mmmh. Moi aussi. Si on considère qu'Oakland en fait partie, évidemment.

— J'ai des tas d'amis à Piedmont.

— Ce n'est *pas* ce que je voulais dire.

Elle semblait particulièrement bien connaître le système des castes de la ville.

— Pourquoi pensiez-vous que je n'étais pas mariée ?

La femme se tourna et scruta le visage de DeDe, comme pour s'assurer de quelque chose :

— Je ne sais pas. Vous avez simplement l'air... indépendante.

— Vous trouvez ?

— Non, répliqua doucement l'autre, mais je me suis dit que cela vous ferait plaisir que je vous le dise.

DeDe baissa les yeux vers son assiette, fascinée par la perspicacité de cette inconnue, mais en même temps un peu décontenancée.

— Pensez-vous qu'il est un peu trop tard pour que je... pour que j'y change quelque chose ?

Un sourire mutin apparut sur le visage de la jeune femme :

— Que voudriez-vous faire — je veux dire, là, tout de suite — si vous pouviez choisir quelque chose que vous désirez et... si vous n'aviez pas d'amis à Piedmont qui n'apprécieraient pas ?

DeDe se montra embarrassée :

— Oh... Vous voulez dire, dans le quartier ?

— Si vous voulez.

— Je voudrais voir la strip-teaseuse qui se produit dans le bar de l'autre côté de la rue et qui se transforme en gorille.

— Pourquoi ?

— Juste pour voir comment ils font. Avec des miroirs, j'imagine ?

L'inconnue secoua gravement la tête :

— En réalité, c'est une vraie gorille avec un masque de femme et une combinaison couleur chair.

— Vous voulez dire que... ?

Puis, comprenant, DeDe éclata de rire.

— Vous *voyez* à quel point je suis naïve ?

— Il n'y a qu'un seul moyen d'en être sûre.

— Vous plaisantez !

— Il n'y a rien que j'aimerais faire autant que d'emmener une amie enceinte voir le numéro de danse d'une gorille strip-teaseuse.

DeDe réfléchit un instant, puis elle tendit la main :

— Marché conclu. Je m'appelle DeDe Day... Ou DeDe Halcyon. Comme vous préférez.

Le nom sembla éveiller un souvenir chez son interlocutrice.

— Nous nous connaissons déjà ? interrogea DeDe.

— Je... Je lis les rubriques mondaines.

— Oh, mon Dieu !

— Ne vous inquiétez pas. Je vous trouve charmante. Je m'appelle D'orothea.
— C'est un joli nom, dit DeDe.

Le petit garçon à sa maman

Quand elle ouvrit la porte, Mme Madrigal arborait un turban en satin rouge et son kimono couleur prune. Elle s'était maquillée comme Mona ne l'avait jamais vue.

La logeuse sourit en voyant sa fille :

— Tu me fais un gros câlin ou je n'y ai pas droit ?

— Oh, si... Oh si, bien sûr ! dit Mona en rougissant.

Elle entra dans l'appartement l'air embarrassé, laissa tomber son sac de selle persan sur le plancher et se jeta dans les bras de Mme Madrigal. Celle-ci lui caressa la tête un instant, puis se dégagea doucement de son étreinte :

— Est-ce qu'il n'y aurait pas quelqu'un que tu voudrais me présenter, ma chérie ?

— Oh... Mon Dieu, excuse-moi.

Elle se tourna et fit face à Mother Mucca, qui était restée sur le seuil. La vieille femme la fixa d'un regard patibulaire, secoua la tête et se tourna vers Mme Madrigal :

— C'est à se demander où elle a été élevée, celle-là !

Mme Madrigal sourit gentiment et tendit la main à Mother Mucca :

— Je suis tellement heureuse que tu sois venue.

La vieille maquerelle prit cette main dans la sienne et grogna :

— C'était son idée à *elle*.

— Eh bien, je devrais te remercier, Mona, dit la logeuse. C'est agréable de vous retrouver toutes les deux.

— Je peux pas rester longtemps, fit Mother Mucca.

— Je sais, dit Mme Madrigal en prenant le bras de Mona. Nous allons boire un petit sherry et bavarder un peu.

Son regard ne croisa que brièvement celui de Mother Mucca. C'était la même expression cordiale, mais distante, qu'elle utilisait avec les Témoins de Jéhovah.

Elle disparut dans la cuisine, laissant Mona et sa grand-mère dans le salon. Mother Mucca gardait un visage de pierre, maussade et indéchiffrable.

— Alors, dit Mona. Elle est charmante, n'est-ce pas ?

— C'est pas naturel, cette histoire.

— Je croyais que c'était une question réglée.

— Parle pour toi. C'est mon fils.

— Eh bien, elle n'en reste pas moins *mon père*.

— C'est pas pareil.

— Oh, je vous en prie !

— J'ai élevé ce gosse, ma fille ! C'est la chair de ma chair !

— Vous l'avez élevé dans une saloperie de claque, oui ! Qu'est-ce que vous croyiez que vous alliez retrouver ? John Wayne ?

— Je vais te coller une bonne paire de...

La vieille femme se raidit de nouveau lorsque Mme Madrigal reparut. Elle portait un plateau avec trois verres de sherry et un bol de chocolats fourrés aux cerises.

— Je croyais que j'avais des sablés, mais c'est probablement Brian ou l'un des autres enfants qui les aura sifflés.

— T'as des enfants? demanda Mother Mucca en fronçant les sourcils.

— Brian est un locataire, dit sèchement Mona.

— Oui, dit calmement Mme Madrigal. Je les appelle mes enfants. C'est un peu idiot, sans doute, mais cela n'a pas l'air de les gêner.

Elle sourit à Mona.

— En tout cas, si ça les ennuie, ils ne me l'ont pas dit.

Mother Mucca prit un chocolat et l'engloutit. Elle faisait tout ce qu'elle pouvait pour ne pas regarder son hôtesse. Mona sentit que la catastrophe était imminente.

— Alors, fit Mme Madrigal en se pelotonnant sur le sofa, tu as dû vivre *tout un tas* d'aventures, j'imagine?

— Oui, Winnemucca a été une sacrée expérience! répondit Mona en hochant la tête.

— Je comprends.

Mme Madrigal se retourna vers Mother Mucca qui venait de finir de se nettoyer les dents du chocolat qui les maculait :

— J'espère que notre jeune fille n'aura pas été trop encombrante.

La vieille femme ricana et s'abstint de tout commentaire en avalant son verre de sherry d'un trait. Mme Madrigal encaissa le coup et continua de regarder sa mère :

— Mona nous ressemble sur bien des points, n'est-ce pas?

Silence.

— Cela dit, elle tient davantage de toi, ajouta Mme Madrigal.

Mother Mucca garda les yeux fixés sur son verre.

— Pas étonnant, bougonna-t-elle enfin.

— Qu'est-ce que tu veux dire?
— T'appelles ça un chapeau?
— Je ne vois pas ce que...
— Merde, ma fille! T'as pas de tifs?
— Bien sûr que j'ai...
— Bon, alors, pourquoi tu les planques sous ce bonnet à la con comme si t'étais chauve? Écoute, ma fille... Toi et moi, va falloir qu'on cause!
— Je supposais que c'était justement le but de cette petite...
— Où est ta chambre?
— Qu'est-ce que cela...
— *Où c'est qu'est ta putain de chambre?*

Les deux femmes étaient parties depuis dix bonnes minutes et Mona attendait, terrorisée, dans le salon, tendant l'oreille pour entendre leurs voix étouffées. Puis elle entendit Mme Madrigal qui disait : « Maman, maman! » et se mettait à pleurer. Elle attendit que les pleurs se fussent éteints, puis elle s'approcha silencieusement de la porte de la chambre et l'ouvrit. Mme Madrigal était assise à sa coiffeuse. Elle tournait le dos à la porte. Mother Mucca était debout à côté d'elle et brossait les longs cheveux de sa fille. Elle leva les yeux et vit Mona :
— File, dit-elle doucement.

Une table pour cinq

Tandis que le *Pacific Princess* levait l'ancre et quittait Acapulco, les yeux de Michael restaient fixés sur la silhouette qui rapetissait sur le quai.

— Regarde-moi ça, fit-il. Ce salaud réussirait à être sexy sur une photo aérienne !

Mary Ann lui passa un bras autour de la taille :

— Alors, je ne t'avais pas dit que tout finirait par bien se passer ?

— Ouais, je crois.

— Quand est-ce qu'il revient à San Francisco ?

— Vendredi. Je vais le chercher à l'aéroport.

— Il est vraiment merveilleux, Mouse.

— Je sais. Ça me fout les jetons.

— Pourquoi ?

— Ne m'oblige pas à analyser. Quand j'analyse les choses, elles... cessent d'exister, dit-il en se tournant et en la regardant droit dans les yeux. Tu vois ce que je veux dire ?

Elle hocha tristement la tête.

— Hélas, oui.

— On dirait qu'à chaque fois que je commence quelque chose avec quelqu'un de nouveau... Je ne sais pas... Je vois le début et la fin en même temps. Je *sais* que ça va finir. Je serais capable de jouer les scènes les yeux fermés. Mais cette fois... Eh bien, je ne veux pas connaître la fin. Pas tout de suite, en tout cas.

— Peut-être qu'il n'y aura pas de fin.

Il lui sourit gentiment :

— Tout a une fin, Babycakes.

— Alors là, Mouse, ce n'est pas... Et nous, alors ? Toi et moi, ça ne s'est jamais fini.

— On finira tous les deux en train de draguer à l'hospice, dit-il en riant.

— Et alors, qu'est-ce que ça change ?

— Ce que ça change, mon ange, c'est que tu n'as pas besoin de moi ni moi de toi. C'est *l'autre* gibier qui nous intéresse... Celui-là et celui-là seulement. En tout cas, c'est ce que nous *croyons*. Nos pauvres petits cœurs ont été traumatisés à jamais par Rock Hudson et Doris Day.

Mary Ann s'apprêtait à répliquer quand Burke apparut soudain derrière elle.

— Eh bien, nous voilà en route, hein ? constata-t-il.

Elle se retourna et lui prit la main :

— On se demandait où tu étais. On disait au revoir à Jon.

— J'étais en train de corrompre le maître d'hôtel.

— A quelles fins ?

— Je suis à votre table, maintenant. Ça ne pose pas de problème, j'espère ?

— Évidemment que non, c'est merveilleux !

Michael eut un sourire mauvais :

— Arnold et Melba vont tout simplement t'adorer, lui fit-il remarquer.

— Oh, merde... dit Mary Ann. Qu'est-ce qu'on va bien pouvoir leur raconter ?

— Voyons, réfléchit Michael à haute voix en se caressant le menton de l'index. Nous pourrions leur dire que nous sommes toi et moi des adultes mûrs et libres penseurs. Notre mariage étant un échec, nous avons projeté de divorcer à l'amiable. Après quoi, Burke et moi aurons une petite cérémonie de bénédiction toute simple à la Grace Cathedral.

— Très drôle.

Burke éclata de rire et fit un clin d'œil à Michael. Puis, à Mary Ann :

— Il n'a pas tort, tu sais. Je pourrais très bien être homo. Je veux dire : si je ne me rappelle rien, alors...

— Tu n'es *pas* homo. C'est un ordre.

— Je n'en suis pas si sûr, fit Michael d'un air inquiétant. J'ai remarqué qu'il portait du vert le jeudi. Et puis regarde comment il est foutu, chérie. Les hétéros n'ont pas de tablettes de chocolat comme ça.

Mary Ann tapota le ventre de Burke :

— Celui-là, si.

Burke rougit nettement.

Michael leur prit la main :

— Allez, les débiles ! J'ai tellement faim que je mangerais un steward.

Le trio partagea un joint dans la cabine de Mary Ann et de Michael avant de se rendre dans la salle à manger. Ils s'assirent à leur table. Le couple assorti de Dublin brillait par son absence.

— Mais ça ne va pas du tout ! feignit de grogner Michael. Je ne peux pas déjeuner sans Arnold et Melba !

Mary Ann gloussa :

— Peut-être qu'ils n'ont plus de tenues assorties.

— A moins, avança Burke, que le maître d'hôtel les ait envoyés s'asseoir ailleurs et qu'ils soient en train de se plaindre de nous à...

Il se tut lorsque les Littlefield firent leur apparition, rouges comme des écrevisses et manifestement ravis de leurs dernières trouvailles : des chemises en coton mexicaines, chacune brodée d'une rose rouge.

— Salut, les jeunes mariés ! minauda suavement Melba. Vous nous présentez votre ami ?

Mary Ann regarda les Littlefield, puis les roses, puis Burke.

— Oh, salut, balbutia-t-elle. Je vous... Oh, Burke, pourrais-tu... ?

Elle dut se baisser pour le retrouver sous la table et renversa son verre. Burke avait la tête entre les genoux et hoquetait. Elle s'empara vivement d'une serviette et la lui colla sur la bouche.

— Burke... Allons, je suis là. Excusez-nous, Melba. Donne-moi le bras, Burke. Ça va aller... Voilà, ça va.

Et elle l'emmena dehors sans plus d'explications. Michael et les Littlefield les regardèrent sortir sans rien dire.

— Bon sang ! tonna Arnold. Mais qu'est-ce que c'est que ce cirque ?

— Il a le mal de mer, répondit Michael sans s'émouvoir, tout en continuant de regarder le couple qui s'en allait.

— Il a pourtant l'air d'avoir le pied marin, gronda Arnold.

— Et pourtant non ! répondit Michael à voix basse. Mais il a des cuisses de footballeur.

— Hein ?

— Euh... Je disais : « Ça lui passera tout à l'heure. »

— Sûrement ! renchérit Melba.

Vieux célibataires excentriques

Quelque part dans le ciel nocturne au-dessus de la péninsule de Monterey, Michael détacha sa ceinture et se tourna pour voir comment allaient ses compagnons de voyage.

Burke était endormi, affalé contre le hublot comme une poupée de chiffon.

Mary Ann était toujours éveillée et faisait de son mieux pour s'absorber dans la lecture du magazine offert par la compagnie aérienne. Voyant que Michael la regardait, elle esquissa un sourire las :

— Je suis en train de lire un article sur les célibataires dragueurs de San Francisco, dit-elle.

— Argh.

— Ce que c'est déprimant ! Tu crois que je suis une célibataire dragueuse ?

— Absolument pas, la rassura Michael en secouant la tête.

— Dieu merci !

Elle se pencha vers lui et chuchota la suite :

— Et moi, je ne pense pas que tu sois un sale pédé.

— Merci beaucoup.

— J'ai fait beaucoup de chemin pour en arriver à penser comme ça, tu sais, Michael.

— Je sais. J'ai remarqué.

— Non. Tu ne sais pas comment j'étais avant.

— Ça n'a aucune importance.

Il se tut et se massa les tempes du bout des doigts.

— J'espère simplement que mes parents encaisseront aussi.

— Tu leur as dit ?

— Non, mais je crois que je vais le faire.

— Mouse... Crois-tu qu'ils soient prêts ?

— Non. Ils ne le seront jamais. Ils ont passé l'âge de changer, maintenant. Ils sont plutôt de pire en pire.

— Alors pourquoi le faire ?

— Je les aime, Mary Ann. Et ils ne savent même pas qui je suis.

— Mais si. Ils savent que tu es gentil, adorable et... drôle. Ils savent que tu les aimes. Pourquoi éprouverais-tu le besoin de...

— Celui qu'ils connaissent a douze ans.

— Mouse... Il y a des tas de types qui ne se marient jamais. Tes parents sont à quatre mille cinq cents kilomètres d'ici. Pourquoi est-ce qu'ils ne penseraient tout simplement pas que tu es...

Elle chercha le mot qui convenait en faisant un cercle avec la main.

— ... Un vieux célibataire excentrique, compléta Michael en souriant. C'est comme ça qu'ils les appellent, à Orlando. Mon oncle Roger était un vieux célibataire excentrique. Il enseignait l'anglais et cultivait des lis et nous ne le voyions pas tellement, sauf aux mariages et aux enterrements. Mes cousins et moi, nous l'aimions bien, parce qu'il savait faire une marionnette en faisant quatre nœuds à un mouchoir. Mais la plupart du temps, il était tout seul, parce qu'il savait quelles étaient les règles : ne dis rien si tu veux que les autres t'aiment; ne les oblige pas à penser à l'être répugnant que tu es. Et il a obéi. Je ne sais pas... Peut-être qu'il n'avait jamais entendu parler des pédés de La Nouvelle-Orléans et de San Francisco. Peut-être qu'il ne savait même pas ce que ça voulait dire. Peut-être qu'il pensait qu'il était le seul de son espèce... à moins que ce ne soit parce qu'il adorait vivre à Orlando. En tout cas, il est resté là-bas, et quand il est mort — j'étais au lycée — on lui a fait des obsèques dignes d'un eunuque. Mary Ann... Je ne l'ai jamais vu toucher quelqu'un. Jamais.

Michael hésita, puis il secoua la tête.

— J'espère qu'il a quand même baisé une fois.

Mary Ann tendit la main et la posa sur son bras :

— Les choses ont changé, Mouse. Le monde a beaucoup évolué.

— Ah bon?

Il lui tendit le troisième cahier du *Chronicle* et lui désigna la rubrique de Charles McCabe.

— Ce libéral éclairé déclare qu'il va y avoir un grand retour de manivelle contre les homosexuels, parce que les gens normaux et décents en ont assez de subir les « anormaux ».

— Peut-être qu'il...

— J'ai quelque chose à lui apprendre, tiens. Devine qui d'autre en a assez ? Devine qui c'est, ceux qui se crèvent le cul à essayer de ne *pas* paraître anormaux en passant leur temps à se justifier, à amuser la galerie et à jouer les folles pour essayer d'oublier toutes les crasses qu'on leur fait ? *Anormal ?* Tu parles ! Anita Bryant ne serait personne aujourd'hui si elle n'était pas allée rouler des fesses en maillot de bain à Atlantic City. S'il y a une différence entre ça et un concours de danse en slip entre mecs, j'aimerais qu'on me dise où elle est.

Il avait prononcé ces derniers mots d'une voix stridente. Mary Ann jeta un regard inquiet sur les autres passagers, puis :

— Mouse, dit-elle d'un ton apaisant, ce n'est pas *moi* que tu as besoin de convaincre.

Il sourit et lui fit un baiser sur la joue :

— Excuse-moi. J'ai dû avoir l'air d'une militante hystérique, non ?

Ils dormirent pendant le reste du vol. Michael se réveilla pendant la descente sur San Francisco, en sentant agir sur son âme la présence réconfortante de la ville.

— Eh bien, dit Mary Ann d'un ton guilleret tandis qu'ils débarquaient, rien n'a changé : les Hare Krishna sont toujours à l'aéroport.

— Pas de problème, dit Michael en faisant un clin d'œil à Burke. S'ils essaient de nous vendre une rose, on a notre arme secrète, maintenant.

Le pilote sortit du cockpit et, alors que Michael s'apprêtait à sortir, les deux hommes échangèrent sans un mot un regard d'une signification universelle, qui valait bien des langages immémoriaux.

— Bienvenue au bercail, dit le pilote.

— Ça c'est sûr ! dit Michael.

Quand ils furent arrivés dans le terminal, Mary Ann le taquina :

— J'ai tout vu, tu sais.

— Tu avais raison tout à l'heure, reconnut Michael avec un sourire. Les vieux célibataires excentriques ne sont plus tout à fait comme avant !

Réunion de famille à Barbary Lane

Ce soir-là, comme l'occasion était très particulière, Mme Madrigal s'était fait un chignon qu'elle avait orné d'un énorme iris en soie. « Dieu merci, ce n'est pas une rose ! » songea immédiatement Mary Ann en voyant la logeuse faire presque la coquette devant son nouveau locataire.

— Eh bien, Burke, j'ai demandé à Mary Ann de me rapporter quelque chose de joli du Mexique, mais je ne m'attendais pas à ce que ce soit *aussi* joli.

Elle toisa le jeune homme suffisamment longtemps pour constater sa gêne, puis elle se tourna vers Michael.

— Et toi, mon petit ? Tu ne m'as pas rapporté de cadeau ?

— Il arrive vendredi, gloussa Mary Ann.

Michael lui décocha un regard réprobateur et

elle se couvrit la bouche en faisant mine de regretter sa gaffe.

— Qu'est-ce que c'est que cette histoire ? demanda Mme Madrigal.

— Mouse ne veut pas en parler.

— Ah, ah... fit la logeuse en ouvrant de grands yeux.

— Allez, arrêtez, fit Michael.

Mme Madrigal lui passa un joint.

— Je comprends, mon ange. Tu es... superstitieux en ce qui concerne ce garçon, n'est-ce pas ?

Elle posa tout à coup une main sur son bras.

— Parce que c'est bien un garçon, n'est-ce pas ?

Michael prit une bouffée d'herbe et hocha la tête.

— Le ciel soit loué, soupira Mme Madrigal. Il faut dire qu'il y a *tellement* peu de choses sur lesquelles on puisse encore compter, de nos jours.

Michael éclata de rire :

— Tiens, puisqu'on en parle... s'avisa-t-il de demander. Où est Mona ? Je ne l'ai pas vue depuis que nous sommes revenus.

— Elle est descendue au Searchlight chercher des petits trucs à grignoter pour nous.

— Non, je voulais juste dire que... L'appartement n'a pas bougé depuis que je suis parti. On dirait qu'elle n'était pas là.

Mme Madrigal tripota son chignon d'un air embarrassé.

— Non, elle s'était absentée, avoua-t-elle. Et à son retour elle a dormi chez moi, dans la chambre d'amis.

Michael hésita, désormais certain que quelque chose clochait :

— Et où... Où était-elle partie ?

— Dans le Nevada.

— A Tahoe ?
— Non. A Winnemucca.
— Winnemucca? s'étonna Michael en fronçant les sourcils. Mais pourquoi est-ce qu'elle a choisi un endroit aussi nul ?
— Pour se remettre les idées en place, fit la logeuse en haussant les épaules. Ce sont ses propres termes.
— Et elle s'est remis les idées en place ?
— C'est ce qu'elle a dit.
— Elle ment, sourit Michael.
— Peut-être, dit Mme Madrigal, manifestement ravie de l'énigme qu'elle venait de leur poser. Mais elle m'a rapporté un cadeau.
Silence abasourdi.
— Le cadeau est avec elle au supermarché, alors il va falloir que je fasse vite pour vous expliquer si nous voulons être de nouveau une famille heureuse, dit Mme Madrigal avant de s'excuser et de se précipiter sur le téléphone.
Mary Ann l'entendit appeler Brian et lui demander de descendre.
Il fit son apparition quelques minutes plus tard, vêtu d'un jean et d'un T-shirt rose. Il salua d'un petit signe de tête Mary Ann et Michael (« Hé ! Ça fait un bail ! ») et serra la main de Burke. Mme Madrigal l'attrapa par le bras avec un geste que Mary Ann trouva curieusement intime :
— Brian a déjà entendu l'histoire, expliqua calmement Mme Madrigal, mais je veux que toute la famille soit réunie pour que je dissipe les malentendus.

Elle leur raconta son histoire d'une seule traite, et une fois qu'elle eut terminé, elle se remit à tripoter ses cheveux d'une main distraite, puis regarda Burke en ayant l'air de s'excuser :

— Alors, mon cher ami ?... Il n'est pas trop tard pour changer d'avis.

Stupéfaite et émue, Mary Ann regarda d'abord Mme Madrigal, puis Burke, qui était tout rouge, puis de nouveau Mme Madrigal. Ne sachant pas quoi faire, Brian était resté à l'écart, les mains dans les poches. Michael croisa brièvement le regard de Mary Ann, qui s'était levée :

— Madame Madrigal, fit cette dernière, je vous en prie, ne...

Elle prit la main de la propriétaire et la serra dans la sienne.

— Je suis tellement... fière de vous. Je crois que Mona est la fille la plus chanceuse de toute la ville, dit-elle en se jetant au cou de Mme Madrigal.

Quand elle la relâcha, Michael était venu les rejoindre et sourit à la logeuse.

— Je n'arrive pas à vous croire ! dit-il d'un ton admiratif.

Mme Madrigal le regarda tendrement et, en lui caressant une joue, le rassura :

— Tu y arriveras, mon petit !...

Quand Mona revint avec Mother Mucca, il y eut une nouvelle série de présentations et d'embrassades, d'explications précipitées, d'excuses sincères et de maladroites déclarations d'amour.

Mary Ann remarqua que Burke s'était trouvé en Brian un allié naturel.

Cependant, celui-ci s'excusa et quitta la soirée peu avant minuit.

— Rendez-vous amoureux ? demanda discrètement Burke.

Brian hocha la tête.

Mary Ann ne put résister à l'envie de le mettre un peu en boîte :

— On ne peut pas le laisser tout seul deux

semaines, ironisa-t-elle. Tu vois quelqu'un en ce moment ?

— Ouais, répondit-il. On peut dire ça comme ça.

Frannie se laisse aller

Finalement en route pour *Pinus*, Frannie Halcyon s'était confortablement installée dans le coupé Mercedes d'Helena Parrish et contemplait en souriant le paysage qui défilait.

Helena prit une longue bouffée de sa Du Maurier.

— Qu'avez-vous dit à votre fille ? demanda-t-elle.

— La vérité. Du moins partiellement. Je lui ai dit que j'allais dans notre maison de Napa. Elle n'écoutait pas vraiment. Elle est tellement *distraite,* ces derniers temps...

— Il me semble avoir lu quelque part qu'elle était enceinte, non ?

— Mmm, mmm. De huit mois. Huit et demi, en fait.

— Vous n'êtes pas inquiète de la laisser seule ?

Frannie se tourna vers Helena :

— Combien de temps faut-il que je reste ?

— Ça dépend.

— De quoi ?

— Du degré auquel vous apprécierez l'endroit.

Frannie gloussa.

— Quelques jours ne me feront pas de mal. DeDe est — comment dire ? — irritable, ces derniers temps, et je crois qu'elle sera contente d'être un peu seule. D'ailleurs, elle a un jeune gynécologue absolument divin et je suis un peu fatiguée de devoir jouer les grand-mères gâteuses avant l'heure.

— Vous n'aurez pas à vous soucier de cela à *Pinus*, sourit Helena. La plupart de nos membres sont grand-mères, mais on fusille celles qui en parlent.

Elles roulèrent en silence pendant un long moment. On aurait dit qu'Helena savait intuitivement qu'elle ne devait pas troubler la rêverie qui commençait à prendre forme dans l'esprit de Frannie.

— Eh bien, dit enfin Helena. Vivement les soixante !

— C'est peut-être un peu risqué, avec tous ces virages.

— Mais non, la détrompa Helena. Je parlais de vos soixante ans !

— Oh, oui ! dit Frannie en consultant sa montre. Je n'ai plus à attendre qu'un jour, quatre heures, vingt-trois minutes et treize *merveilleuses* petites secondes.

— Vous êtes déjà une femme nouvelle !

— J'arrive à peine à le croire. Vous rendez-vous compte qu'il y a un mois j'envisageais sérieusement les liftings et les injections de collagène !

— Oh, Frrrrrannie... Non ! Vous ne pouviez pas ignorer que *Pinus* vous attendait !

Frannie réfléchit un instant.

— Je ne sais pas très bien si j'y croyais. J'en avais entendu parler, évidemment, mais ce n'étaient que des rumeurs. Oh, Helena... Je me sens tellement privilégiée !

La directrice de *Pinus* lui fit un sourire ravi.

— Nous sommes *toutes* des privilégiées, Frannie.

Puis, gardant une main sur le volant, de l'autre elle lui désigna la boîte à gants.

— Ouvrez-la, ma chère.

— Pourquoi ?

— Allons, ouvrez-la.

Frannie obéit :

— Ensuite ?

— Prenez la petite boîte à pilules en argent.

— Celle-ci ?

— Mmm... Bon, maintenant, il y a un thermos sur le siège arrière. Servez-vous un bon verre de jus de pomme et prenez votre pilule de vitamine Q.

— De la vitamine Q ?

— Ne posez pas de questions. C'est bon pour ce que vous avez. Vous êtes entre nos mains, désormais, Frannie.

Son sourire était chaleureux, mais autoritaire.

La nouvelle prit l'une des pilules et lut ce qui était inscrit dessus : « Rorer 714 ».

— Maintenant, vous l'avalez, fit Helena.

Et ce qui fut dit fut fait.

Alors qu'elles traversaient Glen Ellen, Helena désigna un panneau annonçant un hôpital psychiatrique.

— Si vous avez du mal à supporter *Pinus,* plaisanta-t-elle, nous pourrons vous transférer sans aucun problème.

Frannie se sentait envahie d'une douce torpeur.

— C'est une petite ville tellement endormie, gloussa-t-elle. Et moi qui pensais qu'il n'y avait rien à cet endroit.

— On ne croirait pas, n'est-ce pas ?

— C'est près d'ici ?

— Après le virage, vous allez voir.

Helena prit une bouffée de sa cigarette et lui fit un clin d'œil.

— Depuis les années quarante, nous ne mettons plus de bandeau sur les yeux des nouvelles quand nous les amenons chez nous.

Frannie devint songeuse.

— Il y a quelque chose dans tout cela qui me rappelle Edgar.

— Nous sommes *toutes* des veuves, Frannie. Le passé est derrière nous.

— Je ne disais pas cela... sentimentalement. Edgar faisait de si curieux mystères sur les deux semaines qu'il passait chaque année au *Bohemian Grove*. Toutes ces histoires sur les chouettes, les lutins et les muses qui habitent la forêt... Il s'en *servait,* Helena. Il s'en servait pour me tenir à l'écart.

— Comparé à *Pinus,* fit Helena avec une petite moue moqueuse, le *Bohemian Grove* est à peine un camp de scouts, ma chère.

Ayant quitté l'autoroute, elles suivirent un chemin de terre cahoteux pendant une dizaine de kilomètres et traversèrent la forêt des gigantesques pins qui avaient probablement donné son nom à la résidence. Quand la Mercedes émergea du dernier virage, Frannie retint son souffle et se cramponna au tableau de bord.

— Mon Dieu, Helena !

— Oui, répondit l'autre. Grandiose, n'est-ce pas ?

Devant elles, marquant l'entrée du domaine, se dressait une sorte de tour en pierre d'une vingtaine de mètres de haut, au sommet arrondi. Lorsqu'elles la dépassèrent, Frannie jeta un coup d'œil par la vitre pour lire la discrète plaque de bronze qui y était vissée à hauteur des yeux :

PINUS
Fondé le 23 août 1912.
Trop de bonnes choses, c'est merveilleux.

La Loi de Mona

Jon n'eut aucun mal à repérer Michael dans la foule massée au terminal d'American Airlines. Il portait un Levi's, un T-shirt blanc immaculé et un blouson de base-ball *Jefferson Starship* en satin noir et argent.

Avec des roller-skates.

Vêtu de son blazer bleu marine Brioni, le médecin le dépassa pour se diriger vers la salle des bagages.

— Je ne te connais pas, murmura-t-il à l'adresse de Michael.

— Oh, arrête, bonhomme... Tu ne te souviens pas? On s'est rencontrés à la patinoire de South City. En 1948, je crois bien que c'était.

— Tu sais que t'es vraiment un connard?

— Comment s'est passé le vol?

— Michael, ce monsieur à cheveux gris, là-bas, c'est le plus éminent gynécologue de toute la Côte Ouest.

Michael ralentit et regarda dans sa direction.

— Il a des pellicules, fit-il.

— Il me connaît, dit Jon.

— *Jamais* je ne consulterais un gynécologue qui a des pellicules.

— Pourrais-tu au moins ralentir?

— Pourquoi? Tu veux me rouler une pelle?

— Sois compréhensif, ou je te fous une baffe!

— J'adore quand tu joues les durs.

— Il faut bien qu'il y en ait un des deux qui le soit, non ?

— Tu sais que tu es un sale con coincé ?

Jon fusilla Michael du regard et l'empoigna par la ceinture, l'obligeant à s'arrêter net. Puis, devant tous les plus éminents gynécologues de la Côte Ouest, il le fit pivoter et l'embrassa sur la bouche.

— Satisfait ?

— Rassasié, répondit Michael, ravi.

Ils reprirent la voiture de Jon au parking et rentrèrent à son appartement de Pacific Heights. Sur le chemin, Michael lui raconta en long et en large les dernières nouvelles de Barbary Lane et la récente révélation de Mme Madrigal à sa « famille ».

Jon secoua la tête, incrédule :

— C'est... complètement insensé.

— Tu ne trouves pas ça génial ?

— Tu veux dire que Mona n'était *pas* au courant ?

— Non, fit Michael. Elle savait que Mme Madrigal était un transsexuel — elle était *la seule* à le savoir — mais elle ne savait pas que Mme Madrigal était son père.

— Et la mère de Mona ?

— Quoi, la mère de Mona ?

— Elle le sait, elle ?

Michael haussa les épaules :

— Mona l'a eue au téléphone juste avant de partir à Winnemucca. Elle avait l'air complètement interloquée, selon Mona — à propos de Mme Madrigal, je veux dire —, mais Mona ne sait pas jusqu'à quel point elle est au courant.

Jon émit un petit sifflement.

— Insensé ! fit-il.

— Et je ne t'ai pas encore parlé de Mary Ann.

Depuis quelques jours, elle nous fait sa Miss Marple du matin au soir.

— Quel délire ! Et comment Burke prend-il tout ça ?

— Pas mal, tout bien considéré. Mary Ann et lui sont trop obsédés par cette putain de clé pour s'intéresser à quoi que ce soit d'autre.

— Des indices ?

— Zéro. Moi, je pense que c'est une clé de casier.

— De consigne, par exemple ?

— ... Ou de sauna !

— Tout le monde n'est pas pédé, Michael !

— Je sais, je sais.

— Bon, alors, c'est tout ?

— Ça veut dire quoi, ça ?

— C'est tout, pas d'autres nouvelles ? Pas de tremblement de terre ? Pas de hordes de Mongols qui auraient pris le Golden Gate d'assaut ?

— Non, mais on n'en est pas loin.

— Qu'est-ce que tu veux dire ?

— J'ai trouvé du boulot, aujourd'hui.

— Génial ! Où ça ?

— Chez Halcyon Communications. Mary Ann m'a pistonné pour l'entretien. Le type qui s'occupait de la maintenance a photocopié sa bite une fois de trop et Beauchamp Machintruc l'a viré. Je le remplace à partir de lundi.

— C'est merveilleux, Michael.

— Ouais, je crois.

— Mais si. Tu pourras monter en grade, par la suite.

— Je sais. Je sais que c'est une bonne place. Voilà le problème. Ça m'a fait repenser à la Loi de Mona.

— Hein ?

— La Loi de Mona. C'est une expression à elle. Elle dit qu'on peut avoir un super-boulot, un super-mec et un super-appart, mais qu'on ne peut pas avoir les trois en même temps.

Jon éclata de rire et fit un clin d'œil à Michael.

— Qu'est-ce qui te fait croire que t'as un mec ?

Duos héroïques

La première semaine que Burke passa à San Francisco n'apporta pas de nouvel indice quant à la cause de son amnésie. Un soir, après une scène particulièrement pénible avec une rose rouge dans le *Washington Square Bar & Grill,* Mary Ann décida de lui proposer une nouvelle stratégie.

— Tu sais, dit-elle d'un ton détaché en rejoignant Burke dans leur lit, peut-être qu'on se débrouille mal, pour gérer toute cette histoire.

— Tu veux qu'on emporte des sacs en papier pour les occasions où je dégobille ?

— Burke, sois sérieux !

— D'accord.

— Jusqu'ici nous avons peut-être systématiquement évité les roses et les passerelles — en tout cas, nous nous y sommes efforcés —, mais il faut bien reconnaître qu'en agissant ainsi, nous ne pourrons jamais identifier la cause profonde de ton amnésie.

— Mais ça ne me gêne pas plus que ça, moi.

— Tu ne le penses pas vraiment, dit elle en fronçant le nez. Je le sais très bien.

— OK, viens-en au fait, dit-il en haussant les épaules.

— Eh bien, je pensais simplement que nous devrions... prendre le taureau par les cornes, voilà.

— Et qu'est-ce que je suis censé faire? Aller camper dans une roseraie?

— Eh bien... Quelque chose comme ça, oui.

— Laisse tomber.

— Écoute, Burke : il y a ici, au sud de Market, un endroit où les fleuristes s'approvisionnent.

— A cinq heures du matin, à tous les coups?

— Trois heures.

— Aïe.

— On pourrait ne pas se coucher, prendre une soupe à l'oignon quelque part, comme ils font au marché aux fleurs, à Paris. On pourrait en faire toute une aven...

— Non, là, tu déconnes.

— Mais tu ne comprends pas, Burke? Si tu te forces à affronter des tas de roses, des milliers, nous arriverons peut-être — je ne sais pas, moi — à court-circuiter ta phobie.

— Génial.

— Tu ne serais pas pris par surprise. Tu es au courant, tu sauras te préparer. Et je serai avec toi tout le temps. Tu ne trouves pas que c'est raisonnable?

Il la considéra d'un air sceptique :

— Et quand, au juste, proposes-tu ces réjouissances?

— Eh bien...

— Ce soir, c'est ça?

Elle hocha la tête.

Il rejeta les draps et sauta du lit.

— Où vas-tu? cria Mary Ann.

— Je rentre dans mon appart.

— Burke, je...

— Il faut que je me change, non? Un jean, ça ira? Ou bien faut-il que je mette un smoking?

— Reviens ici.
— Pourquoi ?
— Parce que, dit-elle avec un petit sourire, si je suis censée te déflorer, tu pourrais au moins me rendre la pareille.

Il était minuit. A l'étage du dessous, au premier, Michael et Jon étaient couchés et regardaient une rediffusion de *Lune de miel*.
— J'adore la télé, soupira Michael en passant à Jon le pot de crème glacée qu'ils partageaient. J'ai toujours adoré cette émission, autant que les bandes dessinées de *Little Lulu*.
— Tu te souviens du personnage de Little Itch ? sourit Jon.
— Oh, oui. Et de Tubby ! Mon père m'avait construit une petite maison exactement comme celle de Tubby, avec dessus un panneau marqué : INTERDIT AUX FILLES.
— C'est peut-être pour ça que t'es devenu pédé.
— Nan. Ça, je sais d'où ça vient. Du type sur la glace, à L.A.
— Qui ?
— Walt Disney. Le Club Mickey.
— C'est le Club Mickey qui t'a rendu pédé ?
— Eh bien...
Michael prit une longue bouffée de hasch et tendit la pipe à Jon.
— Soit t'étais excité par les nibards d'Annette, soit ça ne t'intéressait pas. Si ça t'excitait, t'étais hétéro. Sinon, il te restait plus qu'un truc.
— Vas-y, je t'écoute.
— *Spin and Marty*. Mon Dieu, j'étais dans tous mes états quand ça passait à la télé !
Jon eut un sourire nostalgique :
— J'avais presque oublié ça.

— C'est parce que tu t'identifiais à Spin. Ceux d'entre nous qui se sont identifiés à Marty ne l'oublieront jamais. Jamais.

— Qu'est-ce qui te fait croire que je m'identifiais à Spin ?

— C'est évident : t'étais sûr de toi, même à huit ans. T'as jamais su ce que c'était d'être une mauviette. T'as toujours raflé tous les prix en colo et il suffisait que tu te pointes pour que les autres gosses t'élisent super-je-ne-sais-trop-quoi. Je me trompe ?

Jon ignora la question :

— Tu as mangé toute la glace, dit-il.

— Je *savais* que j'avais raison ! triompha Michael.

Le médecin se contenta de lui faire un sourire.

Au marché

L'armada de camions jaune et bleu qui livraient le *Chronicle* était le seul signe de vie sur la 5e Rue, lorsque Mary Ann consulta sa montre à trois heures du matin.

— C'est irréel, dit-elle en se renfonçant sur la banquette arrière du taxi. Mais en même temps, ça a un côté glamour. J'ai l'impression d'être Audrey Hepburn dans *Charade*.

Burke hocha la tête sans rien dire.

— Tu n'es pas angoissé... Si ?

— Je dirais plutôt pétrifié.

— On peut rebrousser chemin, Burke, si tu penses vraiment...

— Non, je veux le faire.

Il avait un regard déterminé, mais Mary Ann sentait la terreur qu'il éprouvait.

— Burke, tu n'as rien à craindre, mais...

Il posa sa main sur ses lèvres :

— Ne dis rien.

Au même moment, le taxi s'arrêta sur Brannan Street, où une file de camionnettes de fleuristes aux couleurs pastel signalait l'entrée du marché aux fleurs. Burke paya le chauffeur, tandis que Mary Ann attendait, anxieuse, sur le trottoir.

Le marché se composait d'une série de bâtiments imbriqués les uns dans les autres et de cavernes blanches et parfumées illuminées de la lumière crue des néons. L'odeur âcre des tiges fraîchement coupées chatouilla le nez de Mary Ann avant même qu'ils n'entrent dans la partie principale.

— Burke, tu veux que je marche devant ?

— Non, je suis prêt.

— N'oublie pas, nous pouvons partir si jamais...

— Je sais. Allons-y.

Le gigantesque hangar grouillait de fleuristes aux yeux bouffis de sommeil. Se saluant du petit signe de tête commun dans la langue des travailleurs de la nuit, ils tâtaient les montagnes de fleurs pour y dénicher les glaïeuls parfaits, les cyclamens qu'ils cherchaient et l'exacte nuance de marguerite teintée ou un palmier en pot.

Mary Ann se sentait mal à l'aise et déplacée, comme un astronaute qui débarque sur une autre planète. Elle prit le bras de Burke.

— Tu crois qu'ils peuvent distinguer les professionnels des non-initiés ?

— Tu penses bien.

— Je n'ai pas encore vu la moindre rose.

— Tu crois que je ne regarde pas, moi ?

Ils passèrent d'étal en étal, discutant de temps à autre avec les aimables vendeurs, tous aussi pittoresques que les portraits de Norman Rockwell, qui enveloppaient les fleurs dans du papier journal.

— Avez-vous des roses? demanda enfin Mary Ann.

— Là-bas, répondit en souriant une femme boulotte en robe verte. L'éventaire qui est contre le mur. Mais c'est de la vente en gros, vous savez.

Burke grimaça un sourire alors qu'ils s'éloignaient.

— Ça se voit, hein?

— Burke... Je veux que tu me dises si...

— Ça va, chérie, je te jure.

Les roses étaient entassées par milliers dans d'énormes baquets en métal laqué vert. En les voyant, d'instinct, Mary Ann serra plus fort le bras de Burke.

Il avait manifestement pâli.

— Ça va, l'assura-t-il. Approchons-nous.

Devant l'étal, une demi-douzaine de fleuristes inspectaient les fleurs proposées. Mary Ann s'efforça de se concentrer sur les gens autour d'eux, s'étant brusquement rendu compte que le malaise de Burke l'avait amenée au bord d'une nausée quasi empathique.

Le client le plus proche d'eux était un type au visage anguleux qui devait avoir la quarantaine. Il portait un costume bleu ciel et avait le haut du front couvert de petites croûtes d'où sortaient des touffes de cheveux régulières. Mary Ann frissonna et se détourna.

Elle s'aperçut alors soudain que Burke était blanc comme un linge.

— Allez, on s'en va, dit-elle d'un ton énergique. Ce n'est pas juste de te faire subir ça.

— Attends... !

— Non, Burke !

— Mais...

— Allez, viens !

Une fois qu'ils furent revenus sur le parking, il alla vomir derrière une camionnette saumon frappée du logo, ROSE-O-RAMA. Mary Ann resta debout dans l'obscurité à l'attendre, sans rien dire, rongée par la culpabilité.

Burke revint et eut un sourire forcé.

— Bon, eh bien, sur le moment, dit-il, on a pensé que c'était une bonne idée.

— C'était une idée *nulle*. Et on aurait dû s'en aller plus tôt.

— J'aurais bien voulu, mais... Tu as vu le type à côté de nous ?

— Celui qui avait des implants capillaires ?

— Oui. Je me trompe peut-être, mais j'aurais juré qu'il m'avait reconnu.

— Burke, tu en es *sûr* ?

— Non, mais... C'est comme si je l'avais fait sursauter, comme s'il me connaissait pour m'avoir vu quelque part. J'ai cru que si j'attendais encore un peu, il allait...

— Attends-moi ici !

Le cœur battant, Mary Ann traversa en courant le marché pour rejoindre l'étal de roses, faisant semblant de ne pas voir les regards interloqués des vendeurs.

Mais l'homme aux implants était parti.

Il était 3 h 35 quand ils quittèrent le marché. Au même moment, à Barbary Lane, Jon se retournait dans son sommeil, puis il s'éveilla en entendant la voix de Michael.

— Jon... Aide-moi... Il y a quelque chose qui ne va pas.

— Tu es en train de rêver, bonhomme. Ça va.
— Non, ça ne va pas. Je ne peux plus bouger, Jon.
Le médecin se releva sur le coude et regarda le visage de Michael, qui avait les yeux ouverts.
— Mais si, tu peux, dit Jon. Tu viens de me toucher.
— Non... Ce sont mes jambes. Je n'arrive plus à bouger mes putains de jambes !

Urgences

Lorsque Mary Ann et Burke rentrèrent au 28 Barbary Lane, Jon entendit le bruit de leurs pas dans l'escalier et sortit pour les appeler.
— Michael est malade, expliqua-t-il d'une voix sombre.
Il les fit entrer dans la chambre, où une oie en plastique éclairée projetait une lueur jaunâtre sur la forme immobile qu'on voyait dans le lit. Jon s'agenouilla auprès du malade.
— Mary Ann et Burke sont là.
— Ils... Tu es allé les réveiller ?
Mary Ann s'approcha à son tour :
— On était sortis pour... Mouse, qu'est-ce qui se passe ?
Michael se releva sur les coudes :
— On est en train d'essayer de comprendre. J'ai les jambes... paralysées.
Jon donna un petit coup sur l'une des jambes avec la pince à épiler que Michael utilisait pour ramasser les cafards morts.
— Tu sens quand je te touche ?

— Non, dit Michael, tandis que Jon essayait plusieurs points sur la jambe en remontant depuis le mollet. Non... Non... Là, oui, dit-il lorsque Jon parvint à mi-cuisse.

— Bien.

— Bien ? Tu parles ! Mais qu'est-ce que j'ai ?

— Je crois que c'est temporaire, Michael. Je vais t'emmener à l'hôpital.

— Je vais accoucher, c'est ça ? Allez, tu peux me le dire !

— Ne parle pas, dit Jon en souriant. Nous allons t'y conduire tout de suite.

— Mais arrête de faire ton cinéma et dis-moi ce que...

— Je ne sais pas, Michael. Je ne sais pas ce que c'est.

Jon appela une ambulance qui arriva un quart d'heure plus tard. Burke, Mary Ann et lui montèrent derrière avec Michael et bavardèrent pendant le trajet jusqu'à l'hôpital St Sebastian. La conversation sonnait faux et Mary Ann se sentait péniblement inutile face à la situation.

— Mouse, dit-elle doucement alors qu'ils passaient devant Lafayette Park. Donne-moi le numéro de tes parents, je vais les appeler quand nous serons à l'hôpital.

Il hésita avant de répondre :

— Non... Je préfère que tu ne les appelles pas.

— Mouse, tu ne crois pas qu'on devrait...

— Non, surtout pas.

Jon se pencha et lui caressa les cheveux :

— Michael, je crois que ta famille a le droit...

— C'est ici qu'est ma famille, dit Michael.

Mary Ann et Burke restèrent assis sans rien dire dans la salle d'attente, tandis que Jon accompagnait

Michael aux urgences. Vingt minutes plus tard, il vint leur donner les nouvelles.

— On va lui faire une ponction lombaire, dit-il.

Mary Ann tripota nerveusement le magazine posé sur ses genoux.

— Jon... Je ne sais même pas ce que c'est.

— Un prélèvement au niveau de la colonne vertébrale. Cela permet de vérifier l'élévation du niveau de protéines et... la diminution du taux de lymphocytes dans le... dit-il en les regardant à peine. On pense que c'est le syndrome de Guillain et Barré.

Cette fois, ce fut au tour de Burke d'intervenir :

— Jon... Tu pourrais traduire ?

— Excusez-moi. Vous vous souvenez des gens qui s'étaient retrouvés paralysés après avoir été vaccinés contre la grippe ?

Burke secoua la tête négativement.

— Je me rappelle, dit Mary Ann.

— Eh bien, c'était le syndrome de Guillain et Barré. Je veux dire que c'est ce syndrome qui est la cause de la paralysie.

— Mais, dit Mary Ann en fronçant les sourcils, Michael n'a jamais été vacciné contre la grippe.

— C'est l'une des causes possibles. On ne sait pas exactement ce qui provoque ce syndrome, en fait.

— Mais... Qu'est-ce que ça fait ?

— C'est une paralysie qui remonte. Généralement, ça commence dans les pieds et les jambes, et puis... eh bien, ça remonte.

Il baissa les yeux et pianota sur ses cuisses.

— Le plus souvent, ça disparaît.

— Jon, il n'est pas...

— Le seul véritable danger, c'est lorsque ça gagne le système respiratoire. Si la paralysie progresse suffisamment pour empêcher la respiration, il faut faire une trachéotomie pour permettre...

Il leva les mains à son visage et se massa les paupières du bout des doigts. Mary Ann pensa qu'il allait se mettre à pleurer, mais il garda la même expression.

— Mon pauvre Michael, dit-il doucement.

Mary Ann se retint de poser une main apaisante sur son épaule. On aurait dit qu'il était sur le point d'exploser.

— Jon, demanda-t-elle, il ne va quand même pas... ? Est-ce que les médecins... ?

— Ces connards de toubibs !

— Que... Qu'est-ce qu'ils t'ont dit ?

— Rien ! Pas *ça* !

La fureur qu'elle sentit dans sa voix fit frémir Mary Ann et il entoura d'un bras ses épaules pour s'excuser.

— Je crois qu'il risque d'y passer, Mary Ann. Il faut que nous soyons prêts à cette éventualité.

Pinus *vu de l'intérieur*

Le long trajet jusqu'à *Pinus* se termina brusquement devant une imposante grille d'acier. Helena Parrish arrêta la Mercedes et pressa le bouton d'un interphone.

— Un cheeseburger, une grande frites et un milk-shake au chocolat — et plus vite quc ça !

Frannie entcndit un rire, le rire d'un jeune homme.

— Madame Parrish... Vous êtes de retour !

— Après six heures seulement. Je t'ai manqué, Bluegrass ?

— Est-ce que le pape est catholique ?

— Quel amour ! Ouvre-nous, Blue. Je suis avec une nouvelle.

— Oh, alors tu penses !

La porte s'ouvrit. Helena sourit à Frannie pendant que la voiture s'engageait sur une allée bordée d'arbres.

— Vous allez adorer Bluegrass, dit-elle avec un petit clin d'œil. Habituellement, il est à mon service, mais... je vous aime bien, Frannie. Ça me fait plaisir de vous le prêter.

— Helena ! Mais je ne peux pas...

— Non, je vous en prie. Ça me fait plaisir. Vraiment.

— Vous êtes un amour.

— Pff !

— Mon Dieu, je suis dans un état... tellement merveilleux !

— Nous sommes entrées, sourit Helena. Vous pouvez *janer,* maintenant.

— Je peux quoi ?

— Hurler. Ici, on appelle cela le *janing.* Vous savez : « Moi Tarzan, toi Jane. » C'est comme le cri de Tarzan, mais pour les femmes. Une sorte de cri primal, mais beaucoup plus amusant. Allez-y, ne vous privez pas.

Frannie se sentait un peu gênée :

— Oh, Helena !

— Allez-y ! Vous êtes à *Pinus,* maintenant.

— Là, tout de suite ? Dans la voiture ?

— Là, tout de suite, et chaque fois que cela vous plaira, ma chère.

Frannie eut un sourire timide, puis elle passa la tête par la portière et émit un son qui évoquait plus un piaillement timoré qu'autre chose.

— Pas mal, fit calmement Helena. Mais ça, ce n'est pas du *janing,* ma chère.

— Ah bon ? Alors comment vous... ?

— Comme ceci.

Helena tendit son long cou de cygne et ouvrit la bouche toute grande :

— Aaaaaaaahihahihaaaaaahhhh !

Quelque part dans les profondeurs de la pinède retentit un cri identique.

— Oh, l'écho ! s'extasia Frannie.

— Non, sourit Helena. Sybil Manigault. Elle est très branchée nature.

La directrice gara la voiture devant le bâtiment qui abritait la réception. C'était une sorte de chalet pourvu de fenêtres à vitraux. Des rosiers grimpants montaient à l'assaut des poutres.

— Délicieux, fit Frannie avec un claquement de langue admiratif. Tout simplement délicieux.

— Les bungalows sont du même style. Tout a été conçu par Julia Morgan. C'est peut-être son chef-d'œuvre.

— Incroyable ! Edgar était passionné par l'œuvre de Julia Morgan, mais on ne m'avait jamais parlé de cela.

— Naturellement. Le contrat qui liait Julia Morgan à *Pinus* interdisait que son travail soit rendu public. Au départ, les fondatrices avaient engagé Bernard Maybeck comme architecte, mais il s'est retiré quand il a découvert... Enfin, vous comprenez.

Helena conduisit Frannie dans le spacieux hall de réception et laissa la nouvelle venue s'imprégner de l'atmosphère : lampes à abat-jour en parchemin, meubles tapissés de velours vieux rose et pots en cuivre débordants de fleurs sauvages.

— Je me sens toute drôle, sans bagages, dit Frannie.

— Pourquoi ? Tout ce dont vous aurez besoin est ici. Dans deux jours, vous aurez le cœur déchiré de ne plus porter votre caftan.

— Où sont les autres ?

— Elles se cachent, probablement, gloussa Helena.

— Pourquoi ?

— Oh, c'est idiot, vraiment. Légalement, vous n'aurez soixante ans que demain à... Quelle heure, au fait ? Sept heures et demie du soir, environ ? Les autres filles préfèrent éviter de parler aux novices tant qu'elles... qu'elles ne font pas partie du groupe.

— Alors... qu'est-ce que je fais en attendant ?

Helena glissa autour de son cou un bras souple comme une branche de saule.

— Tout d'abord, ma chère, je crois que vous devriez prendre une autre vitamine Q. Après quoi, je vous suggère de demander à Birdsong.

— Qui ?

— Suivez-moi, fit Helena avec un clin d'œil.

Trois minutes plus tard, la directrice ouvrait la porte du bungalow de Frannie. Un jeune homme assis sur le rebord du lit sauta sur ses pieds. Frannie devina qu'il devait avoir dans les vingt-quatre ans. Il avait un corps mince, des cheveux noirs bouclés et des yeux d'un bleu incroyable. Il portait un survêtement en éponge vieux rose dont la fermeture Éclair était ouverte jusqu'au nombril.

Et il était manifestement un peu troublé.

— Madame Parrish, excusez-moi. Je ne voulais pas...

— Pas de problème, Birdsong. Tu ne savais pas que nous arrivions. Je te présente Mme Halcyon.

— Bonjour, dit Birdsong avec un petit hochement de tête.

— Très heureuse.

— Birdsong est votre domestique, expliqua Helena. Il pourra tout vous expliquer. En ce qui me concerne, je dois m'apprêter pour votre petite cérémonie de demain, alors... bye-bye !

Elle disparut comme un coup de vent ; Frannie se retrouva plantée devant Birdsong et lui fit un sourire gêné.

— Eh bien, dit le domestique, qui avait soudain recouvré son assurance. Je crois qu'il est l'heure de votre bain.

Dehors, sous l'ardent soleil de Sonoma, Helena Parrish *janait* à pleins poumons.

Au chevet du malade

Quand Michael se réveilla à l'hôpital St Sebastian, Jon était à son chevet, muni d'un pot de crème glacée, de trois vieux numéros de *Playgirl* et de quelque chose enveloppé dans un sac en papier.

— Regardez-moi ça, murmura Michael en souriant. On nage en plein fantasme de folle frustrée !

Jon lui fit un petit clin d'œil :

— Comment tu te sens ?

— Je me sens de moins en moins. Mais c'est normal, non ?

— Bien sûr. Généralement, ça... ça monte... Michael, ça empire avant de s'améliorer.

— Pigé.

— Est-ce que... Tu sens si ça progresse ?

— Ouais, je crois. Une espèce de chatouillis, c'est ça ?

Il posa la main sur le haut de sa cuisse, juste sous l'aine.

— Tu ne vas plus pouvoir en profiter très longtemps, mon pote. Mieux vaut que tu t'y mettes maintenant pendant que ça marche encore !

Jon éclata de rire.

— A propos, dit-il, j'ai vu l'infirmier. Et je suis beaucoup *plus* inquiet à ce sujet que pour... ça.

— Basta ! Qu'est-ce qu'il y a dans le sac, menteur ?

Jon le laissa tomber sur ses genoux :

— Devine.

— Un vibromasseur pour moi tout seul ?

— Ouvre, banane !

Michael prit le sac et un exemplaire de *Little Lulu* en sortit.

— Jon ! Mais c'est... une pièce de collection ! Ça doit remonter au moins à la fin des années cinquante ! Où tu l'as trouvé ?

— Dans la boutique de B.D., sur Columbus.

— Bon sang ! fit-il, tout excité, en feuilletant la bande dessinée. Regarde ! Il y a même la petite maison avec le panneau INTERDIT AUX FILLES ! Et les petites annonces doivent être... Nom de Dieu, *faut* que je voie les pubs !

— Mais qu'est-ce que tu racontes ?

— Tu sais... Les farces et attrapes qu'ils vendaient, les verres baveurs et les coussins péteurs, et puis ce truc qu'était censé te transformer en ventriloque quand tu te le mettais sous la langue. C'est pas vrai ! T'en as jamais commandé ?

Le médecin secoua la tête en souriant.

— Non, soupira Michael, évidemment. Et tu n'as jamais vu la publicité pour le « Bullworker » de Charles Atlas. Tu n'as jamais été un môme rachitique de vingt-quatre kilos, toi.

— OK, tu m'as eu. Maintenant, écoute, tête de con : si tu as vraiment été un môme rachitique de je ne sais trop combien de kilos, tu t'en es plutôt bien sorti, répliqua Jon en refermant doucement l'une de ses mains sur le biceps de Michael.

— Ça passera aussi, ça, fit Michael en regardant son bras.

— Michael...

— Ça *et* les pecs. Les pecs, ils vont descendre en gants de toilette plus vite qu'une fille de prêcheur qui se met à genoux.

— Mais où t'es allé la pêcher, *celle-là* ? gloussa Jon.

— A ton avis ? En Floride, évidemment. Le Pays des Braves et des Beaufs. Quand est-ce que ce sera fini, Jon ?

Jon lui lâcha le bras :

— Eh bien... Parfois, le syndrome arrive à son terme en quelques semaines.

— Parfois ?

— Un fort pourcentage des cas a...

— Jon, je m'en tape. Je vais finir paralysé, c'est ça ? Complètement ?

— Je crois, oui, dit le médecin.

— Comment je vais respirer ?

— Il est possible que ça ne monte pas aussi haut.

— Et si c'est le cas ?

— Si c'est le cas, une trachéotomie peut s'avérer nécessaire. Ce n'est pas aussi affreux que ça en a l'air, Michael. Dans la plupart des cas, le mal est seulement...

— Mon pauvre vieux ! dit Michael en ricanant.

— Quoi ?

— Tu te disais que t'avais trouvé une belle plante et voilà que tu te retrouves avec un légume !

— Tu vas te taire, oui ?
— Je pensais que je pouvais pas éviter de te la sortir, celle-là.
— Bon, eh bien, évite de penser, alors.
— Tiens-moi la main, s'il te plaît.
— Comme ça, ça va mieux ? demanda Jon en lui prenant la main.
— Ça chatouille.
— Dans la main ?
— Mmm. C'est le début de l'Acte II, hein ?
Silence.
— Je veux pas mourir, Jon.
— Michael, ferme-la !
— Excuse-moi, t'as raison : ça faisait vraiment trop Joan Crawford.
— Tu n'as aucune raison de t'inquiéter. Je vais rester avec toi tout le temps.
— Tu veilleras à ce qu'on me fasse bien ma toilette : que je n'attrape pas de points noirs ! J'ai vingt-six ans... Il manquerait plus que ça.
— Quelle coquetterie !
— Je vous aime, docteur Fielding.
Pour toute réponse, Jon pressa sa main dans les siennes.

La goutte d'eau

Les angoisses qu'éprouvait Mary Ann au sujet de Michael avaient de fâcheuses conséquences sur son travail chez Halcyon Communications. Beauchamp Day trouva trois coquilles dans sa lettre au président d'Adorable Pantyhose.
— Mary Ann, bon Dieu de merde !

— Qu'y a-t-il ?
— Mais regarde-moi ce torchon ! Je sais que le Vieux n'aimait pas ce genre de laisser-aller. Bon sang ! Une intérimaire ferait mieux que ça !
— Excuse-moi. Je... Beauchamp, je n'arrive pas à me concentrer sur...
Elle fit brusquement pivoter sa chaise et se détourna, puis elle s'effondra sur son bureau et se mit à sangloter.
Beauchamp la considéra, inflexible :
— Trouve autre chose, Mary Ann. C'est un peu léger.
Elle sanglota de plus belle :
— Je ne fais pas... Oh, mon Dieu, je...
— Très bien. Fais ton petit numéro larmoyant. Je vais demander à la secrétaire de Mildred de me la retaper.
— Non, je vais le faire, dit-elle en se redressant.
— Tu n'as pas une conduite très professionnelle, tu sais ?
— Excuse-moi. J'ai un ami qui est malade. Il risque... de mourir.
— Ton ami ?
— Non, j'ai voulu dire *un* ami.
Elle avait jugé préférable de ne pas parler à Beauchamp de l'état de Michael, dans l'espoir que celui-ci se remettrait et pourrait occuper son poste chez Halcyon.
Beauchamp la dévisagea un instant, puis :
— Je suis navré de ce qui t'arrive, mais il faudra faire avec, Mary Ann. Je ne peux pas me permettre de te donner ta journée en ce moment.
— Je n'ai rien demandé.
— Tu pleurais. Ce n'est pas la première fois que tu me joues cette petite comédie.
— Ce n'est pas une *comédie*.

Il haussa les épaules d'un air indifférent :

— Peu importe. Tu m'as déjà fait le coup, un point c'est tout.

— Donne-moi la lettre.

— Écoute, je t'ai dit que j'étais navré de ce qui arrive à ton ami. Tu n'as pas besoin d'être désagréable avec moi.

— Donne-moi cette saloperie de lettre, nom d'un chien !

Beauchamp lui lança un regard assassin, puis il lui tendit la feuille et la laissa tomber sur le bureau. Mary Ann regarda la lettre atterrir, puis Beauchamp. Elle la ramassa et la roula en boule.

Beauchamp secoua la tête et sourit :

— Tu dépasses les limites, ma petite.

— Non, c'est toi.

— Tst, tst. Vraiment ?

— Laisse-moi tranquille.

Beauchamp croisa les bras, restant sur ses positions.

— Tu t'imagines que tu es *indispensable,* ici, c'est ça ? Tu penses que je ne vais pas te foutre à la porte parce que tu travaillais pour le Vieux ? Ou, mieux encore, parce que je t'ai baisée une ou deux fois !

Mary Ann repoussa sa chaise et se leva :

— Pour tout te dire, je pense à toi le moins possible.

— Oh, comme c'est bien trouvé ! Notre petite Farrah Fawcett de merde se croit drôle ! Ha, ha !

Mary Ann le regarda droit dans les yeux :

— Écarte-toi de là.

Beauchamp ne bougea pas d'un pouce :

— Tu es grotesque !

— Je démissionne.

— Et comment, que tu vas dégager ! Putain,

mais combien de temps tu croyais que j'allais te supporter, toi et tes mièvres autocollants Snoopy dont tu recouvres les classeurs ? Sans compter cette ridicule grenouille en peluche avec son...

— Eh bien, fais la décoration toi-même. Peut-être qu'une de ces folles coincées qui te servent d'amis pourra t'aider.

Beauchamp la toisa d'un regard glacial :

— Tu es d'une vulgarité sans nom.

— C'est bien possible.

— C'est *bien possible* ? Ha ! Mais pourquoi donc crois-tu que tu n'es rien de plus qu'une secrétaire, ma pauvre fille ? Tu n'es qu'une conne de petite-bourgeoise ! Mais nom de Dieu, regarde-toi ! Tu es aussi insipide aujourd'hui que lorsque tu avais quinze ans et tu resteras comme ça jusqu'au jour où on te donnera une collection de Tupperware pour te remercier de tes vingt ans de bons et loyaux services. Sauf que celui qui te la donnera, ce ne sera pas moi, Dieu merci !

Elle le fixa, les yeux remplis de larmes.

— Je n'ai jamais rencontré personne d'aussi... odieux, dit-elle.

Elle le bouscula et se dirigea vers la porte.

— Ah, au fait, ajouta Beauchamp. Si jamais tu t'imagines que tu pourras continuer à classer des paperasses, laisse tomber les autres agences. Tes références, tu peux t'asseoir dessus.

Mary Ann s'arrêta sur le seuil, se reprit du mieux qu'elle put et se tourna vers le président d'Halcyon Communications en levant le majeur :

— Et celui-là, tu peux t'asseoir dessus aussi.

Le retour de Bruno

Cinq minutes après le départ fracassant de Mary Ann, Beauchamp décrocha son téléphone privé pour appeler Bruno Koski :

— Bruno ? C'est moi.

— J'en connais des tonnes qui s'appellent « moi ».

— Ouais. Bon... Celui de Jackson Square. Écoute, je n'avais pas de nouvelles de toi.

— C'était à toi de te manifester, tu te souviens pas ?

— OK, OK. Tu as trouvé ton homme ?

— Ouais. J'ai trouvé... quelqu'un.

— Il est digne de confiance ? Et discret ?

— Nan, c'est un junkie complètement barjot, mec. Il saurait pas distinguer sa bouche du trou de son cul. Mais qu'est-ce que tu crois, merde ? C'est moi qui suis en première ligne, si jamais y a des problèmes !

— Est-ce qu'il connaît le nom du commanditaire ? Est-ce qu'il sait que c'est moi qui...

— Écoute, crétin ! Si tu me fais pas confiance, pourquoi tu vas pas t'adresser à une autre bonne poire pour faire tes sales...

— Très bien. OK. Quand est-il... disponible ?

— Je te l'ai déjà dit. Dès que tu me files le fric.

— Comment puis-je être sûr que tu...

— Tu sauras pas. C'est con, hein ?

— OK. Écoute. Elle doit aller à un défilé de mode du Club demain soir...

— Quel club ?

— Le Junior, Bruno, soupira Beauchamp. Mais peu importe. Ça se passe au palais du Legion of Honor. Ça commence vers vingt heures, donc tu peux dire à ton type... Bon, tu trouveras vers quelle heure ça sera fini. Elle conduira la Mercedes de sa mère, j'en suis sûr. La plaque minéralogique porte les lettres : FRANNI.

— Sa vioque sera avec elle ?

— Non. Sa mère est à Napa, je crois. Je suis certain que ma femme sera seule.

— Je croyais que vous étiez séparés, tous les deux.

— Nous le sommes, Bruno.

Beauchamp commençait à perdre patience.

— Eh bien, si vous êtes séparés, comment tu fais pour savoir ça ?

— Je l'ai lu.

— Tu l'as *lu* ?

— Dans la rubrique mondaine, Bruno.

— Ah.

— Ne t'inquiète pas. Elle y sera. S'il y a le moindre photographe là-bas, elle y sera.

Il prit un ton d'homme d'affaires.

— Comment veux-tu le règlement ?

— En coupures de dix et de vingt.

— Comme dans les films, hein ?

— C'est pas un putain de film.

— Tu veux qu'on se voie au même endroit que la dernière fois ?

— Ouais. Vingt heures. Demain soir.

— Ça ne fait pas un peu juste ?

— Tu me files le fric. J'appelle mon contact. C'est rien du tout.

— Tu es sûr qu'il saura comment... ?

— Ça se fera. Tu files le blé et ça se fera.

— Je ne veux pas que ma femme...

— Je sais.

— Je décline toute responsabilité si elle... si c'est permanent. Je veux que ce soit parfaitement clair.

— OK. Pigé. T'es un prince, mon mec.

Après une réunion d'une heure avec le concepteur-rédacteur de la campagne pour Tidy-Teen Tampettes, Beauchamp fit les cent pas dans son bureau pendant dix bonnes minutes, puis il appela un cabinet sur Sutter Street.

— Cabinet du docteur Fielding.

— Il est là ?

— Un instant, je vous prie.

Trente secondes d'attente, puis :

— Oui ?

— Comment ça va, Blondie ?

Silence.

— Eh bien, fit Beauchamp, je ne m'attendais pas à être reçu en fanfare, mais après tout ce temps... Bon, le moins que tu pourrais faire, c'est essayer de me dire aimablement bonjour.

— Tu appelles pour la grossesse de ta femme ?

— En fait, je me disais qu'on pourrait se voir et faire quelques bébés ensemble. En souvenir du bon vieux temps, tu vois ?

— Je vais raccrocher.

— Oh, arrête ton cinéma !

— Je croyais t'avoir clairement dit de ne plus m'appeler à mon cabinet. Ni chez moi, d'ailleurs.

— Qu'est-ce que tu as ? Tu es maqué, ou quoi ?

— Tu es une ordure, Beauchamp.

— Je suis sûr que tu dis ça à tous les mecs.

Le médecin raccrocha. Beauchamp resta assis à son bureau en faisant pivoter son fauteuil. Puis il se leva, alla au réfrigérateur et se prépara un Negroni qu'il avala d'un trait.

La vie, parfois, c'était vraiment chiant.

La fille aux cheveux verts

Comme Manuel, le jardinier, était de mauvaise humeur, DeDe n'eut pas le courage de lui demander de nettoyer les cochonneries visqueuses qu'il y avait dans la piscine d'Halcyon Hill. Au lieu de quoi, elle s'assit sur la terrasse en mangeant des M&M's et en lisant un exemplaire de *Panique en vol* qu'elle avait acheté l'été d'avant.

Avec sa mère à Napa, Beauchamp en ville et papa qui n'était plus qu'un souvenir, elle avait l'impression d'être une princesse orpheline dans un grand manoir. Comme d'habitude, sa solitude l'amena à décrocher son téléphone.

Sauf que cette fois, elle n'allait appeler ni Binky, ni Muffy, ni Oona, ni BoBo, ni Shugie.

— Allô, fit une voix suave à l'autre bout du fil.

— Salut. C'est DeDe Day.

— Ah, la Femme Singe !

— Je te promets de ne plus *jamais* te traîner voir quelque chose de ce genre, dit DeDe en riant.

— Si je me souviens bien, c'est moi qui t'y ai traînée, ma chérie.

— Tu avais raison, cela dit. Un singe avec un masque de femme aurait été plus mignon.

— Peu importe. Au fait... Comment ça va, le ventre ?

— Ça grossit.

— Mais ça ne va pas mieux ?

— Je ne sais pas, vraiment. Je me fais beaucoup de soucis.

— A propos de quoi ?

— Rien de particulier. Je sais que c'est morbide, mais parfois j'ai le sentiment horrible que quelque chose cloche. Mon gynécologue me dit que c'est classique quand c'est la première fois, alors je suppose que je ne devrais pas tant y penser.

— Tu devrais sortir plus souvent.

— Je ne crois pas que je pourrai supporter d'autres femmes singes.

— Allons bon!... Mais arrête de jouer les solitaires, ma chérie!

— En fait, je me demandais si tu serais tentée de venir avec moi à un défilé de mode, ce soir.

Silence.

— Je sais que je te préviens à la dernière minute...

D'orothea émit un petit rire de gorge :

— Tu ne sais pas à quel point c'est drôle.

— Je sais que c'est plutôt rasoir, mais je me disais qu'on pourrait rigoler un peu des...

— J'ai été mannequin, DeDe. A l'agence de ton père. Chez Halcyon Communications.

— Pas possible!

— J'étais l'un des mannequins pour Adorable Pantyhose.

— Pourquoi ne m'as-tu rien dit?

— Pour commencer, ton mari m'a virée... Et je n'étais pas sûre que tu le considères autant que moi comme un sale con.

DeDe éclata de rire, d'abord réservée, puis avec un abandon ravi :

— Oh, mon Dieu, D'orothea! Nous sommes séparés, n'oublie pas.

— Oui, mais les choses ne sont plus aussi tranchées, aujourd'hui. Je veux dire, vous pourriez avoir été du genre à continuer de dîner ensemble ou à aller à des séances de thérapie pour recoller les morceaux.

— Tu connaissais bien Beauchamp?

— Suffisamment pour avoir eu droit à l'une de ses ignobles tirades.

— Pourquoi t'a-t-il virée ?

— Oh... Je ne suis pas venue à une ou deux séances photo. J'avais la peau... J'avais un problème de peau, et j'étais affreuse. C'est une longue histoire.

— C'est *exactement* comme ça que je parle de Beauchamp !

— Tu veux toujours que je t'accompagne à ton défilé ?

— Bien sûr ! Plus que jamais, maintenant !

— Tu es sûre qu'ils me laisseront entrer ?

— Certaine. On y va, alors ?

— On y va, ma chérie !

En ville, il se tramait quelque chose d'autre. Raclure avait fini par convenir des derniers détails avec Bruno Koski.

— Bon, t'as bien pigé ? lui demanda-t-il au téléphone.

— Ouais, ouais, j'ai pigé.

— Tu fais rien tant que je t'ai pas appelée. Dès que je t'ai appelée, tu files à la colline du Legion of Honor. Tu es sûre de savoir ?...

— J'te l'ai déjà dit, mec !

— Il sera un peu plus de vingt heures. Je te jure, punkette, que si jamais tu me fous ça en l'air, t'auras pas le fric !

— OK, OK.

Bruno raccrocha.

Un quart d'heure plus tard, la punkette se préparait à sortir. Sa mère apparut sur le seuil de la chambre.

— Tu es *vraiment* obligée de mettre un sac-poubelle ?

— Y a quoi de mal à ça ?

— Heidi, pour l'amour du ciel, c'est répugnant ! Il est tout déchiré et... dégoûtant.

— Je t'ai dit d'en acheter des neufs.

— Je refuse de débattre avec toi. Où vas-tu, d'ailleurs ?

— Je... Au *Mab*.

— Au quoi ?

— Au *Mabuhay* !

— Tu vas manquer le feuilleton.

— J'en suis malade, tu peux pas savoir !

— Heidi... Promets-moi de ne pas te fourrer du chewing-gum dans le nez ce soir.

Raclure fit un petit sourire à sa mère et retira une boulette de Dentyne de sa narine gauche qu'elle engloutit et se mit à mastiquer frénétiquement.

— Salut, fit-elle en sortant.

Réflexions à voix haute

En moins de vingt-quatre heures, Michael se retrouva totalement paralysé. Il pouvait encore cligner des yeux et bouger les lèvres, mais le reste de son corps était affreusement immobile. Il regarda son visiteur dans le miroir disposé au-dessus de son lit.

— Salut, bébé, dit-il.

— Salut.

— Tu ne devrais pas être au boulot ?

— T'inquiète pas. Y a pas grand-chose à faire.

— Pour moi non plus, grimaça Michael.

— J'ai eu Mary Ann au téléphone. Elle va venir tout à l'heure avec Burke.

— Dis donc, qu'est-ce qu'on m'aime, aujourd'hui ! Brian et les Trois Grâces viennent de passer.

— Qui ça?

— C'est comme ça que je les appelle : Mona, Mme Madrigal et Mother Mucca.

— C'est vrai que c'est un sacré trio, dit Jon en riant.

— Ouais. Et ça fait du bien à Mona. Je suis content pour elle.

— Est-ce que... ça va, Michael?

— Eh bien, je me suis souvenu de quelque chose de drôle, aujourd'hui.

— Ouais?

— Quand j'étais môme, vers quatorze ans, je m'inquiétais de ce qui allait m'arriver si je ne me mariais pas. Mon père s'était marié à vingt-trois ans, alors je me disais qu'il me restait neuf ou dix ans avant que les gens ne se rendent compte que j'étais pédé. Après... Eh bien, il n'y avait pas tellement de raisons valables pour ne pas se marier. Alors, tu sais ce que j'espérais?

Jon secoua la tête.

— Que je serais paralysé!

— Michael, je t'en prie!

— Pas comme ça : juste des membres inférieurs. Ainsi j'aurais pu être dans une chaise roulante, les gens m'auraient bien aimé et je n'aurais pas eu à me soucier d'expliquer pourquoi je n'étais pas marié. A l'époque, ça me semblait une solution drôlement bonne. Il faut dire que j'étais vraiment cruche, comme gosse...

— ... Et que t'es vraiment un chieur, comme adulte. Il ne faut pas que tu t'obsèdes avec ça, Michael. Ce n'est pas sain de... Hé, j'allais oublier! Ils repassent *Chorus Line*. J'ai fait réserver nos places aujourd'hui même.

— Arrête ta comédie.

— Merde, Michael! Veux-tu arrêter de faire

dans le... mélodrame ! Je suis désolé de devoir te décevoir, mais tu ne vas pas...

— Le mot que tu cherches est « mourir », bébé.

— Non, tu ne vas pas mourir, Michael. Je suis médecin. Je sais.

— Tu es gynéco, banane !

— Ça te plaît de faire des drames, hein ? Tu te complais dans ton rôle de Dame aux Camélias...

— Hé, hé !

Michael s'était radouci : il n'y avait plus trace d'insolence dans sa voix.

— Me prends pas au sérieux, Jon. J'ai simplement besoin de parler. Écoute pas ce que je dis, OK ?

— Marché conclu.

— Tu sais quoi ? On me donne la pilule. Ils appellent ça des stéroïdes ou quelque chose comme ça, mais c'est quand même la pilule. Je délire avec ça depuis ce matin. Je prends la pilule et mon gynécologue passe plus de temps avec moi que mon médecin traitant. Tu trouves pas ça génial ?

— C'est pas mal trouvé, dit Jon en souriant.

— Tu sais, ça a beaucoup d'avantages ! Je veux dire : pour commencer, je peux faire l'andouille pendant des heures sans avoir l'air d'une folle. Si on pouvait me mettre debout avec des étais ou quelque chose de ce genre, je ferais un tabac dans la backroom du *Bolt* !

Quand Mary Ann arriva une demi-heure plus tard, Michael lui fit un clin d'œil dans son miroir :

— Salut, beauté. D'où vient ce bronzage mexicain ?

— Salut, Mouse. Burke est venu aussi.

— J'ai vu. Salut, Gueule d'amour !

— Salut, Michael.

— La voie est libre, mon vieux. Pas de rose en vue.

Le couple eut un petit rire nerveux.

— Mouse, fit Mary Ann, j'ai pris ton courrier. Tu veux que... je te le lise ?

— Qu'est-ce que c'est ? Une convocation du dispensaire antivénérien ?

Mary Ann gloussa :

— Je crois que ça vient de tes parents.

Michael ne répondit rien. Jon jeta un regard à Mary Ann qui essaya immédiatement de se rattraper :

— Je peux te le laisser, Mouse... Si tu veux, Jon pourra...

— Non, vas-y.

Le regard de Mary Ann alla de Jon à Michael.

— Tu es sûr ?

— Mais oui !

Elle ouvrit donc la lettre.

Protégeons nos enfants

Mary Ann se mit à lire :

Cher Mikey,

Comment vas-tu ? Je suppose que tu es rentré du Mexique, depuis le temps. Écris-nous. Ton papa et moi sommes vraiment impatients que tu nous racontes ton voyage. Et puis, comment va Mary Ann et quand pourrons-nous enfin la voir ?

Tout va bien à Orlando. On devrait s'en sortir avec la récolte de cette année, même malgré le gel et tout. Le boycott des homosexuels a fait baisser un peu les ventes de jus d'orange, mais papa dit que ça ne changera rien à long terme et d'ailleurs, ça ne...

Mary Ann leva les yeux.

— Mouse... Tu ne crois pas qu'on devrait remettre à une autre fois ?

— Non, t'inquiète pas. Continue.

Mary Ann regarda Jon, qui haussa les épaules.

— J'ai supporté ce discours pendant toute ma vie, dit Michael. Une fois de plus, ça ne changera pas grand-chose.

Mary Ann reprit donc sa lecture :

... d'ailleurs, ça ne fera rien d'autre que montrer au Seigneur de quel côté nous sommes.

Tu te souviens que dans ma dernière lettre, je te disais que nous n'avions rien dit dans notre résolution à propos des locations aux homosexuels, parce que Lucy McNeil loue son garage à celui qui vend des tapis à la galerie marchande Dixie ? Je pensais que ça valait mieux, parce que Lucy est quelqu'un qui ne fait pas d'histoires et qui a des problèmes d'intestins, et que ce ne serait pas chrétien de lui causer inutilement du souci.

Je crois que le type qui a dit que la route de l'enfer est pavée de bonnes intentions avait raison, parce que tout d'un coup Lucy est devenue une militante de la cause des homosexuels. Elle a dit qu'elle ne voulait pas signer la résolution de « Protégeons nos enfants » ; elle nous a traités de païens et d'hypocrites. Elle a dit que le Seigneur ne nous laisserait même pas Lui baiser les pieds s'il revenait sur la terre demain. Tu imagines une chose pareille ?

J'étais vraiment dans tous mes états après la réunion, jusqu'au moment où papa m'a tout expliqué. Tu sais, je n'y avais jamais bien réfléchi, mais

Lucy ne s'est jamais mariée, et pourtant elle était mignonne comme tout quand on allait au collège ensemble. Elle aurait pu trouver un bon mari, si elle avait voulu. En tout cas, papa m'a fait remarquer que Lucy suit des cours d'art moderne à la YMCA, qu'elle porte des chemises indiennes et des vêtements hippies, alors je me dis que c'est possible que les lesbiennes aient réussi à la recruter. C'est vraiment dur à croire, quand même. Elle était tellement jolie.

Etta Norris a organisé une petite soirée pour « Protégeons nos enfants », chez elle, samedi dernier. C'était vraiment très bien. Lolly Newton a même apporté un gâteau qu'elle avait préparé en suivant une recette du livre de cuisine d'Anita Bryant. Ça nous a donné l'idée de faire plein de plats en suivant ces recettes et de les vendre afin de recueillir des fonds pour l'association.

Nous prions tous le Ciel pour que la motion de Miami passe. Si les homosexuels ont le droit d'enseigner à Miami, la même chose risquerait de se produire à Orlando. Le révérend Harker dit que la situation est tellement grave à Miami que les homosexuels s'embrassent en public. Ton papa n'y croit pas, mais moi, je dis que le diable est beaucoup plus rusé qu'on ne croit.

Mikey, nous avons dû faire piquer Blackie. Je suis désolée de devoir te dire ça, mais il était tellement vieux. Je sais que le Seigneur veillera sur lui, comme Il le fait pour toutes Ses créatures. Bubba te dit bonjour.

Je t'embrasse,
Maman.

Mary Ann s'approcha du chevet de Michael et s'adressa à lui sans même utiliser le miroir :

— Mouse... Je suis vraiment navrée.

— Laisse tomber. Moi, je trouve que c'est à pisser de rire.

— Non, c'est épouvantable. Elle ne sait pas ce qu'elle raconte, Mouse.

— Si, elle sait, dit Michael en souriant. C'est une Chrétienne avec un *C* majuscule. Ils savent *toujours* ce qu'ils racontent.

— Mais elle ne dirait pas ça, Mouse. Si elle savait. Pas à son propre fils.

— Elle le dirait du fils d'une autre. Qu'est-ce que ça changerait ?

Mary Ann se tourna vers Jon et Burke ; des larmes se mirent à couler sur ses joues. Puis elle se pencha et posa l'une de ses mains sur le corps immobile qui gisait dans le lit.

— Mouse... Si je pouvais t'aider pour changer quelque chose à...

— Mais tu peux, Babycakes.

— Quoi ? Comment ?

— Tu as un Bic ?

— Oui, bien sûr.

— Alors veuillez prendre une lettre, Miss Singleton.

Lettre à maman

Chère maman,

Pardonne-moi d'avoir mis tant de temps à vous écrire. Chaque fois que j'essaie, je me rends compte que je ne vous dis pas ce que j'ai sur le cœur. Ce ne serait pas grave si je vous aimais moins que je ne vous aime, mais vous êtes toujours mes parents et je suis toujours votre fils.

J'ai des amis qui pensent que je commets une folie en vous écrivant ceci. J'espère qu'ils se trompent. J'espère que leurs doutes viennent de ce que leurs parents les aimaient moins que les miens ne m'aiment. J'espère surtout que vous y verrez un geste d'amour de ma part, le signe que j'ai toujours besoin de vous faire partager ce que je vis.

Je suppose que je ne vous aurais pas écrit si vous ne m'aviez pas parlé de votre participation à la campagne de « Protégeons nos enfants ». C'est cela, plus que toute autre chose, qui m'a fait prendre conscience que je devais vous dire la vérité : que votre propre fils est homosexuel et que je n'ai jamais eu besoin d'être protégé de quoi que ce soit, hormis de la cruelle et ignorante piété de gens comme Anita Bryant.

Je suis désolé, maman. Non pas d'être ce que je suis, mais de ce que tu dois éprouver en ce moment. Je sais ce que c'est, car j'ai subi ce sentiment pendant la plus grande partie de ma vie. Répugnance, honte, incompréhension, rejet dû à la crainte de quelque chose que je savais, même enfant, faire partie de moi au même titre que la couleur de mes yeux.

Non, maman, je n'ai pas été « recruté ». Il n'y a pas eu de vieil homosexuel pour me servir de guide. Mais tu sais quoi ? J'aurais bien aimé. J'aurais aimé que quelqu'un de plus âgé et de plus avisé que les gens d'Orlando me prenne à part et me dise : « Il n'y a rien de mal à ce que tu es, petit. Tu pourras devenir docteur ou professeur exactement comme n'importe qui d'autre. Tu n'es ni fou, ni malade, ni dangereux. Tu peux réussir, trouver le bonheur et la paix avec des amis — toutes sortes d'amis — qui se ficheront éperdument de savoir avec qui tu couches. Et surtout, tu peux aimer et être aimé, sans devoir te haïr pour autant. »

Mais personne ne m'a jamais dit ça, maman. Il a fallu que je le découvre tout seul, avec l'aide d'une ville qui est devenue la mienne. Je sais que tu vas avoir du mal à le croire, mais San Francisco est plein d'hommes et de femmes, hétéros ou homos, qui ne mesurent pas la valeur de quelqu'un à l'aune de sa sexualité.

Ce ne sont ni des extrémistes ni des malades mentaux, maman. Ce sont des vendeurs, des banquiers, des vieilles dames, des gens qui vous saluent et vous sourient quand vous les rencontrez dans le bus. Leur attitude n'est faite ni de pitié ni de paternalisme. Et leur message est simple : oui, tu es un être humain. Oui, nous t'aimons. Oui, tu as le droit de nous aimer en retour.

Je sais ce que tu dois être en train de penser en ce moment. Tu te demandes : Quelle erreur ai-je commise ? Comment avons-nous pu laisser une chose pareille arriver ? Lequel de nous deux a fait de lui ce qu'il est ?

Je ne peux pas répondre à cette question, maman. D'ailleurs, je crois que ça m'est égal. Tout ce que je sais, c'est que, si toi et papa êtes responsables de ce que je suis, je vous remercie de tout mon cœur, parce que c'est la lumière et la joie de ma vie.

Je sais que je ne peux pas vous dire ce que c'est qu'être gay. Mais je peux vous dire ce que, pour moi, ce n'est pas de l'être.

C'est ne pas se cacher derrière des mots, maman. Des mots comme famille, convenances *ou* chrétienté. *C'est ne pas avoir peur de son corps ou des plaisirs que Dieu a créés pour lui. C'est ne pas juger son voisin, sauf s'il est grossier ou antipathique.*

Être gay m'a enseigné la tolérance, la compas-

sion et l'humilité. Cela m'a montré les possibilités illimitées de l'existence. Cela m'a fait connaître des gens dont la passion, la gentillesse et la sensibilité ont été pour moi une constante source d'énergie.

Cela m'a fait entrer dans la grande famille de l'Humanité, maman. Et cela me plaît. J'y suis bien.

Je ne vois pas grand-chose de plus à dire, sauf que je suis toujours le même Michael que vous avez toujours connu. Vous me connaissez simplement mieux, désormais. Je n'ai jamais rien fait sciemment pour vous nuire. Je ne le ferai jamais.

Je vous en prie, ne vous sentez pas forcés de me répondre immédiatement. Il me suffit de savoir que je n'ai plus à mentir à des gens qui m'ont enseigné la valeur de la vérité.

Mary Ann vous embrasse.

Tout va bien au 28 Barbary Lane.

Votre fils qui vous aime,
Michael.

In extremis

Mary Ann était profondément ébranlée lorsqu'elle quitta l'hôpital avec Burke. Elle avait prévu d'y rester la plus grande partie de la soirée, mais elle n'avait pu s'empêcher de pleurer. Cependant, Jon l'appellerait si jamais « il y avait du nouveau ».

Revenue à Barbary Lane, elle essaya de décongeler un steak en le passant sous le robinet d'eau chaude.

— Ne te donne pas ce mal pour moi, dit Burke.

— Je croyais que tu aimais les steaks.
— Je n'ai pas faim, je t'assure.
Elle soupira et posa la tranche de viande sur l'égouttoir.
— Moi non plus.
Elle se tourna vers Burke avec un sourire forcé.
— Tu sais comment j'ai rencontré Michael ?
— Au supermarché, c'est ça ?
— Je te l'ai déjà dit ?
— A Puerto Vallarta, dit Burke en hochant la tête.
Mary Ann s'essuya les mains avec un torchon et s'assit à la table de la cuisine en face de Burke.
— Il était tellement mignon, Burke... Mais j'étais *furieuse* contre lui, parce qu'il était avec un type qui me plaisait énormément et pendant toute la nuit, je me suis répété : « Quel gâchis !... Quel gâchis !... » Et je le croyais vraiment. J'étais persuadée que c'était du gâchis, qu'il y avait quelque chose qui n'allait pas chez lui. Bien sûr, je me disais que j'avais de la peine pour lui, mais en réalité, c'était pour moi que j'avais de la peine. Je venais de découvrir que tous les Princes Charmants n'étaient pas pour moi et je ne le supportais pas.
— Ce n'est pas grave. Les gens évoluent vite.
— Pas moi. Il m'a fallu longtemps. A l'époque, j'étais... Je ne sais pas. Je devais me dire que j'étais capable de le changer, de devenir son amie, pour qu'il se détende et qu'il se mette à apprécier les femmes. Je ne pensais pas que je découvrirais un jour que c'était *moi* qui avais besoin de me détendre.
— Ne te fais pas de mal comme ça.
— C'est pourtant vrai, Burke.
— Michael t'aime, Mary Ann. Tu as dû bien agir.

— J'espère.
— Tu espères ? Merde, Mary Ann, quand on était au Mexique, il y avait des moments où je crevais de jalousie.
— Tu étais jaloux ? De Michael ?
— De Michael et de toi quand vous étiez ensemble. Michael et toi, quand vous riiez et que vous conspiriez. Michael et toi, quand vous vous fichiez d'Arnold et de Melba. Michael et toi, quand vous faisiez semblant d'être... Et merde, vous ne faisiez pas semblant : vous *étiez* mariés. Vous étiez aussi mariés que deux personnes peuvent l'être !
Elle le regarda en papillotant des yeux, stupéfaite, tripotant machinalement la petite clé qu'elle portait autour du cou.
— Burke... Je t'aime. Je n'ai jamais voulu...
— Je ne t'accuse pas. Je ne veux simplement pas que tu te culpabilises. Vis-à-vis de Michael. Il y a quelque chose de merveilleux entre vous.
Elle lâcha la clé et tendit la main pour prendre la sienne.
— On pourrait aller se coucher ? demanda-t-elle.
Une fois dans le lit, elle se blottit dans ses bras et pleura.

Après quoi, ils regardèrent la télévision, prétendant chacun que c'était pour faire plaisir à l'autre. Puis Burke se leva et l'éteignit.
— Tu veux appeler l'hôpital ? lui demanda-t-il.
— Non... Je... Non.
— Ça pourrait te rassurer.
— Jon est là-bas. Je ne crois pas que je devrais...
— Je pense que Michael serait content.

— Mais qu'est-ce que je pourrais... ?

Le téléphone sonna. Ils sursautèrent tous les deux.

— Tu veux que je réponde ? demanda Burke.

Elle hésita :

— Non... J'y vais.

Elle lui tourna le dos pour décrocher. Elle ne voulait pas que Burke voie son visage.

— Salut, Jon... Ça va, oui, je crois... Oui... Oh, mon Dieu ! Oh, mon Dieu !... Non, ça va aller. A quelle heure est-ce qu'il... ? Merci... Ouais... Je vais... Oui, Jon. Je t'embrasse.

Et elle raccrocha.

Burke passa un bras autour de ses épaules.

— Dieu merci, dit-elle doucement. Ce n'était pas Michael, Burke. C'était Beauchamp. Jon et Michael viennent de l'apprendre par la radio. Sa voiture a heurté la paroi du tunnel de Broadway et a explosé. On n'a pas pu le sauver, Burke. Il est mort brûlé vif.

Soixante ans enfin

La délicieuse odeur boisée du bain moussant chatouilla le nez de Frannie tandis qu'elle s'allongeait dans l'immense baignoire de marbre et se laissait aller aux effets de la vitamine Q.

— Oooh, bonté divine ! Cette baignoire est assez grande pour deux.

Birdsong s'arrêta de lui masser les pieds :

— Voulez-vous que j'y entre aussi, madame Halcyon ? demanda-t-il.

— Oh, non ! pouffa-t-elle. Non, ce n'était pas une invitation déguisée, Birdsong.

— Ce ne serait pas un problème.

— Non, j'en suis certaine... Birdsong ?

— Oui, madame ?

— Depuis combien de temps travaillez-vous à *Pinus* ?

— Environ deux ans.

— Vous aviez quel âge ?

— Euh... vingt ans.

— Vous vous plaisez, ici, alors ?

— Oui, madame.

— Toutes ces vieilles dames. Vous aimez... les servir ?

— Je ne les considère pas comme vieilles.

Frannie eut un sourire indulgent :

— Je sais qu'on vous demande de dire cela, répliqua-t-elle, mais tout de même... Enfin, je veux dire : nous avons toutes plus de soixante ans, n'est-ce pas ? Un jeune homme comme vous doit se sentir ici un peu... bizarre ? Vous me comprenez ?

— Non, madame. J'aime les femmes mûres.

Elle lui fit un sourire en coin, en baissant ses paupières.

— Vous êtes diplomate, jeune homme.

Birdsong lui fit un clin d'œil et lui tordit gentiment le gros orteil.

— Quel est votre vrai nom ? demanda-t-elle.

— Nous n'avons pas le droit de le dire.

— Ah bon ? Vraiment ?

— Non, madame.

— Vous allez me frotter le dos ?

— Si vous voulez.

— Oui, je veux, avoua Frannie avec un sourire coquin, en se retournant dans la mousse.

La néophyte dormit à poings fermés jusqu'à six heures du soir et fut réveillée par Helena Parrish qui frappait à la porte.

— L'heure est proche, dit-elle gaiement en entrant.

Elle avait quitté ses vêtements de ville pour le caftan vieux rose de la résidence. Elle avait également défait son chignon et ses cheveux flottaient désormais triomphalement sur ses épaules.

Frannie se frotta les yeux et s'assit au bord du lit.

— Je ne suis pas particulièrement angoissée. Je devrais ?

— Mais, ma chérie, cela va être la nuit la plus extraordinaire de toute votre vie.

— Là, *maintenant,* je suis angoissée.

— Tout se passera bien.

— Je commence à avoir l'impression d'être une vieille idiote.

— Sottises. Vous serez la plus jeune de toutes les filles qui sont ici.

— Je n'avais pas réfléchi au fait qu'on pouvait voir les choses sous cet angle, gloussa Frannie.

— Ne *réfléchissez* pas aux choses, ma chérie... *Éprouvez-les.* C'est le secret de *Pinus.* Laissez-vous aller à vos sens.

— Je vais essayer.

— Bon. Maintenant... Encore une petite vitamine Q et nous y allons.

En découvrant l'amphithéâtre, Frannie eut le souffle coupé. Sur le flanc d'une colline que gagnaient les ombres du crépuscule, une centaine de femmes étaient vautrées dans des chaises longues vieux rose et contemplaient d'un air languide la scène en plein air qui s'ouvrait devant elles.

Le centre de la scène était embrasé par un feu de joie qui projetait une lumière mystique sur le « P » doré qui oscillait, suspendu au-dessus. Lorsque Helena fit son entrée, tout le monde se mit à *janer*.

— Aaaaaaaahihahihaaaaaahhhh !

La clameur était retentissante, presque assourdissante. Frannie sentit un petit frisson lui parcourir l'échine. Elle rajusta son caftan et tripota ses cheveux, attendant un signe d'Helena.

— Mesdames, entonna Helena d'une voix qui n'avait pas besoin de micro, nous savons toutes pourquoi nous sommes rassemblées ici ce soir, alors avançons. Sans plus de manières, permettez-moi de vous présenter... la petite nouvelle qui connaîtra bientôt les mystères de *Pinus* : Frannie Halcyon !

Cette fois, le *janing* faillit ébranler jusqu'aux arbres. Frannie monta sur la scène, la tête haute, et alla prendre position auprès d'Helena et du feu de joie. Au même moment, les femmes se levèrent et on fit entrer sur la scène un gigantesque gâteau posé sur un chariot. Les femmes recommencèrent leur *janing* et se lancèrent en chœur dans une version enthousiaste de *Happy Birthday to You*.

Le sommet du gâteau explosa en une éruption de chair et de chantilly à la lueur des flammes.

Au vu de la silhouette nue qui en sortait, de petits cris envieux parcoururent l'assistance.

— Bluegrass ! piailla une femme qui était près de la scène. *Elle a décroché Bluegrass !*

Frannie leva les yeux et vit un colosse aux cheveux blonds qui ressemblait à un culturiste. Il sourit à la Reine de la Soirée, bondit avec enthousiasme hors du gâteau... et, d'un geste souple, il souleva Frannie dans ses bras, l'emportant au pas de course dans la forêt.

Le *janing* reprit de plus belle.

Dernières nouvelles de Beauchamp

Le temps que Bruno se décide enfin à appeler, Raclure était devenue livide.

— Putain, mec ! T'avais dit vingt heures !

— Ah ouais ? Eh bien, j'ai menti. Rentre chez toi, punkette.

— Qu'est-ce que ça veut dire : « Rentre chez toi » ? Je me gèle le cul là-bas depuis...

— J'ai dit : rentre chez toi !

— Et mon fric ?

— Y aura pas de fric, parce qu'il y aura pas de boulot. Le client vient de finir au barbecue dans le tunnel de Broadway.

— Hein ?

— Je t'expliquerai quand tu seras grande.

— Non, mais attends, merde...

— Écoute, gamine, si tu veux que je te fasse la tronche toute bleue pour que ça aille avec tes tifs verts, continue à me gonfler, pigé ?

Raclure s'apprêtait à lui en sortir une du même tonneau, mais elle préféra n'en rien faire et raccrocha. Après avoir rajusté l'épingle à nourrice de son sac-poubelle, elle claqua la porte de la cabine téléphonique et rentra chez elle.

Qui sait, elle trouverait peut-être un chat à maltraiter sur la route ?

En chemin, alors qu'elles quittaient le palais du Legion of Honor, DeDe s'arrêta un instant pour contempler le Golden Gate qui scintillait dans la nuit.

— Ça ne rate jamais, hein ?

— Quoi ? demanda D'orothea.

— Ça. Je veux dire... Ça ne vieillit jamais. Je suis née ici, et à chaque fois que je vois le pont, j'en ai le souffle coupé. Parfois, je me dis qu'il contient un énorme aimant qui m'empêche de partir.

— Tu veux partir ?

— J'y pense. *Tout le monde* envisage de partir, de temps en temps, non ? Le problème, c'est que, quand on est né au bout de l'arc-en-ciel, on n'a nulle part où aller, dit-elle en se retournant pour sourire à sa nouvelle amie. C'est pas juste, hein ?

— Peut-être qu'il existe une ville que tu n'as jamais vue.

— Il y a des tas de villes que je n'ai jamais vues. Athènes... Vienne...

— Non, je voulais parler d'ici, précisa D'orothea en levant un sourcil. Ces gens qu'on vient de voir sont pour moi des étrangers, au même titre que... les Martiens. DeDe, tu serais étonnée de voir qu'il y a dans cette ville un nombre incroyable de gens dont les chaussures ne sont pas assorties à leurs sacs à main.

DeDe rumina silencieusement ces paroles tandis qu'elles se dirigeaient vers la maison de D'orothea sur Pacific Heights. Quand elles atteignirent le bâtiment victorien beige et rose, D'orothea la remercia de cette soirée « édifiante ».

— C'était nul, hein ? fit DeDe avec un sourire désolé.

— Pas avec toi, chérie, répondit D'orothea en se penchant brusquement pour l'embrasser sur la joue. Où aurons-nous les bébés, au fait ?

— A l'hôpital St Sebastian, lui apprit DeDe. Et merci pour le « nous ».

D'orothea haussa les épaules :

— Tu n'y arriveras pas toute seule, si?

— Je croyais que si.

— A d'autres!

Elle sauta de la voiture, claqua la portière d'une main impérieuse et envoya un petit baiser à DeDe du bout des doigts.

— Je t'appelle! lui lança-t-elle en montant les marches du perron.

Trois quarts d'heure plus tard, DeDe rentra seule à Halcyon Hill. Une voiture de police était garée dans l'allée circulaire. Alors qu'elle verrouillait sa Mercedes, elle remarqua un policier court sur pattes qui attendait devant le nègre en fer forgé qui décorait la pelouse et que maman avait repeint en blanc après les émeutes de Watts.

— Madame Day? demanda le policier en s'approchant.

— Mon Dieu! On ne nous a pas encore cambriolés?

— Non, madame. Je suis navré. Comme nous ne trouvions personne d'autre de votre famille, on m'a demandé de... Un accident est arrivé, madame Day.

— Maman! Où est maman?

— Non, madame, ne vous inquiétez pas, dit le policier en lui prenant le bras. Allons nous asseoir, je vous prie.

Une fois dans la maison, elle encaissa la nouvelle plus stoïquement que le policier n'aurait cru.

— Quand est-ce arrivé? demanda-t-elle.

— Il y a quelques heures. Sa voiture a apparemment dérapé dans le tunnel de Broadway. Elle a... elle a pris feu.

— Mon Dieu !

— Madame Day... Je suis vraiment désolé pour vous. Si vous voulez aller quelque part, je serai heureux de vous conduire.

— Non, merci. Ça va aller.

— Voulez-vous que je reste un peu ?

— Je ne pense pas que ce soit nécessaire. Merci.

Manifestement mal à l'aise, le policier lui tendit une enveloppe :

— Je suis censé vous remettre ceci, dit-il. Ce sont ses... les effets personnels de votre mari.

Deux whiskies et plusieurs centaines de M&M's plus tard, DeDe se retira dans sa chambre et trouva le courage d'ouvrir l'enveloppe.

Tout ce qui restait de son mari atterrit avec un déplaisant bruit de ferraille sur le miroir qui recouvrait sa coiffeuse.

Une boucle de ceinture dorée, composée de deux *G* entrelacés.

Le cauchemar de Burke

Le soir où mourut Beauchamp, chacun pour des raisons différentes, Mary Ann et Burke passèrent une nuit agitée. Lorsqu'elle se réveilla, Mary Ann appela l'hôpital St Sebastian et prit des nouvelles de Michael. Rien n'avait changé, lui apprit Jon. Mona et Mme Madrigal étaient censées passer un peu plus tard, dans la matinée.

Après, Mary Ann appela Halcyon Communications et demanda à parler à Mildred au service Production. Il n'était pas encore huit heures et demie, mais la vieille fille lui répondit d'une voix déjà faible et lasse :

— Quand avez-vous appris la nouvelle? demanda-t-elle.

— Hier soir, répondit Mary Ann en faisant bien attention de prendre un ton funèbre. On m'a appelée.

— C'est affreux. La presse nous harcèle. Je crains le pire pour l'émission de Van Amburg de ce soir.

— Est-ce qu'il faut que je vienne, Mildred?

La véritable question était, bien entendu, de savoir si Beauchamp avait dit à Mildred — ou à un autre cadre — qu'il avait viré Mary Ann.

— Non, répondit Mildred. En fait, on a fermé le bureau pour aujourd'hui. Je ne suis là que pour répondre au téléphone... et à la presse. Ah, autre chose...

— Mmmh, oui?

— J'ai parlé à DeDe ce matin. Elle va bien, malgré tout ce qui arrive. Ce doit être terrible pour elle, étant donné qu'elle peut accoucher à n'importe quel moment, maintenant; étant donné aussi, et c'est pire, que sa mère a disparu.

— Mme Halcyon a disparu?

— Eh bien, pas vraiment... On n'arrive tout simplement pas à la joindre. Elle a dit à DeDe qu'elle allait dans leur maison de Napa, mais, pour le moment, personne ne l'a vue arriver là-bas. J'ai dans l'idée — c'est simplement ma théorie à moi, hein, vous savez, comme c'est une femme très religieuse — qu'elle est peut-être allée faire une tournée des missions, discrètement.

— Est-ce que la presse est au courant?

— Oh, mon Dieu, non! DeDe me l'a dit sous le sceau du secret! Elle mène sa petite enquête auprès des amies de sa mère. Elle pense qu'elle devrait rentrer d'un moment à l'autre. Mais vous gardez ça pour vous, n'est-ce pas, Mary Ann?

— Bien entendu, Mildred... Qu'est-ce qui a été prévu, concernant les obsèques?

— Oh... répondit Mildred d'une voix affaiblie. C'est là le plus triste. Malheureusement, Beauchamp avait demandé dans son testament qu'on procède à une crémation, mais vu la nature de l'accident, la famille a pensé que ce serait de mauvais goût.

— Je vois.

— Je crois qu'il y aura une messe ou quelque chose de ce genre. DeDe a appelé les parents de Beauchamp à Boston ce matin.

— Merci, Mildred. Eh bien, je ne veux pas vous retenir...

— Je sais que vous devez vous inquiéter pour votre travail, mais ne vous faites pas de souci, ma chérie. Je suis certaine qu'on vous trouvera quelque chose quand tout ça se sera calmé. Pour le moment, pourquoi ne prendriez-vous pas quelques jours de congé?

— Merci, Mildred.

— De rien, Mary Ann. Je suis sûre que c'est ce qu'aurait voulu Beauchamp.

Si Mary Ann avait pu se demander, ne fût-ce qu'un instant, ce qu'elle pourrait faire pendant ce congé, la question aurait été réglée dès le petit déjeuner.

— Cette nuit, dit Burke, j'ai rêvé de notre ami.

Mary Ann reposa sa tasse de café :

— De Michael?

— Non, du type aux implants... celui du marché aux fleurs.

— Quelle horreur !

— D'accord. Je n'aurais pas dû mettre le sujet sur la table.

— Non, tu devrais en parler, Burke.

— Ce n'était qu'un rêve.

— C'était peut-être un *souvenir,* Burke. Raconte-moi.

Il la regarda d'un air sceptique.

— Je ne veux pas devenir ton... nouveau passe-temps, Mary Ann.

— C'est l'impression que ça te fait ?

— Non, pas vraiment, répondit-il après une hésitation.

— Alors, raconte-moi.

— Eh bien, dans le rêve, il y avait une passerelle, du genre de celle que je t'ai déjà décrite. Elle avait une rambarde métallique, et il me semble que je marchais sur du béton — sauf que c'était vraiment très haut.

— Par rapport à quoi ?

— Je ne sais pas. A des gens, peut-être. Mais je ne voyais personne en bas. Il y avait des gens avec moi, des gens que je connaissais.

— Qui ?

— Je ne sais pas. Tout ce que je sais, c'est que je les connaissais.

— On est bien avancés.

— C'est là qu'est arrivé le type aux implants. Je veux dire qu'il est arrivé à ma hauteur. Et puis, tout d'un coup, il y a eu cette rose, cette *affreuse* rose.

— Et pourquoi était-elle si affreuse ?

— Je... Je ne sais pas.

— Est-ce que c'est lui qui t'a donné la rose ? L'homme aux implants ?

— Non, pas exactement. Elle était là, tout bêtement. Et puis il s'est penché vers moi et il a dit :

« Vas-y, Burke, c'est organique. » Puis je me suis mis à courir.

— Bien. Et après ?

— C'est tout. Après, je me suis réveillé.

Mary Ann prit une gorgée de café.

— Peut-être, dit-elle, ne devrions-nous pas trop nous soucier de ce type aux implants. Je veux dire... Nous en avons tellement parlé que c'est probablement pour ça que tu l'as mélangé à tes souvenirs réels.

— Mmmh. Sauf qu'il y a un détail.

— Lequel ?

— Dans mon rêve, il n'avait pas d'implants. Il était chauve comme un œuf.

Déclaration

L'infirmière de nuit de Michael était une fille nommée Thelma qui venait de Floride. Parfois, elle s'asseyait sur le bord de son lit pour lui parler après lui avoir fait sa piqûre de pentazocine à vingt heures.

— Thelma ?

— Oui, mon joli ?

— C'est la quatrième journée que je suis ici, c'est ça ?

— Euh, la cinquième, je crois.

— Si je suis complètement paralysé, comment ça se fait que j'ai mal ? Je veux dire... Je sens que ça fait mal.

— Où ?

— Dans les jambes, les cuisses... et un peu dans les bras. Ça me fait tout drôle. Je vois bien que ma jambe est allongée sur le lit, mais j'ai une sensation... comme si quelqu'un la levait à la verticale et forçait. J'ai presque failli vous demander de la remettre à plat.

— Ça va passer, mon joli, dit-elle en lui caressant le front.

— Cette nuit, je me suis réveillé avec l'impression d'être allongé entre deux bancs.

— Des bancs ? Comme dans une église ?

— Oui. Je sentais l'arête de — vous voyez ? — des dossiers contre mes chevilles et sur ma nuque. Mon Dieu, c'est tout juste si je ne les voyais pas.

— C'est normal, croyez-moi. Le docteur Beery dit que le syndrome de Guillain et Barré provoque souvent ce genre de distorsions sensorielles.

— Je peux devenir cinglé, Thelma ? J'aimerais tellement être dingue !

— Ne vous gênez pas !

— Ça me plairait. Juste un petit peu. Vaguement schizophrène, peut-être, avec un chouïa de mélancolie et puis je pourrais baver de temps en temps.

— Vous n'êtes pas fou, mon joli, dit Thelma. Vous feriez mieux de voir les choses en face. Vous êtes normal.

— Pas pour la Floride.

— Ça, je n'en sais rien, répondit Thelma en rougissant.

— Vous savez quoi ?

— Non, mon joli ?

— Vous êtes drôlement mignonne.

Brusquement mal à l'aise, elle se mit à le border.

— En Floride, on m'a jamais dit ça.

— Sans rigoler, Thelma. Je suis sûr que vous rendiez tous les mecs marteaux, là-bas.

— Taisez-vous donc !

— Je suis sûr qu'ils attendaient devant chez vous dans leurs camionnettes, qu'ils hurlaient à la lune et qu'ils... vous emmenaient au cinéma... et que vous adoriez ça.

— Moi, je suis sûre que vous allez avoir droit à une autre piqûre de calmants dans pas longtemps.

— Vous pourriez me lobotomiser aussi, je m'en fous. Je sais quand une fille est mignonne.

— Dormez un peu.

— Vous n'allez pas me laisser, hein, Thelma ?

— Non, mon joli. J'attendrai que votre ami arrive.

L'ami en question arriva peu après vingt et une heures. Thelma les laissa dès qu'elle vit Jon apparaître sur le seuil.

— Salut, fit Michael d'une voix ensommeillée.

— Salut. Je ne vais pas rester longtemps, tu as l'air fatigué.

— Non, reste, je t'en prie. J'ai besoin d'être avec quelqu'un.

— Tant mieux, dit Jon en approchant une chaise. J'ai eu une idée géniale, aujourd'hui.

— Laquelle ?

— On va repeindre ton appartement !

— Super. Je jouerai le rôle de l'escabeau.

— Écoute, reprit Jon, un sourire aux lèvres. J'ai apporté des échantillons de peinture de chez Hoot Judkins, dit-il en brandissant un nuancier sous le nez de Michael. J'aime bien cette couleur ocre, là.

— Mmmh... Beige pédale ?

— Arrête, avec ça !

— Je n'y peux rien, c'est *la* couleur de l'année. Il y a trois ans, c'était chocolat ; après il y a eu vert forêt. C'était pratique, quand tu te réveillais dans une chambre inconnue, tu savais en quelle année t'étais... Écoute, docteur Kildare, repeindre mon appartement est absolument hors de...

— Foutaises. Si je dois y habiter, cette couleur orange cosmique qu'avait choisie Mona doit disparaître !

L'impact des paroles de Jon se lut immédiatement sur le visage de Michael.

— Euh... Ce n'est pas un peu prématuré, Jon ?

— Tu n'as jamais eu envie de vivre avec un médecin ?

— Jon, je suis tellement flatté que je pourrais...

— Je ne te flatte pas, connard. Je te demande de m'épouser.

Silence.

— Alors ?

— Jon, tu ne pourras pas... me porter aux toilettes.

— Qu'est-ce qui te fait croire ça ?

— On n'est pas en train de tourner un film. Ça ne marche pas comme ça, dans la vie. Tu vas ôter tout le mystère de notre relation surnaturelle.

— Je prends le risque. Qu'est-ce que tu en dis ?

Michael hésita :

— Quand est-ce que je... vais sortir ?

— Je... je ne sais pas. Ça dépend de tout un tas de choses, Michael.

— Ah.

— Écoute, Michael...

— En tout cas, tu sais comment réconforter les gens, toi. Ça, je peux pas te l'enlever, Babycakes.

Poussière tu es...

La messe en mémoire de Beauchamp Talbot Day eut lieu un mardi, à onze heures, à l'église épiscopale St Matthew de San Mateo.

Le premier rang était occupé par la proche famille, notamment M. et Mme Richard Hamilton Day de Boston, Massachusetts, Miss Allison Dinsmore Day de New York, Mme Edgar Warfield Halcyon (née Frances Alicia Ligon) et la veuve, Mme Beauchamp Talbot Day (née Deirdre Ligon Halcyon).

La veuve et sa mère étaient accompagnées de la bonne de la famille, Miss Emma Ravenel, de Miss D'orothea Wilson de San Francisco et d'un jeune homme à l'origine non identifiable répondant au nom de Bluegrass.

Assis quatre rangs derrière la famille se trouvaient Miss Mary Ann Singleton, secrétaire du défunt, accompagnée de M. Burke Christopher Andrew et du docteur Jon Philip Fielding, le gynécologue de la veuve.

Parmi les amis du défunt se trouvaient M. Archibald Anson Gidde, M. Richard Evan Hampton et M. Peter Prescott Cipriani.

Le service funèbre fut conduit par le révérend Lindsey R. McAllister de Boston.

A la demande de la famille du défunt, il n'y eut ni fleurs ni couronnes, à l'exception d'une seule et unique rose rouge qui ornait la croix processionnelle.

Peu de temps après le début du service, M. Burke Christopher Andrew fut brusquement pris d'un malaise, laissa tomber son missel et vomit sur le banc du troisième rang.

Aucune allocution ne fut prononcée.

La voix du passé

Après la cérémonie, Jon reconduisit Mary Ann et Burke au 28 Barbary Lane. Le couple était anormalement silencieux, remarqua-t-il, sans doute en raison de l'incident qu'avait provoqué la rose rouge.

— Pas la peine de s'inquiéter à cause de ça, conclut finalement le médecin.

— J'aurais dû apporter des Kleenex et du produit nettoyant, dit Mary Ann.

— C'était un sale con, dit Jon en secouant la tête. Moi, je trouve que vomir, en la circonstance, était relativement justifié.

— Qu'est-ce que tu veux dire ? demanda Burke.

— Je parle de Beauchamp. C'était un chieur de première.

— Je croyais que tu connaissais seulement DeDe, dit Mary Ann, intriguée.

— Ouais, c'était surtout elle que je connaissais. Mais lui je l'avais vu aussi deux ou trois fois.

Ce n'était pas la peine de leur raconter sa brève amourette avec Beauchamp. Il n'en avait jamais parlé à Michael, parce qu'il n'avait jamais été très fier de cet épisode de sa vie.

Revenu à l'appartement de Michael, il alla voir quelle place il y avait dans les placards de la chambre. Dès que les affaires de Mona auraient été déménagées en bas — elle avait déjà exprimé son désir de vivre chez Mme Madrigal — il y aurait tout ce qu'il fallait d'espace pour ses meubles et sa garde-robe. Michael n'avait que très peu d'affaires à lui.

Il resta devant la commode de Michael à examiner les objets qui décoraient le cadre du miroir.

Des polaroïds de Mona nue à Devil's Slide. D'autres de Mary Ann, posant timidement dans la cour. Une médaille en forme de slip, sans doute le prix qu'avait remporté Michael au concours du *Endup*. Une photo, découpée dans un magazine, de l'acteur Jan-Michael Vincent torse nu.

Il n'y avait pas de souvenir de Jon, ni de leur couple. Ils n'étaient pas encore restés ensemble suffisamment longtemps. La seule trace de leur relation était un napperon en papier du *Sans Souci,* glissé dans le cadre derrière la photo de l'idole de son ami.

Tout à coup, Jon s'effondra sur le bord du lit de Michael et se mit à pleurer.

Comme d'habitude, Michael avait eu raison. Toute cette histoire concernant les peintures était prématurée. Rien n'indiquait — absolument rien — que l'état de Michael allait s'améliorer. Et on ne pouvait pas raconter des histoires à ce petit bonhomme romantique qui envisageait sa mort prochaine.

Jon se levait en s'essuyant les yeux quand le téléphone sonna.

— Allô ? dit-il en décrochant le téléphone de la cuisine.

— Qui est-ce ? demanda une voix de femme.

Une voix de gorge, pensa Jon.

— Jon Fielding. Un ami de Michael.

— Je ne suis pas chez Mona Ramsey ?

— Oh... Eh bien, en quelque sorte. Elle...

— En quelque sorte ?

Non, pas une voix de gorge. Une voix autoritaire, se corrigea-t-il.

Jon fit un effort pour demeurer cordial :

— Elle est en train de déménager. Vous pouvez la joindre au rez-de-chaussée chez sa... sa propriétaire.

— Quelle crétine... murmura la voix, inaudible.

— Voulez-vous le numéro ?

— Oui, s'il vous plaît.

Jon le lui donna.

Le téléphone sonna pendant que Mme Madrigal et Mother Mucca étaient parties faire des courses à North Beach. Mona était seule à l'appartement.

— Ouais ?

— Mona ?

— Salut, Betty.

— Je croyais que tu étais morte.

— Ah bon ? Eh bien... coucou !

— En voilà, une drôle de façon de parler à sa mère !

— Je t'ai envoyé une carte du Nevada.

— J'étais morte d'inquiétude. Qu'est-ce que tu faisais dans le Nevada ?

— Euh... des trucs, fit Mona qui jugea préférable de changer de sujet. Il fait quel temps, à Minneapolis ?

— L'hiver est épouvantable.

— Dommage. J'espère que ça n'aura pas fait baisser le cours de tes immeubles. Au fait, comment tu as eu le numéro ?

— J'ai appelé chez toi et un jeune type me l'a donné.

— Ce devait être Jon.

— Mona, écoute-moi... Il faut que je te parle.

— Bon, eh bien, vas-y.

— Non. En personne. Tu es en train de faire une grosse bêtise, Mona.

— A propos de quoi ?
— Je ne peux pas te le dire au téléphone. Je viens te voir.
Silence.
— Tu m'as entendue, Mona ?
— Impossible, Betty. Il n'y a pas de place ici.
— Je peux aller chez des amis. Je me suis déjà... arrangée. Tu n'auras besoin de me consacrer que deux heures, Mona. Je ne te demande pas la permission, j'arrive. Tu me dois bien au moins ça.
— Ouais, fit Mona sur un ton résigné. Probablement.

Petits miracles

Jon revint à l'hôpital avec le courrier de Michael : une carte postale d'un ami qui était à Mauï, une lettre d'information de son député et un bulletin du *Reader's Digest* qui l'informait qu'il était « peut-être parmi les heureux gagnants ».
Comme Michael dormait, le médecin s'assit sans bruit dans un fauteuil près de la fenêtre.
Cinq minutes plus tard, l'infirmière de nuit entra.
— Vous venez d'arriver ?
— Ouais.
— C'est un gars sympa, dit l'infirmière en désignant Michael du menton.
Jon hocha la tête.
— Lui et vous, vous êtes... amis, n'est-ce pas ?
— Mmm, mmm.
— Il parle tout le temps de vous.

— Je sais.

— Aujourd'hui, nous avons passé beaucoup de temps à discuter. Nous sommes tous les deux de Floride, vous savez. Moi, je suis de Clearwater. C'est-à-dire que ma famille habitait là-bas quand j'étais gosse et que j'y ai rencontré mon mari, tout ça, mais ensuite, on est allés s'installer à Fort Bragg, en Caroline du Nord, quand il s'est engagé.

— Je vois.

— J'ai pas de honte à le dire : on est tous les deux très conservateurs, docteur Fielding. On a voté Goldwater en 64; Earl dit toujours que le socialisme finirait par ruiner notre pays, et je crois qu'il a raison. Je crois pas que c'est réactionnaire, quoi qu'en disent les gens. On m'a élevée dans le respect de la Constitution, de la Bible et de la Libre Entreprise, et je crois que je les respecterai toujours.

L'infirmière s'approcha du lit de Michael. Jon se sentait vaguement mal à l'aise. Où voulait-elle en venir ?

— Des fois, reprit-elle, je me dis qu'on va trop vite. Le monde devient fou, et les gens ont pas... Ils ont simplement pas la moindre notion de *décence*. On ne peut plus compter sur les mêmes choses que dans le temps. La famille, le mariage, tout ça s'écroule et les libéraux sont en train de détruire ce en quoi les gens avaient foi.

Elle était debout à la tête du lit. Elle baissa la tête pour regarder Michael pendant un moment. Quand elle la releva, ses yeux étaient pleins de larmes.

— Je sais que tout ça, c'est vrai. Je le *sais*, docteur Fielding. Il y a des tas de choses que je voudrais changer dans ce monde, mais... je ne...

Elle s'essuya les yeux, puis elle les baissa de nouveau vers Michael.

— Je serais fière... Je serais *fière* que ce gars-là soit le professeur de mes enfants. Je le jure devant Dieu !

Jon réprima son émotion avec un sourire.

— Merci, dit-il doucement.

L'infirmière se détourna et se moucha. Elle s'absorba dans sa tâche et retapa le lit de Michael, tout en évitant le regard de Jon. Elle ne le regarda de nouveau en face qu'au moment de partir.

— Docteur, j'espère que vous n'avez pas... que je ne vous ai pas offensé ?

— Non. Bien sûr que non. C'était très aimable à vous de dire cela.

— Vous êtes pas fatigué ?

— Si, un peu.

— Pourquoi vous ne rentrez pas ? Je vais m'occuper de lui.

— Je sais. Je vais y aller bientôt.

— Docteur ?

— Oui ?

— Quand ça sera fini... Quand il ira mieux... Je serai contente de vous avoir... je veux dire, vous avoir tous les deux à dîner, un de ces jours. Je vous ferai des haricots rouges et du riz.

Elle sourit et désigna Michael du menton.

— Il dit qu'il aime bien ça.

— Merci. Nous serons heureux de venir.

— Earl est un type bien. Vous l'apprécierez.

— J'en suis certain. Merci.

— Bonne nuit, docteur.

— Bonne nuit. Merci pour tout.

Il resta assis pendant une heure, puis il finit par s'assoupir dans le fauteuil. C'est une voix insistante qui l'éveilla.

— Psitt, banane !
— Que... C'est toi, Michael ?
— Non, c'est Marie-Antoinette.
— Qu'est-ce qu'il y a ?
— Viens voir là.
— Oui ? fit Jon en s'approchant du lit.
— Regarde.
— Quoi ?
— Là, andouille : ma main !
Jon vit l'index de Michael qui bougeait légèrement.
— Mais reste pas là comme une cruche, fit Michael en rayonnant. Applaudis, si tu crois aux miracles !

La boutique de fleurs

Alors qu'elle balayait sa cour, Mme Madrigal fut soudain surprise de déceler dans l'air les premiers signes du printemps qui approchait.

Le printemps revenait sur Barbary Lane ! Des jonquilles commençaient à poindre çà et là entre les poubelles, il flottait dans la brise l'odeur des chats, des lilas et des eucalyptus... Et ce cher Brian prenait le soleil sur les briques.

Pour la première fois depuis des semaines, sa famille semblait de nouveau réunie et intacte. L'état de Michael s'améliorait considérablement, d'après Jon, et il allait rentrer d'ici à quelques jours. Mary Ann et Burke avaient fait leur nid dans leurs appartements respectifs même si, apparemment, un seul leur suffisait ces derniers temps.

Brian, bien entendu, était toujours dans sa petite maison sur le toit.

Et Mona — sa fille, sa précieuse fille — avait emménagé définitivement avec elle, à peine Mother Mucca était-elle rentrée à Winnemucca.

C'était le printemps et tout allait bien.

Sauf... sauf que quelque chose l'inquiétait dans le comportement de Mona.

— Brian, mon cher ?...

Il se tordit le cou et lui sourit, luisant d'huile bronzante et splendide dans son Speedo vert. « Ce garçon, songea Anna Madrigal, est un curieux mélange de menace et de vulnérabilité. On dirait un coyote qui réclame les restes d'un dîner. »

— Oui ? demanda-t-il. Je vous empêche de balayer ?

— Non, non. Je peux balayer tout autour, ne bouge pas. Je voulais te demander quelque chose.

— Pas de problème, allez-y.

— Est-ce que toi et Mona, vous... vous parlez souvent ?

— Je crois qu'elle préférerait utiliser le mot « communiquer », ricana cyniquement Brian.

— Oh, mon Dieu ! Vous vous êtes disputés ?

Il hocha la tête :

— Rien de bien grave. Je l'ai invitée à dîner et elle m'a dit que l'« énergie » était mauvaise. Qu'elle ne pouvait pas communiquer avec quelqu'un qui — ce sont ses propres termes — perdait ses plus belles années à dégrafer des soutiens-gorge.

— Oh, quelle sottise ! J'espère que tu n'as pas laissé passer ça.

Brian eut un petit sourire mauvais :

— Je lui ai dit qu'avec son « énergie » à elle,

elle ne pourrait même pas faire marcher un vibromasseur à deux sous. Les petits mots doux habituels, quoi. Elle vous en a parlé ?

— Non. Je pensais simplement que tu avais peut-être une idée de la raison pour laquelle... Elle n'est pas elle-même, Brian. Quelque chose l'angoisse, mais je n'arrive pas à le lui faire dire et je pensais que toi, peut-être... Mais ça passera sûrement.

Brian sentit qu'elle avait de la peine.

— Elle est heureuse avec vous. Dans sa nouvelle maison, je veux dire. Ça, en tout cas, je le sais.

— Oh... Elle t'en a parlé ?

— Elle en a parlé *à tout le monde*.

— En général, c'est quelqu'un d'agréable, affirma Mme Madrigal en souriant. Je t'en prie, ne renonce pas à l'inviter à ce dîner.

Du coup, Brian s'y essaya à nouveau. Il appela Mona dès qu'il fut rentré dans sa petite maison sur le toit.

— Pourquoi tu me détestes ?

— Qui est à l'appareil ?

— C'est parce que je bosse chez *Perry* ? Ou parce que je suis hétéro ?

— Brian, je ne suis pas d'humeur...

— Je ne suis pas un con, Mona. Je drague comme une bête, mais je ne suis pas un sale con de macho. Putain ! J'étais à Wounded Knee, Mona !

— Oh, ne t'imagine pas que je vais... Ah bon, tu y étais ?

— Mmm, mmm.

— Je n'en crois pas un mot.

— Mona, j'ai préparé un *meat-loaf*.

— A Wounded Knee ?

— *Hier,* femme sans cœur! Un vrai chantier dans ma cuisine! J'ai préparé cette espèce de hachis à la con pour la première fois de ma vie et tu ne veux même pas le partager avec moi!

Elle éclata de rire malgré elle :

— Tu ne me l'as pas demandé.

— Maintenant, je te le demande : viens dîner avec moi, Mona. Ce soir.

Elle accepta avec beaucoup plus d'empressement qu'il n'aurait cru.

Et il passa le reste de l'après-midi à cuire son *meat-loaf.*

Mona et Mary Ann se croisèrent dans l'escalier vers seize heures trente. Mona faisait un saut à la laverie en catastrophe. Mary Ann allait retrouver Jon qui l'emmenait à l'hôpital.

Mary Ann remarqua que Mona avait l'air moins nonchalante que d'habitude.

Et qu'elle *souriait.*

— Tu feras un gros bisou baveux à Mouse pour moi, OK?

— Promis, répondit Mary Ann.

Une fois qu'elle et Jon furent arrivés à l'hôpital St Sebastian, Mary Ann se rendit compte, avec une certaine culpabilité, que les baisers, c'était tout ce qu'elle avait apporté à Michael pendant ces derniers jours. La phobie de Burke avait interdit ne fût-ce qu'une petite visite au fleuriste de l'hôpital.

Mais comme pour l'instant Burke était à Jackson Square chez le coiffeur, rien ne l'empêchait d'aller acheter une jolie azalée ou quelque chose de ce genre.

Elle dit à Jon qu'elle le rejoindrait dans la chambre et se rendit à la boutique qui se trouvait dans le hall de l'hôpital. Comme personne n'était dans le magasin quand elle entra, elle sonna.

Immédiatement, un homme sortit de la chambre froide située dans l'arrière-boutique.

— Brrr, fit-il sur un ton enjoué, c'est plus agréable dehors.

S'il avait reconnu sa cliente, il n'en avait rien laissé voir.

Mais elle, elle l'avait reconnu. Instantanément.

C'était l'homme aux implants.

Meat-loaf *à Wounded Knee*

Le dîner de Brian fut un très grand succès. Mona se répandit en compliments sur la saveur du hachis, mais elle lui reprocha de n'avoir pas tenu compte de ses principes végétariens.

— Attends un instant, se défendit-il. Si tu es si végétarienne que ça, pourquoi tu ne me l'as pas dit au moment où...

— Tu m'avais dit que tu l'avais déjà préparé, Brian. Et d'ailleurs, je ne suis plus aussi... stricte dans mes principes que dans le temps.

— Je vois.

— La viande hachée a l'air moins animale qu'un solide morceau de steak. Je veux dire que ça évoque moins une violation de l'intégrité sacrée du corps d'un être vivant. Tu ne sais pas quelle partie de la vache a été utilisée.

Elle grimaça un sourire en se rendant brusquement compte des sottises qu'elle racontait.

Brian le lui rendit et la resservit généreusement :

— Ce n'est pas de la *vache,* je te ferai remarquer !

— Bon, eh bien, c'est du bœuf, peu importe.

— Non, c'est du chien. De l'épagneul, pour être précis. Tu t'imagines peut-être qu'un serveur de chez *Perry* peut s'offrir du *bœuf* ?

Après le dîner, ils s'assirent sur le rebord de son lit et feuilletèrent un album de photos posé sur leurs genoux. La couverture était ornée d'un autocollant qui disait : « Faites l'amour, pas la guerre. »

— Écoute, dit Brian, mal à l'aise, si ça t'embête...

— Mais c'est moi qui t'ai demandé, non ?

— OK. Bon...

Il feuilleta les dernières pages.

— C'est juste des trucs pas intéressants.

— Non, arrête. C'est quoi, ça ?

— La fac de droit. C'était la cérémonie de fin d'année.

— Tu es où ?

— Là. Le type à lunettes.

— Tu portes des lunettes ?

— Non, plus maintenant. Des lentilles de contact.

— De couleur verte, hein ? le taquina-t-elle avec un petit sourire.

Il fit semblant de s'en offusquer, mais dans son for intérieur, il était flatté. Elle avait remarqué la couleur de ses yeux. C'était toujours ça.

Il lui montra une coupure de journal.

— Celle-là, elle a même été diffusée par l'A.P. C'était moi, le type à gauche, à Chicago, en 1968.

— Comment tu le sais ? Il a la tête baissée.

— Je m'apprêtais à me coucher par terre, la police arrivait.

— C'est vrai ? Tu as fait d'autres manifs ?

— Oh... Selma, Washington... Mais t'es en train de te foutre de moi, là !

— Personnellement, j'ai manifesté à Minneapolis, dit-elle.

— Sans blague ?
Elle hocha la tête avec un grand sourire.
— Contre le Viêt-nam ? demanda Brian.
— Ouais. Tu connaissais Jerry Rubin ?
— Je l'ai rencontré une fois à Chicago. On a discuté pendant une demi-heure, si je me souviens bien.
— Je viens de lire son bouquin. Ça m'a vraiment laissée sur le cul.
— C'est bien, hein ?
Elle fit la grimace et secoua la tête :
— Il dit qu'il est parti sur un trip de pouvoir — militance et tout — parce que la taille de son sexe lui posait problème. C'est vraiment un truc culotté à raconter.
Il hocha solennellement la tête. Elle était sérieuse.
— Mince ! s'emporta-t-elle. Est-ce que c'est pour *ça* qu'on s'est donné tellement de mal ? Est-ce que c'est à ça que se résument les années soixante ? A la taille de la *bite* de Jerry Rubin ?
Ne trouvant rien de sentencieux à répondre, Brian préféra en rire.
— C'est une raison suffisante pour manifester, dit-il.

Plus tard dans la soirée, alors qu'ils contemplaient la baie depuis la fenêtre, Brian alluma un joint de Mauï Zowie et le tendit à Mona. Elle en prit une petite bouffée et le lui rendit.
— Ça me suffit, dit-elle. Faut pas que je sois trop défoncée.
— Où est le problème ?
Elle soupira et fixa le phare d'Alcatraz.
— Ma mère arrive bientôt, avoua-t-elle enfin.
Brian mit un petit moment avant de comprendre

ce que cela sous-entendait, puis il émit un sifflement :

— Et Mme Madrigal est au courant ?

Mona secoua la tête d'un air lugubre.

— Je veux essayer de m'en débrouiller toute seule. Ma mère m'a dit quelque chose de vraiment bizarre au téléphone. Elle m'a dit que je faisais une très grosse bêtise.

— Tu crois qu'elle est au courant, pour Mme Madrigal ?

— Je ne suis pas sûre. Mais si c'est le cas, elle doit se dire que je sais, et que je sais qu'elle sait. Donc de quoi veut-elle me parler ? Qu'est-ce que c'est que cette histoire de « grosse bêtise » ?

Sa voix tremblait. Brian lui passa un bras autour de la taille.

— Je n'ai pas besoin d'autres surprises, Brian. J'ai peur.

Elle se mit à pleurer. Elle se dégagea et s'éloigna jusqu'à l'autre fenêtre où elle resta à s'essuyer les yeux.

— Mona...

— Ça va aller, dit-elle en cherchant du regard une pendule. Il est tard. Il faut que je rentre.

Il s'approcha d'elle et risqua le tout pour le tout :

— Tu peux rester... si tu veux.

— Non. Mais que ça ne t'empêche pas de me reposer la question une autre fois.

Elle l'enlaça maladroitement et posa sa tête sur sa poitrine.

— Je t'aime bien, Brian. Tu es un Tom Hayden qui s'ignore.

Il l'embrassa sur le front.

— Où est passée ma petite Jane Fonda ? fit-il.

Ils restèrent étroitement enlacés, encadrés par la fenêtre comme dans un cliché sorti tout droit d'un roman à l'eau de rose.

Lady Onze les observa pendant moins d'une minute, puis elle reposa ses jumelles et tira ses rideaux.

Un couplet qui donne à penser

Étaient-ce les palmiers, l'atmosphère curieusement tropicale de la nuit ou l'homme basané qui sirotait un Campari à la table voisine? *Quelque chose,* sur la terrasse du *Savoy-Tivoli,* rappela soudainement le Mexique à Mary Ann.

Burke avait d'ailleurs la même impression :

— Ça te rappelle Las Hadas? demanda-t-il.

— Je n'avais pas choisi cet endroit pour ça, je te le jure.

Tout excitée, elle l'avait appelé depuis l'hôpital et lui avait donné rendez-vous au *Savoy.* Elle avait refusé de lui faire part de sa découverte au téléphone.

— Alors, qu'est-ce qu'il y a? demanda Burke dès que les desserts et les cafés furent servis.

Mary Ann sourit mystérieusement et plongea sa cuiller dans sa glace au caramel.

— J'ai retrouvé notre ami, répondit-elle enfin.

— Qui ça?

— Le type du marché aux fleurs. Celui aux implants.

— Nom de Dieu! Où?

— A l'hôpital. C'est lui qui y tient la boutique de fleurs. J'y suis passée cet après-midi pour acheter à Michael une azalée ou un truc de ce genre et je l'ai vu derrière le...

— Tu lui as parlé ? Tu lui as posé des questions à mon sujet ? Est-ce qu'il t'a reconnue ?

Elle fut surprise de son empressement.

— Je ne l'ai pas interrogé, Burke. J'ai eu peur de le faire.

— *Pourquoi ?*

— Parce que je crois, effectivement, qu'il m'a reconnue. Il a fait mine du contraire, mais je n'ai pas pu dissiper l'impression qu'il m'avait reconnue.

— Et alors ? Écoute, Mary Ann, si ça te gêne de lui parler, moi, ça ne m'ennuie pas d'aller le voir. Ça vaudra mieux que toutes ces angoisses et spéculations. Ce type détient peut-être la clé de toute l'histoire.

— Je sais bien, Burke. J'en suis sûre, même. Mais je crois simplement qu'on ne devrait pas prendre le risque de...

Elle prit la main de Burke.

— La cause de ton amnésie est peut-être quelque chose d'affreux, Burke. Et ce type pourrait y être pour quelque chose.

— Tu regardes trop la télé. Peut-être que j'ai travaillé pour lui, ou quelque chose comme ça.

Elle secoua la tête :

— J'ai demandé à Jon de vérifier dans les archives de l'hôpital. Tu n'as jamais figuré dans la liste de leurs employés ni dans celle des patients. Nous avons toutes les raisons de penser que tu n'as jamais mis les pieds là-bas avant ce mois-ci.

— Tu as fouiné partout, hein ? demanda-t-il avec un sourire affectueux.

— Je veux t'aider, répondit-elle doucement.

— Bon.

Il plongea la main dans la poche de sa veste en velours et en sortit une petite carte qu'il posa devant elle.

— Dans ce cas, dis-moi ce que ça veut dire, ça.

Elle prit la carte sur laquelle Burke avait écrit un petit quatrain :

Là-haut sur le Rocher Sacré
Brille la Rose Incarnée
Sur le Mont du Déluge
Au Croisement des Lignes

— Qu'est-ce que c'est ? demanda-t-elle.

— Je l'ai rêvé. Ça a de la gueule, hein ?

Il avait parlé d'un ton trop désinvolte, selon un mécanisme de défense que Mary Ann avait appris à reconnaître. Là, en fait, il était plus effrayé que jamais.

— Tu l'as *entendu* dans ton rêve, Burke ?

— Ouais. En haut, sur une passerelle avec des espèces de rambardes. Le reste du rêve est pareil que d'habitude. Il fait nuit, il y a l'homme aux implants et des gens un peu plus loin dans l'obscurité et l'homme aux implants dit : « Vas-y... c'est organique. »

— Bon... Et alors, comment l'as-tu entendu, ce quatrain ?

— Ils le psalmodiaient. Encore et encore.

— Combien de gens ?

— Je ne sais pas. Ils chuchotaient, si tu veux... comme si quelqu'un avait pu les entendre.

Mary Ann baissa les yeux sur la petite carte, puis elle posa la main sur la clé qu'elle portait autour du cou. Les deux étaient-ils liés ? Était-elle en train d'exorciser les démons de Burke, ou bien ne contribuait-elle qu'à en créer de nouveaux ?

— Tu as rêvé ça la nuit dernière ?

— Oui. Alors, qu'est-ce qu'on fait, maintenant, mon amour ?

— Je... je ne sais pas trop.

— Je crois que nous devrions aller causer à l'homme aux implants.

— Non. S'il te plaît. Pas tout de suite. Laissons passer un peu de temps, Burke.

Il accepta à contrecœur. Mary Ann s'apprêtait à argumenter quand elle aperçut une silhouette familière.

— Burke, allons-y.

— Mais je n'ai pas terminé mon café.

— Je t'en prie, Burke, et laisse un pourboire !

Il obéit, contrarié, et repoussa bruyamment sa chaise pour se lever.

Mary Ann l'empoigna par le bras et le poussa dehors sur Grant Avenue, quelques secondes à peine avant que Millie la Fleuriste ne se précipite sur ses clients habituels avec un plein panier de roses.

Pénitence

Le lendemain de son dîner avec Mona, Brian passa sa journée de travail sur un nuage. Désormais, il se sentait *à l'aise* avec Mona, il était convaincu qu'il venait de découvrir quelque chose de plus vrai, de plus satisfaisant — et d'infiniment plus sensuel — que ce qu'il avait pu connaître jusque-là.

Seulement il se sentait coupable comme jamais vis-à-vis de Lady Onze.

Comment avait-il pu l'oublier aussi facilement ? Il la *voyait* — oui, c'était le seul mot qui convenait — depuis maintenant un mois. Chaque soir depuis un mois. Elle avait placé leur relation sous le signe de la ponctualité, en tout cas. Et ça ne comptait tout de même pas pour rien.

Bien sûr, il avait prévu de la laisser tomber un jour. L'aspect fantasmatique de leur relation avait fini par s'émousser et il s'était aperçu, dernièrement, qu'il n'arrivait plus à jouir avec elle sans penser à quelqu'un d'autre. Malgré tout, il l'avait traitée d'une façon mesquine : il avait suffi d'un petit peu de Mauï Zowie pour qu'il rompe leur pacte tacite.

Et ce soir-là, à minuit, il s'assit comme un pénitent sur sa chaise, devant la fenêtre, et scruta le onzième étage du Superman Building.

Cependant, la fenêtre de Lady Onze resta éteinte.

« Elle est en train de me punir, pensa-t-il. Elle me fait souffrir parce que j'ai fauté. Ou alors — peut-être — elle se tourmente elle-même, elle se torture en vain parce qu'elle pense qu'elle n'a pas réussi à me garder. »

Mais soudain, à minuit sept, la lumière s'alluma et Brian décela un léger mouvement dans les rideaux. Il se redressa, tout excité, et leva ses jumelles. Les rideaux s'ouvrirent.

C'était bien Lady Onze, sans conteste, mais elle avait complètement changé d'allure. Elle ne portait plus son peignoir en éponge, mais ce qui semblait être un tailleur en lainage gris. Ses cheveux étaient rassemblés en un petit chignon et son expression — même à cette distance — semblait sévère et pleine de reproches.

Elle leva ses jumelles et examina Brian pendant un moment.

Il se sentit brusquement tout bête en peignoir. Il se demanda si elle avait compté là-dessus.

Elle quitta sa fenêtre pendant quelques minutes,

puis elle revint avec une grande feuille de papier qu'elle posa sur la table près de la fenêtre pour y écrire quelque chose. Ensuite, elle la leva devant elle.

Il y était écrit : « LARGUE-LA. »

Brian sentit le sang lui monter au visage. La colère, la confusion et la culpabilité luttaient en lui. Il fixa par-dessus la ville baignée du clair de lune la pancarte qui l'accusait, puis il se précipita dans sa cuisine pour y prendre un grand sac en papier.

Il en trouva un, le déchira en deux, le déplia et griffonna avec un marqueur : « C'EST JUSTE UNE COPINE. »

Puis il leva le papier devant la fenêtre le temps que Lady Onze le lût. Quand il baissa les bras, il la vit debout, les bras croisés, qui secouait la tête.

Brian pesta et répondit en ajoutant : « JE LE JURE » sur sa pancarte. Lady Onze ne bougea pas pendant un moment, puis elle se pencha de nouveau sur sa table.

Cette fois, elle avait écrit : « DÉSHABILLE-TOI. »

Furieux, Brian secoua énergiquement la tête.

Lady Onze fit la même chose avec sa pancarte.

Brian secoua la tête de plus belle.

Lady Onze griffonna de nouveau sur sa pancarte et la leva. Au-dessous de « DÉSHABILLE-TOI », elle avait ajouté : « SI TU M'AIMES. »

Exaspéré, Brian se demanda s'il n'allait pas fermer ses rideaux et se pelotonner dans son lit avec un vieil exemplaire corné de *Playboy* pour toute compagnie. Il était hors de question qu'on lui fasse un pareil cinéma. Il y avait des *tas* de filles qui flashaient sur lui sans qu'il ait besoin de se plier à des exigences aussi dégradantes.

Pourquoi *elle,* dans ce cas ? Pourquoi fallait-il qu'il s'humilie devant cette cinglée anonyme, névrosée et obsédée ?

Il connaissait la réponse, bien entendu.

Parce qu'elle avait besoin de lui. Parce que écrire « Si tu m'aimes » à un inconnu était bien plus pathétique et humiliant que de se déshabiller devant une inconnue. Parce qu'elle était désespérée et que personne d'autre ne pouvait la sauver.

Et il dénoua sa ceinture.

Lady Onze leva de nouveau ses jumelles tandis que Brian laissait glisser son peignoir sur le sol. Elle l'observa — en souriant — jusqu'à ce qu'il commence à bander. Puis elle commença à déboutonner son tailleur.

Une fois qu'ils furent tous les deux nus, leur petit rituel recommença, plus fébrile et passionné que jamais.

Dans le feu de la passion, Brian entendit frapper à la porte.

Puis une voix retentit :

— Brian, c'est Mona. Je viens de rapporter tu sais quoi. Ça te dirait d'en sniffer un peu avec moi ?

Il se figea comme un satyre sur une frise pompéienne et attendit sans bruit que la visiteuse s'en allât.

Puis il se retourna vers sa maîtresse.

Énigme à l'aube

Pour la troisième fois de la semaine, Mary Ann dormait chez Burke. Quelque chose — un bruit, un mauvais rêve — l'éveilla juste avant l'aube. Elle se souleva sur un coude et secoua doucement Burke.

— Qu'est-ce qu'il y a, mon amour ? demanda-t-il en clignant des yeux.
— Ça *doit* être quelque part dans la région.
— Quoi ?
— Le Rocher Sacré.
— Merde ! On pourrait dormir, tu crois pas ?
— Dans cinq minutes. Redis-le encore une fois.
Burke grogna. Puis il lui récita le couplet comme un collégien qui régurgite sa leçon à contrecœur.

Là-haut sur le Rocher Sacré
Brille la Rose Incarnée
Sur le Mont du Déluge
Au Croisement des Lignes

— Tu vois ? dit Mary Ann. C'est forcément dans un endroit où il y a des collines.
— Sans blague !
Elle lui donna un coup de coude dans les côtes.
— Comment s'appelle la montagne, dans la Bible ?
— Le Calvaire.
— Non, andouille. Celle où a échoué l'Arche de Noé. Le mont du Déluge, tu vois ?
— Le mont Ararat.
Elle se mordilla pensivement l'index.
— Je me demande s'il y a un endroit qui porte ce nom. Par ici, je veux dire.
— Là, tu me poses une colle.
Mary Ann rejeta les couvertures et s'extirpa péniblement du lit.
— Mais qu'est-ce que tu fous ? demanda Burke.
— Je regarde dans l'annuaire.
— Reviens te coucher, bon sang !
— Ça ne prendra qu'une minute.
Elle trouva l'annuaire par terre et tourna rapidement les pages.

— Arante... Araquistain... Ararat ! Ararat, restaurant arménien, 1 000 Clement Street ! Regarde, Burke !

— Et alors ?

— Il y a peut-être un rapport.

Elle fronça le nez, vexée de son complet manque d'enthousiasme.

— Tu n'as pas *envie* de vérifier, Burke ?

Il sourit pour la taquiner :

— D'accord, Angie Dickinson. Et la Rose Incarnée, c'est quoi, dans ce cas ? Une fille qui fait la danse du ventre dans le restaurant ?

— Ça se pourrait très bien, petit malin.

— Et le Croisement des Lignes ?

— Je n'aime pas tellement ton attitude.

— Alors dans ce cas, tu ne veux pas entendre *ma* théorie, je suppose ?

— Tu en as une ?

— Ouaip !

— Alors vas-y.

— Ça va te coûter bonbon.

— Pas question !

Il se pressa le front du bout des doigts en faisant le pitre.

— Oh... C'est en train de s'effacer... J'ai bien peur de la perdre. Ce n'est plus qu'un tout petit, petit...

— Oh, d'aaaaccord !

Elle grimaça avec malice et revint se coucher. Il y eut tant d'empressement dans leur manière de faire l'amour que ce fut leur meilleure nuit depuis des semaines.

Après cela, Burke alla faire chauffer du lait à la cuisine. Ils partagèrent la même tasse fumante, assis dans le lit.

— Alors, qu'est-ce que c'est, ta théorie? demanda Mary Ann.

Burke but une gorgée de lait avant de répondre.

— Je crois que ça a quelque chose à voir avec la cocaïne.

— La *cocaïne*?

Elle était encore restée très Cleveland, en ce qui concernait cette drogue-là.

— Ouais. Une ligne de coke, tu vois? Le Croisement des Lignes.

— Ah.

— Elle te plaît pas, ma théorie, hein?

— Mais pourquoi des gens chanteraient des incantations sur un pareil sujet?

— En Californie, on fait des incantations pour tout et rien. Ça pourrait être une secte qui...

— Tu penses que c'est une secte?

L'idée l'avait déjà effleurée, mais elle avait très peur d'aborder le sujet. Burke était de plus en plus sensible concernant son passé oublié.

— Je ne sais pas, répondit-il.

— Si, tu sais. Tu penses que c'était une secte.

— Je ne *pense* rien, répondit-il sèchement. Je fais des suppositions. Je fais des suppositions sur ma putain de vie passée, ce qui n'est pas la chose la plus facile à faire.

— Je sais. Excuse-moi.

Il l'attira contre lui :

— Je ne voulais pas être méchant.

— Je sais.

— Essayons de dormir, OK?

— OK... Burke?

— Ouais.

— Dans le rêve... Est-ce que tu te souviens si tu... Laisse tomber, ça n'a aucune importance.

— Allez, qu'est-ce qu'il y a?

— Je me demandais... Est-ce que tu te rappelles si tu faisais partie de ceux qui chantaient ?

— Non.

— Tu n'en faisais pas partie ?

— Non. Je veux dire que je ne m'en souviens pas.

Pour la première fois, elle n'était pas sûre de le croire.

La théorie de Michael

Mary Ann quitta l'appartement de Burke juste après le petit déjeuner. Elle lui dit qu'elle avait des doutes sur son statut chez Halcyon Communications. Il fallait qu'elle passe quelques coups de fil pour rappeler à ses supérieurs qu'elle voulait un nouveau poste. Ces vacances inattendues ne pouvaient pas durer éternellement.

Mais elle ne lui avait pas dit toute la vérité.

Après avoir téléphoné à Mildred (qui l'assura que le conseil d'administration allait élire un nouveau président la semaine suivante), elle appela le restaurant arménien *Ararat* et demanda si un certain Burke Andrew y avait jamais travaillé.

Le directeur lui répondit qu'il ne connaissait personne de ce nom.

C'était une idée stupide, évidemment, mais ce couplet idiot, l'homme aux implants et tous les problèmes que Burke avait avec les roses commençaient à l'inquiéter sérieusement.

Burke lui aussi semblait énervé, ces derniers temps. Il était d'ailleurs de plus en plus irritable au fur et à mesure que Mary Ann s'acharnait à vouloir résoudre l'énigme de son passé. Se souvenait-il enfin suffisamment, se demanda-t-elle, pour être effrayé de la révélation finale ?

Lui avait-il dit tout ce qu'il savait ?

Elle se rendit compte qu'elle avait besoin d'un allié, d'un tiers impartial qui pourrait l'aider à mettre en place toutes les pièces du puzzle.

— Il y a quelqu'un ?

Michael lui fit un sourire depuis son lit :

— Juste moi et mon nouvel amant.

— C'est ça, dit-elle en s'approchant du lit pour embrasser Michael et faire semblant de s'intéresser à ce qu'il y avait à la télévision. Eva Gabor a encore l'air tellement jeune, ajouta-t-elle d'un ton las.

— C'est grâce aux pinces.

— A quoi ?

— Elle a des pinces.

Des deux mains, il se tira le cuir chevelu derrière les tempes.

— Là... et là. On ne les voit pas, parce qu'elles sont sous la perruque.

— Oh, Mouse, gloussa Mary Ann. Tu m'as tellement manqué, dit-elle en s'asseyant sur le bord du lit et en lui passant une main dans les cheveux. Tu es complètement hirsute, tu sais.

Il éteignit le poste avec la télécommande.

— Où en es-tu du Grand Mystère ? demanda-t-il.

— Ça s'épaissit de plus en plus, de jour en jour, grogna-t-elle.

Elle lui raconta le rêve du couplet, le subtil changement de comportement de Burke et sa peur croissante que ce dernier ne commençât à en avoir assez qu'elle joue les détectives amateurs.

Michael roula des yeux :

— Redis-moi le texte.

Elle s'exécuta.

— Qu'est-ce que tu en penses ? demanda-t-elle.

— Ça pue la secte à plein nez, ça c'est sûr.

— J'avais justement peur que tu dises ça.

— Eh bien, ça expliquerait pas mal de choses. L'amnésie, par exemple. Peut-être qu'on l'a déprogrammé ou quelque chose comme ça. Ou peut-être que ce sont ses parents qui l'ont fait déprogrammer, comme avec les Moonies.

— Oh, Mouse !

Cette possibilité-là ne l'avait jamais effleurée.

— C'est possible, dit Michael.

— Tu crois qu'ils auraient fait ça ? Sans lui demander son avis, je veux dire ?

Il répondit en souriant :

— Mes parents seraient *ravis* de me déprogrammer. Mmmh... Je me demande comment on s'y prend... Peut-être qu'on t'enferme dans une cellule capitonnée avec de la musique de supermarché et qu'on t'envoie une décharge électrique dans les parties génitales chaque fois que tu réagis positivement à un film avec Bette Davis...

— Mouse, est-ce que tu as eu des nouvelles de tes parents ?

— Non, je ne crois pas qu'on puisse dire que c'était des « nouvelles » : ma mère m'a écrit pour me dire que mon « péché à la face du Seigneur » avait tué mon père et mon père m'a écrit pour me dire que ça avait tué ma mère, dit-il avec un faible sourire. Ils s'inquiètent terriblement l'un de l'autre. Rien de nouveau dans tout ça.

Plus tard dans l'après-midi, Jon vint lui rendre une petite visite.

— Devinez qui va entrer à la maternité d'ici peu ?

— Qui ? demandèrent Mary Ann et Michael en chœur.

— DeDe Day. Elle a presque une semaine de retard. Et avec des jumeaux, rien que ça !

Mary Ann se rembrunit.

— C'est un peu triste, fit-elle remarquer.

— Comment ça ?

— Eh bien, qu'ils n'aient pas de père, je veux dire.

Jon haussa les épaules. Question paternité, selon lui, Beauchamp Day n'était pas une perte.

— J'ai vu le type dans le parking, dit-il pour changer de sujet.

— Qui ?

— Le type de la boutique de fleurs. Je comprends que tu aies eu peur.

— *Pourquoi ?* demanda Mary Ann qui sentit ses poils se dresser sur sa peau.

— Eh bien, il m'a regardé comme si je l'avais surpris en train de violer une religieuse ou je ne sais quoi.

— Qu'est-ce qu'il faisait ?

— Je n'ai pas vraiment vu, avoua Jon. Il était en train de charger une glacière dans sa voiture.

— Une glacière ?

— Tu sais, les glacières en polystyrène. Comme celles qu'on utilise pour garder la bière au frais.

— A ce sujet, intervint Michael, mon gynécologue ne m'avait-il pas promis de m'apporter quelque chose, aujourd'hui ?

Jon éclata de rire et s'assura que la porte était bien fermée. Puis il tendit à Michael un joint de la meilleure herbe maison de Mme Madrigal.

— Vous pouvez le fumer ensemble, dit-il, mais

laissez la porte fermée et attendez que j'aie quitté l'hôpital.

Mary Ann ne l'entendait déjà plus, s'interrogeant :

Une glacière en polystyrène ?

Il faut toujours écouter son père

Mona était en train de laver la vaisselle comme s'il s'était agi de s'acquitter d'une punition, lorsque Mme Madrigal entra dans la cuisine.

— Tu es fâchée contre moi, ma chérie ?

Mona haussa les sourcils :

— Non. Bien sûr que non.

— Alors, tu es fâchée contre *quelqu'un*. Contre Brian ?

Silence.

— Je croyais que tu m'avais dit que vous aviez passé une excellente soirée en dînant ensemble.

— Il est complètement barjot, lâcha Mona.

Mme Madrigal prit un torchon et commença à essuyer la vaisselle.

— Je sais, répondit-elle. Je croyais qu'il ferait un merveilleux gendre, sous ou sans les liens sacrés du mariage. Tu as besoin de quelqu'un, Mona.

— Pas de lui, en tout cas.

— Mais qu'est-ce qu'il a fait, pour l'amour du ciel ?

Mona ferma le robinet, s'essuya les mains et s'effondra sur une chaise.

— Nous avons effectivement passé une excellente soirée en dînant ensemble. C'était merveilleux, OK ? Donc je suis retournée le voir le lendemain soir. Il était tard, je crois, mais pas si tard que *ça* et il aurait pu au moins répondre sans m'ouvrir si...

Elle se tut.

— Si quoi ? demanda Mme Madrigal.

— S'il était avec quelqu'un.

— Ah.

Mona se détourna, fulminante.

— Comment sais-tu qu'il était chez lui ? demanda Mme Madrigal.

— Il était là. Je l'avais vu monter dix minutes plus tôt.

— Et il était avec quelqu'un quand tu l'as vu ?

— Non, mais il aurait pu... Je ne sais pas. Laissons tomber, OK ?

Mme Madrigal sourit gentiment à sa fille, puis elle tira une chaise et s'assit à côté d'elle. Elle posa doucement sa main sur le genou de Mona.

— Tu sais, ce panneau que tu détestes tellement, celui qu'il y a devant Abbey Rents ?

— Ouais, répondit Mona d'un ton boudeur. « Cotillons et Accessoires funéraires. »

— Eh bien, c'est ça, non ?

— Quoi ?

— La *vie,* ma chérie, dit-elle en serrant légèrement le genou de Mona. Dans la vie, si on veut sa part de cotillons, il faut savoir supporter le funéraire.

Mona leva les yeux au ciel.

— Alors ça, c'est vraiment simpliste.

— Pas du tout, ma chérie, repartit gracieusement Mme Madrigal. Simple, au contraire.

La mauvaise humeur de Mona se dissipa. Dans l'après-midi, Mme Madrigal et elle descendirent bras dessus, bras dessous chez Molinari Delicatessen où elles achetèrent du salami, du fromage et une barquette de champignons à la grecque. Elles pique-niquèrent dans Washington Square en regardant des grand-mères chinoises qui faisaient du taï-chi sur les pelouses.

Mona se jeta finalement à l'eau :

— Il faut que je te dise quelque chose, fit-elle à brûle-pourpoint.

— Oui, ma chérie ?

— C'est quelque chose de pas très... cotillon.

— Je t'écoute, dit Mme Madrigal avec un sourire.

— Ma mère vient à San Francisco.

Le sourire de Mme Madrigal disparut.

— La délicieuse Betty Ramsey, expliqua Mona. Je crois que vous vous connaissez.

— Mona... Pourquoi ?

— Je ne sais pas exactement, dit-elle en prenant la main de Mme Madrigal. Je suis désolée. Vraiment. Je l'ai suppliée de ne pas venir. Elle a dit que je lui devais bien ça et que j'étais en train de faire une grosse bêtise. J'ai fait tout ce que j'ai pu pour l'empêcher.

— Tu lui as parlé de moi, Mona ?

— Non ! Je te le jure !

— Eh bien, qu'est-ce que c'est que cette histoire de « grosse bêtise » ?

— J'espérais que tu pourrais m'expliquer. Je veux dire : est-ce qu'il y a quelque chose que je devrais savoir, en dehors de ton opération ?

— Je n'arrive pas à voir ce que...

La voix de Mme Madrigal mourut. Elle tripota d'une main distraite les boucles de cheveux qui encadraient son visage anguleux.

— Mona, si elle ne sait pas que toi et moi

vivons ensemble, je ne vois pas comment je pourrais savoir quoi que ce soit qui explique ce qu'elle t'a dit.

— Mais elle *sait*. Je veux dire, je *crois* qu'elle sait. Oh, mon Dieu, on est dans le caca !

Mme Madrigal parvint à glousser :

— Alors, que faisons-nous, ma fille ?

— On l'invite à dîner ? fit Mona avec un pauvre sourire.

— Oh, là là ! Pas cotillon, pas cotillon du tout, ça !

Mona se mit à rire.

— Peut-être que je devrais d'abord lui parler. Si elle n'est pas au courant pour toi, inutile de te trahir.

— Excellente idée.

... Mais qui sembla de moins en moins excellente au fur et à mesure que la journée passait. Ce soir-là, pendant que Mona était partie rendre visite à Michael à l'hôpital, Mme Madrigal enfreignit l'une de ses règles de conduite et resta assise dans sa chambre à se ronger les sangs en envisageant ce qui allait arriver.

Elle savait que c'était idiot. Si une confrontation avec Betty était inévitable, pourquoi s'angoisser ? Le plus important était désormais de mobiliser toute son énergie pour le bonheur de Mona.

Aussi se rendit-elle chez Brian pour lui parler.

Il lui en apprit plus qu'elle ne s'y attendait.

Burke explose

Un brouillard printanier persistant rampait sous le pont en direction de la ville. Mary Ann se remplit les poumons d'air tout en lisant les instructions pour procéder à un accroupissement isométrique.

— Celui-là, c'est horrible !

Burke fit un sourire grimaçant et s'adossa solidement à l'un des piliers de chêne, puis se laissa lentement glisser dans la même posture.

— C'est *toi* qui l'as voulu, n'oublie pas.

Elle lui tira la langue. Évidemment, il avait raison. Depuis des semaines, elle lui faisait tout un plat pour aller sur le parcours de gym du Marina Green, arguant du relâchement de ses abdominaux et de la lecture d'un article sexy paru dans *Apartment Life* sur les couples qui font de la gym ensemble.

Burke était ravi de la voir en baver.

— Il est encore temps de déclarer forfait, annonça-t-il, avant que tu ne te déchires quelque chose.

— Ha ! Et qui est-ce qui t'a battu aux ischios *et* aux fessiers ?

Elle s'adossa au pilier, en face de Burke, et se mit en devoir de glisser prudemment, accroupie à son tour.

— C'est parce que tu fais le parcours débutant. Moi, je m'entraîne pour le championnat.

— Et tu vas t'effondrer à la fin. Tu n'as jamais entendu parler d'endurance ?

Burke termina sa série de trente et se remit debout d'un bond.

— Un esprit sain dans un corps sain ! s'exclama-t-il.

A cette remarque, Mary Ann ne trouva rien à répliquer : ils avaient tous les deux la même chose en tête.

— Bon, d'accord, fit Burke en haussant les épaules. On ne peut pas tout avoir.

Quand ils eurent terminé leur parcours, ils revinrent à petite allure jusqu'à un banc qui faisait face à la baie. Mary Ann souriait dans la brise en sentant le sang irriguer parfaitement son corps. Elle passa un bras sous celui de Burke et posa sa tête sur son épaule.

— Est-ce que je pue autant que toi? lui demanda-t-elle.

Il l'embrassa sur la tempe :

— Absolument !

— C'est charmant.

— On ne va pas prendre de douche quand on va rentrer, je veux baiser à même la moquette dans le salon.

— Burke !

— J'adore les femmes qui sentent le bouc.

Il l'embrassa de nouveau et se mit à chanter le refrain de *I Remember You.*

Mary Ann ne releva pas.

— Je ne crois pas me souvenir de t'avoir jamais entendu chanter. Tu as une jolie voix.

— N'est-ce pas? fit-il avant de reprendre sa chanson.

— Est-ce que tu as déjà chanté... professionnellement, je veux dire?

Il se tourna vers elle, hésitant :

— Pas professionnellement, non. Seulement à l'église, à Nantucket. Dans le chœur du Bon Berger. Où veux-tu en venir?

Il avait parlé sur un ton défensif.

— Nulle part, l'assura Mary Ann. Je n'ai pas le droit d'être un peu curieuse de toi ?

— C'est ce que ma mère m'a dit quand elle a appelé hier soir.

— Elle t'a téléphoné ?

Il hocha tristement la tête.

— Ils ont peur, c'est ça ?

— Forcément. Ils détestent San Francisco. Leur fils unique y a été retrouvé amnésique dans les buissons de Golden Gate Park. Et il y retourne pour retrouver ses fantômes.

— Tu t'en souviens, Burke ?

— De quoi ?

— De t'être réveillé dans des buissons, dans le parc ?

— Pas vraiment. Je me souviens d'être resté à l'hôpital un certain temps, puis...

— *Quel* hôpital, Burke ?

— Le Presbyterian Hospital, dit-il avec un sourire indulgent.

— Bon, alors comment sais-tu ce qui s'est passé ? Cette histoire dans le parc et tout.

Il la fixa, interloqué.

— Quoi ?

— Comment sais-tu si tes parents te disent bien la vérité ?

— Mais bon sang, qu'est-ce que tu... ?

— Ils auraient pu te déprogrammer, Burke.

Mary Ann se recula légèrement, prête à subir sa riposte. Burke la regarda un instant en clignant des yeux, puis il explosa d'un rire méprisant :

— Je suis peut-être cinglé, ma petite, mais pas *idiot* ! Nom d'un chien, tu crois que je ne m'en rends pas compte, quand les gens me mènent en bateau ? Tu t'imagines que je n'ai pas assez de jugeote pour... Merde !

Il n'y avait rien d'autre à faire que d'essayer de le calmer.

— Burke, ne le prends pas si mal. Excuse-moi, OK ?

Il rumina en silence, les yeux fixés sur la baie couverte de brouillard.

— Je ne suis pas un gosse, dit-il enfin. *J'ai travaillé à l'A.P., Mary Ann.*

Ce soir-là, à la suggestion de Mary Ann, ils dormirent chacun chez soi pour la première fois depuis leur arrivée à San Francisco.

Mary Ann rêva de roses.

Elle marchait sur une passerelle avec une douzaine de ces fleurs dans les bras. Derrière elle suivait l'homme aux implants, à la tête d'un cortège de porteurs de roses.

Ils étaient tous là : le nain de Las Hadas, la vendeuse de roses du marché aux fleurs, ainsi que Millie la Fleuriste, Arnold et Melba Littlefield, brandissant la croix de la cérémonie funèbre de Beauchamp.

Soudain, Burke apparut au bout de la passerelle. Il empoigna le bras de Mary Ann et la secoua en disant sur un ton suppliant : « J'ai travaillé à l'A.P., Mary Ann. *J'ai travaillé à l'A.P.* »

Quand elle se réveilla, elle savait quelle était la marche à suivre.

L'Associated Press, apprit Mary Ann, était située au troisième étage du gratte-ciel Fox Plaza, un immeuble qui se dressait comme une pierre tombale à l'emplacement du défunt Fox Theater.

Le théâtre avait été démoli près de cinq ans avant l'arrivée de Mary Ann à San Francisco, mais Michael lui avait dit que l'endroit était merveilleux et qu'il avait une majesté rococo propre à combler toutes les sensibilités humaines.

C'était à cela qu'elle pensait, sous l'éclairage au néon d'un bureau, en attendant qu'un certain Jack daignât lever les yeux de l'écran de son ordinateur et s'apercevoir de sa présence.

— Euh... Excusez-moi. Le responsable de l'agence m'a dit que vous pourriez peut-être...

Il resta le nez sur son écran :

— Merde, putain, quel bordel !

— Je suis désolée si je vous dérange à un mauvais moment.

— Non, c'est pas vous.

Il éteignit l'appareil et pivota sur sa chaise en lui offrant un sourire fatigué.

— Qu'est-ce que vous voulez qu'on puisse écrire sur Patty Hearst, de toute façon ?

— Je n'ai jamais essayé, sourit Mary Ann.

— Eh bien, n'essayez pas. Quand je vois la quantité d'articles, je me dis que cette gonzesse est encore plus chiante qu'Angela Davis, Charles Manson et le Zodiaque réunis.

— Ça doit être passionnant, pourtant.

— J'avais demandé ma mutation à Buffalo, ricana le journaliste. J'ai *supplié* pour qu'on m'y envoie. Eh bien, non ! Ces connards de New York se sont dit que le bon vieux Jack Lederer serait *parfait* pour San Francisco.

Il chercha une cigarette, l'alluma et balança l'allumette par terre.

— Alors, qu'est-ce que je peux faire pour vous ?

— Le chef d'agence m'a dit que vous travailliez avec...

— Prenez une chaise.

Elle obéit et se casa comme elle put entre son bureau et un classeur à tiroirs étiqueté « *Serial Killers, etc.* ».

— Le chef d'agence m'a dit que vous aviez travaillé avec un type nommé Burke Andrew.

Il réfléchit un moment :

— Ouais. Il y a deux — non — au moins trois ans. Mais pas longtemps. Quatre ou cinq mois tout au plus. Il ne supportait pas le stress.

— On l'a viré ?

— Nan, il a filé sa dém'. Il était trop lent, c'est tout. Il lui fallait des *heures* pour rédiger une malheureuse dépêche. Il aurait été infichu d'aller plus vite même s'il y avait eu le feu. Il était sympa, cela dit. Un copain à vous ?

— Ouais.

— Il a disparu ?

— Non, pourquoi ?

— C'est l'endroit rêvé pour, non ? fit-il en haussant les épaules. Pour disparaître de la surface de la terre.

Mary Ann sourit en frémissant intérieurement. Cela faisait une éternité qu'elle n'avait pas repensé à Norman Neal Williams.

— Burke est amnésique, monsieur Lederer. Il ne se souvient de rien après son passage à l'A.P. Je me suis dit que vous pourriez...

— Dites donc ! siffla le journaliste. C'est une vraie série télé.

— Je ne vous le fais pas dire.

— Vous voulez reconstituer le puzzle, c'est ça?

Elle hocha la tête :

— Vous a-t-il parlé de ce qu'il avait l'intention de faire après l'A.P.? Vous a-t-il fait part de ses projets?

— Vous me faites marcher?

— Non? Pourquoi je ferais ça? Écoutez, le chef d'agence m'a dit que vous aviez beaucoup travaillé ensemble.

— Ouais. Nous avons souvent fait la nuit ensemble. Mais il n'a jamais abordé de questions personnelles.

— Quand il était à l'A.P., est-ce qu'il a travaillé sur des sectes?

Jack Lederer secoua la tête.

— Le rayon zarbi, c'est moi, ma belle, fit-il avec un sourire agaçant. Vous croyez qu'il s'est fait enrôler par les Moonies, c'est ça?

Elle ignora sa remarque :

— Pensez-vous qu'il y ait une possibilité pour qu'il ait...

— Quand est-ce qu'il a été frappé d'amnésie, au fait?

— Il y a environ trois mois, la police l'a retrouvé dans le Golden Gate Park. Il était inconscient.

Le journaliste ouvrit un tiroir d'un geste sec et en sortit un calepin.

— Je crois que ça devait être... Non, avant ça!... Exactement...

Il commença à feuilleter.

— J'ai vu votre copain, juste un instant, il y a environ cinq mois, un soir, chez *Lefty O'Doul*. Il m'a dit qu'il était en free-lance et que j'allais être mort de jalousie, parce qu'il était sur un coup vraiment dingue.

Le cerveau de Mary Ann tournait à cent à l'heure.

— Vous voulez dire qu'il était toujours journaliste ?

Le type de l'A.P. ricana :

— *Free-lance.* C'est pas la même chose. Les types en free-lance racontent toujours des bobards, fit-il en baissant de nouveau le nez sur son calepin. Ouaip. C'est ça : « Transsubstantiation. »

— Quoi ? Je crains de ne pas...

— Ouais. Moi non plus. Quand j'ai demandé à votre copain de me dire quelque chose d'un peu plus substantiel que « je suis sur un coup vraiment dingue », il a rigolé et répondu : « Je dirais plutôt que c'est *trans*substantiel. » Alors je lui ai demandé ce que c'était censé signifier et il a vidé son verre avant de me répondre de regarder dans le dico.

— Et ?...

— Il est parti.

— Non, je voulais dire : qu'est-ce que ça signifiait ?

Jack Lederer écrasa sa cigarette, puis désigna le dictionnaire posé sur le dessus du classeur « *Serial Killers, etc.* ».

— Regardez vous-même, ma belle.

Retour au bercail

Michael dans les bras, Jon inspira un bon coup et considéra l'escalier de bois abrupt qui menait à Barbary Lane.

— Prêt ? fit-il.

— Si je suis prêt, *moi*? Mais c'est *toi* qui m'inquiètes. Où est le sherpa, d'ailleurs?

— Il est mort du mal des montagnes à deux mille quatre cents mètres.

— Merde! On ne trouve plus de bons sherpas, de nos jours.

Jon vacillait sous la charge.

— Ne me fais pas rigoler, je vais te lâcher.

— Cause toujours. Si je tombe, tu tomberas avec moi.

Jon monta les marches à grands pas fermes.

— Je crois qu'on ferait bien de constituer des réserves. Quelque chose me dit qu'on ne va pas sortir faire les courses très souvent.

Il s'arrêta, hors d'haleine, devant l'entrée de Barbary Lane.

— Pour l'amour du ciel, fit Michael d'un ton mélodramatique. Quoi que tu fasses, *ne regarde pas en bas*. Fais comme si tu étais Karen Black dans *Airport*.

Là-dessus, il sourit courageusement à Jon en louchant.

— Michael, arrête, si ça ne te fait...

— Oh, pardon!

Le médecin descendit l'allée ombragée d'arbres et jura, furieux, quand Boris, le chat du quartier sortit des taillis pour se frotter le dos sensuellement contre ses jambes.

— Une petite chatte de temps en temps, fi Michael, ça peut pas faire de mal!

Mona les attendait dans la cour.

— Est-ce qu'il faut que je coure chercher le fau teuil roulant ou quelque chose d'autre?

— C'est plus facile de le porter, dit Jon en secouant la tête.

— Et il me fait passer le seuil dans ses bras, j

te ferai remarquer, dit Michael avec un clin d'œil à Mona.

— Tu aurais au moins pu me jeter ta jarretière, répondit-elle.

— Depuis quand tu veux te marier, toi?

— Je *blaguais,* Mouse.

Mme Madrigal accourut à son tour et leur tint la porte.

— Bienvenue à la maison, mon cher. Ici, sans toi, ce n'était plus pareil.

— Ici, de toute façon, ça ne l'est jamais! répondit Michael en lui adressant un baiser du bout des doigts.

Jon prépara un rôti pour le dîner. Ensuite, il approcha de la fenêtre le fauteuil roulant de Michael et tira une chaise à côté de lui.

— Le poisson me manquait, dit Michael.

— Quel poisson?

— Là-bas. L'enseigne au néon, sur les quais. Je l'ai toujours considéré comme une espèce de talisman.

Jon alluma un joint et le lui tendit.

— Dans l'Antiquité, le poisson était un symbole d'espoir, pour les chrétiens. Ils le gravaient sur les murs des catacombes où ils se cachaient.

— Sans blague? sourit Michael avant de prendre une bouffée. Tu sais que tu m'apprends des choses, toi?

Jon garda les yeux fixés sur la baie :

— Je peux rester, alors?

Silence.

— Eh bien... Dis *quelque chose.*

— Je t'aime, Jon...

— C'est pas mal, pour un début.

— Je n'ai pas envie d'une relation docteur-patient, c'est tout.

Jon se retourna et le regarda droit dans les yeux.
— C'est ce que tu crois ?
— Tu es médecin, Jon. Ce serait tout ce qu'il y a de plus naturel pour toi de trouver ça excitant, de jouer à l'infirmière...
— Je *déteste* te torcher le cul !
— Écoute, je ne voulais pas... Non, c'est vrai, tu n'aimes pas ?
— Sûrement que non !
Michael sourit :
— Tu ne sais pas à quel point ça me fait plaisir, dit-il.
Ils éclatèrent de rire à en avoir les larmes aux yeux. Michael laissa échapper le joint qui roula sur le sol. Jon l'écrasa du pied, puis il se pencha et regarda Michael droit dans les yeux :
— Je veux être avec toi, bonhomme. Et pour le reste, je m'en fous.
— Je sais.
— Cela dit, ce qui m'excite par-dessus tout, c'est de baiser avec les paraplégiques.

Tous les deux assis dans le lit, ils feuilletaient de vieux numéros d'*Architectural Digest*.
— Hé, dit Jon. Tu veux que Mona monte prendre le brunch avec nous, demain ?
— Elle risque de pas être d'humeur. Elle voit sa mère, ce soir.
— Sa mère est une peau de vache ?
— D'après Mona, c'est le genre « coiffure par L'Oréal, bijoux par Cartier et cœur par Frigidaire ». Mais comment savoir ?
— Ouais.
Jon se replongea dans son magazine.
Michael cessa sa lecture et savoura un moment cette nouvelle forme d'oisiveté. Durant toute sa vi

d'adulte, il avait cherché quelqu'un avec qui il n'aurait *rien* fait au lit. Et maintenant, il l'avait trouvé, celui qui était assez brillant, assez généreux et dont l'amour était assez fort pour que le sexe fût ramené à ses justes proportions.

Jon lui tendit son magazine :

— Tu ne trouves pas ça splendide ? demanda-t-il.

C'était une ancienne photo du *Pacific Union Club,* le palais qui trônait encore au sommet de Nob Hill.

Michael hocha la tête :

— Tu penses, un club avec autant d'argent !

— Ce n'est pas le club lui-même qui a payé. Ce sont les DeLuge.

— Les DeLuge ?

— La famille DeLuge. Bourrée de fric, dans le temps.

Michael fronça le nez :

— Tu ne crois pas que...

— Quoi ?

— Mince ! s'exclama Michael. Mais ça pourrait bien être ça, Jon. *Ça pourrait bien être ça !*

Le mont du Déluge

Il était tard, mais Michael était trop excité pour attendre le matin et appeler Mary Ann.

— Bonsoir. L'agence de détectives Ajax, à l'appareil.

— Mouse ?

— Tu croyais que tu allais me coincer, avec ton couplet à la con, hein ?

— Tu as trouvé quelque chose ?

— Mais naturellement ! Tu peux descendre, là ?

— Si je peux !...

Et elle raccrocha sans attendre davantage.

Jon posa son *Architectural Digest* sur la table de chevet.

— Est-ce qu'il faut que je me lève ?

— Pourquoi ? demanda Michael.

— Mais elle descend, non ?

Michael prit un air légèrement froissé :

— Je crois qu'elle sait très bien que nous couchons ensemble, Jon.

— Je sais, mais...

Le médecin eut envie de sourire.

— J'ai l'impression d'être une espèce de Nora Charles...

Michael tapota le revers du pyjama de Jon.

— Tout ira bien : tu portes ton déshabillé à merveille.

Trois secondes plus tard, ils entendirent Mary Ann frapper discrètement à la porte.

— C'est ouvert ! brailla Michael.

Quand Mary Ann passa la tête dans la chambre, Michael fit en sorte qu'il n'y ait pas de silences gênés.

— Ça ira, dit-il malicieusement. Fais comme si on était Starsky et Hutch.

— Vous leur ressemblez pas mal, gloussa Mary Ann en tirant une chaise près du lit. J'espère que ça ne t'ennuie pas que je vous dérange, Jon.

— Je suis moi-même impatient d'entendre ce que c'est que cette histoire, reconnut-il.

— En fait, précisa Michael, c'est lui qui m'a donné la solution.

Mary Ann ne tenait plus en place :

— Allez, raconte, raconte !

Michael sourit mystérieusement pour faire durer le suspense.

— Je crois que le petit quatrain de Burke concerne le P.U. Club.

— Le quoi ?

— Le P.U. Club, bec à foin ! Le *Pacific Union Club* qui est en haut de Nob Hill.

— Ce gros machin en briques rouges ?

Michael hocha la tête.

— Il a été construit par un certain DeLuge, ce qui fait de Nob Hill le mont de DeLuge ! Et le P.U. Club n'est pas seulement une *secte,* c'est notre *plus ancienne secte.* Imagine, tous ces vieux banquiers trop rembourrés assis dans leurs fauteuils trop rembourrés !

Mary Ann était restée bouche bée.

— Mouse, tu crois qu'ils psalmodient cette incantation lors de leurs cérémonies, ou quoi ?

— Tu ne trouves pas ça tout à fait logique ?

Mary Ann réfléchit un instant, puis :

— Bon, *cette partie-là* est logique. Mais le reste du couplet ? Le Croisement des Lignes, par exemple ?

Jon, qui écoutait avec attention depuis le début, ne put résister à l'envie de demander :

— Qu'est-ce que c'est, le Croisement des Lignes ?

— C'est l'un des vers, expliqua Michael. « Là-haut sur le Rocher Sacré / Brille la Rose Incarnée / Sur le Mont du Déluge / Au Croisement des Lignes. »

— Peut-être qu'ils reniflent de la coke, au P.U. Club, suggéra Jon.

— Burke pense que c'est ce que ça signifie, dit Mary Ann.

— Au P.U. Club, ils reniflent tout court, objecta Michael.

— Attendez ! s'exclama Jon. Et les tramways ?

— Quoi, les tramways ?

— Les lignes des tramways. Elles se croisent sur California et Powell, juste à côté du P.U. Club !

Mary Ann et Michael glapirent en chœur.

— Brillant ! fit Michael. Positivement brillant !

Mary Ann acquiesça :

— Ça ne peut être que *ça*, rayonna-t-elle.

Jon s'inclina avec cérémonie.

— Maintenant, tout ce qui nous reste à faire, déduisit-il, c'est de déterminer en quoi tout ça peut être lié au fleuriste de l'hôpital St Sebastian, non ?

Mary Ann hocha la tête d'un air pensif.

— ... Et en quoi tout ceci a un rapport avec la transsubstantiation, compléta-t-elle.

Le regard de Michael alla de l'un à l'autre :

— Je vous demande pardon, madame ? fit-il.

— Tu as un dictionnaire ?

— Dans la bibliothèque, près de la porte, dit Michael. A côté des *Mémoires d'Hadrien*.

Mary Ann prit le dictionnaire et commença à le feuilleter.

— Je suis allée à l'A.P. aujourd'hui. Là où Burke travaillait. Un type de là-bas m'a dit qu'il était tombé sur Burke il y a cinq mois et que Burke lui avait appris qu'il travaillait sur... Voilà : « Transsubstantiation ».

Elle tendit le dictionnaire à Jon.

— « Changement complet d'une substance en une autre », lut Jon à haute voix.

— Lis la définition suivante, dit Mary Ann.

— « Lors de la messe, dans le culte catholique romain, changement de toute la substance du pain et du vin en toute la substance du corps et du sang de Jésus-Christ, l'apparence extérieure de pain et de vin demeurant intacte. » Qu'est-ce que ça a à voir avec Burke ?

— Le type de l'A.P. dit que Burke travaillait sur une affaire vraiment bizarre, en rapport avec la transsubstantiation.

Michael plissa le front, intrigué :

— Tu en as déjà parlé avec Burke ? s'enquit-il.

Mary Ann secoua gravement la tête :

— Je crois qu'il commence à en avoir marre de ma curiosité, Mouse. Je ne sais pas ce que ça signifie, mais j'essaie de ne pas trop en parler tant que je n'ai rien de solide à avancer.

— Tu sais ce que je crois, moi ? dit Jon.

— Quoi ? demanda Mary Ann.

— Je crois que tu as *trop* d'indices.

— Tu as certainement raison, soupira Mary Ann.

Betty

La première chose que remarqua Mona chez Betty Ramsey, ce furent ses vêtements. Elle était habillée de la tête aux pieds en vert et blanc Kelly, l'uniforme caractéristique des femmes qui travaillent dans l'immobilier.

Et les vêtements de Mona furent la première chose que Betty remarqua.

— Où as-tu déniché cette robe ? A l'Armée du Salut ?

Mona esquissa un petit sourire satisfait :

— Eh bien, oui, justement.

— Elle est ignoble.

— Merci.

— Les hippies, c'est terminé, Mona. Vis avec ton temps.

Mona ne lui prêta aucune attention et s'approcha de la fenêtre.

— Qu'est-ce que tu fais ? demanda Betty.

— Je regarde la vue que tu as.

Elle se retourna et sourit à sa mère.

— C'est la première chose que font tous les gens de San Francisco quand ils rendent visite à quelqu'un.

Elle écarta les rideaux et baissa les yeux sur la splendeur nocturne de la ville.

— Mmmh, très joli. A qui appartient cet appartement, au fait ?

Betty fit dégringoler des glaçons dans un verre.

— A Susan Patterson. Quelqu'un que j'ai connu il y a des années à Carmel. Elle est en Suisse pour la saison.

Mona jeta un regard circulaire sur la pièce :

— On dirait que tu es là depuis l'année dernière, toi.

L'endroit était jonché dc sacs et de boîtes de chez Gump et Saks. Le tapis de yoga de Betty et un assortiment de produits de beauté français étaient visibles par la porte de la chambre.

— Tu veux ça ou du bourbon ? demanda Betty en levant une bouteille de gin.

— Ni l'un ni l'autre, merci.

— Je n'ai pas de Perrier.

— Ce n'est pas grave, j'ai pris un Quaalude tout à l'heure.

— Mon Dieu !

Mona s'assit sur le sofa.

— Tu aurais peut-être préféré que je prenne un de tes Valium ? dit-elle.

— C'est un médecin qui me les a prescrits, rétorqua Betty.

— C'est ce qu'ils font tous, n'est-ce pas ?

— Tu ne devrais pas te gaver de... Mona, ne nous disputons pas. Nous ne nous sommes pas vues depuis une éternité, ma chérie. Le moins qu'on puisse faire, c'est...

— Pourquoi es-tu venue, Betty ?

Betty ne répondit pas immédiatement. Elle termina de préparer son gin-tonic, puis elle alla rejoindre sa fille sur le sofa.

— A ton avis ?

Mona la fixa droit dans les yeux :

— Je ne pense pas que ça ait quoi que ce soit à voir avec moi.

— Ce n'est pas gentil, Mona.

— C'est la vérité.

Betty baissa les yeux sur son verre :

— Tu es au courant, pour Andy, n'est-ce pas ? demanda-t-elle.

Le visage de Mona se figea :

— Je sais qu'il t'a quittée. Ça, ce n'est pas nouveau.

— Ne joue pas avec moi, Mona. Je sais que c'est ton propriétaire. Je sais qu'il a changé de sexe et je sais que tu le sais.

Mona tint bon.

— Pourquoi es-tu venue ?

— Parce que j'en ai le droit, merde ! Il m'a abandonnée, Mona ! Il m'a laissée avec une enfant à charge ! Il m'a quittée sans me laisser ne serait-ce qu'un mot d'explication, et maintenant il s'imagine qu'il peut faire volte-face et faire valoir ses droits sur une enfant qu'il n'a jamais...

— Je ne suis pas une enfant et personne n'a à *faire valoir ses droits* sur moi, Betty. Il y a encore deux semaines, je ne savais même pas qu'il... qu'elle était mon père.

Betty la considéra avec une expression dégoûtée :

— Et voilà que tu habites avec lui, maintenant !

— Avec elle.

— Est-ce qu'il — oh, pardon, *elle* — t'a dit, par hasard, ce qu'il a fait du détective privé que j'avais engagé ?

— Du *quoi* ?

— Mona, ma chérie, c'est tellement plus compliqué que...

— Contente-toi de m'expliquer de quoi tu parles.

Betty prit la main de sa fille :

— L'été dernier, dit-elle, quand tu m'as envoyé une photo de ta propriétaire, j'ai immédiatement vu la ressemblance et j'ai engagé un détective privé pour vérifier si j'avais deviné juste.

Mona l'écouta, stupéfaite.

— Et il n'a plus jamais donné de nouvelles, continua Betty.

— Quoi ?

— Je n'ai plus entendu parler de lui. Il vivait dans la même maison que toi, Mona. Au 28 Barbary Lane.

— M. Williams ? Le type sur le toit ?

Betty acquiesça en serrant plus fort la main de sa fille.

— Nous étions en contact par téléphone, répondit-elle. Il m'appelait au moins une fois par semaine. Il m'a dit qu'il pensait qu'Andy était devenu... Anna Madrigal et que « Anna Madrigal » était une anagramme. Puis il a tout bonnement disparu.

Elle lâcha la main de Mona et prit une gorgée de gin-tonic.

— Est-ce que tu le connaissais, Mona ?

Abasourdie, Mona secoua la tête.

— Pas du tout. Il était... bizarre.

— Je sais. C'était le moins nul que j'avais pu trouver en aussi peu de temps. Mais le problème, c'est : qu'est-ce qu'il est devenu ?

Mona goûta au gin-tonic de sa mère.

— On se l'est demandé, nous aussi.

— Qui ça, nous ?

— *Tout le monde*. Y compris Mme Madrigal. Elle a même appelé la police à ce sujet.

— Je veux la voir, Mona. Tu veux bien arranger ça ?

Mona prit une expression de résignation lasse :

— Que je le fasse ou non, tu iras la voir, alors...

— Tout à fait, dit Betty.

La Rose Incarnée

Selon sa nouvelle stratégie, Mary Ann ne parla pas à Burke du *Pacific Union Club*. Ni de sa découverte concernant la transsubstantiation. Elle ne dit pas un mot durant le petit déjeuner et pendant toute la promenade qu'ils firent ensemble sur Russian Hill.

Puis, à midi, elle s'éclipsa.

— Jon est à son cabinet, dit-elle. Je lui ai promis d'aller tenir compagnie à Mouse.

Quand elle arriva chez Michael, celui-ci parcourait sa chambre de long en large dans son fauteuil roulant, les yeux pétillants d'excitation.

— Tu sais quoi ? dit-il sans s'embarrasser de préliminaires. Nous n'avons même pas pensé à cette histoire de roses, hier soir.

— J'avais l'impression que vous en faisiez une overdose, tous les deux.

— Pas moi, Babycakes, j'suis *accro*. Écoute, tout converge vers l'homme aux implants, n'est-ce pas ?

— Peut-être. C'est Burke qui *croit* que l'homme aux implants l'a reconnu.

— Si c'est exact, qu'est-ce que nous avons en main ?

— Il pourrait être membre du P.U. Club, je pense.

Michael secoua la tête :

— C'est ce que j'ai dit à Jon. Il m'a expliqué que le P.U. Club n'accepterait jamais comme membre un simple fleuriste. Peut-être que Burke a travaillé comme serveur au P.U. Club ou quelque chose de ce genre.

— J'ai du mal à imaginer ça, fit Mary Ann.

— OK, alors peut-être que nous nous trompons complètement de piste. Tu sais, le mont du Déluge — ou de DeLuge — pourrait simplement signifier Nob Hill en général.

— Dans ce cas, qu'est-ce qu'il y a *d'autre* là-bas ?

— Des tas de trucs. Le *Mark*, le *Huntington*, le *Fairmont*.

— Super. Une secte hôtelière !

— Tu t'obstines dans cette histoire de secte, hein ?

— Je ne sais pas, bougonna Mary Ann. Parfois, j'ai l'impression que c'est moi qui me monte le bourrichon.

— C'est possible, dit Michael en riant. Ce matin, j'ai feuilleté un des livres que je lisais quand j'étais ado — tu sais, *Silas Marner*, *Gatsby le Magnifique*, ce genre-là — et je me suis senti mal en voyant que j'avais noté « symbolisme » dans la marge quasiment toutes les deux pages. Mon Dieu !

Dans *Gatsby,* j'avais souligné le mot « jaune » partout.

— La vache, s'exclama Mary Ann, je me souviens moi aussi de ces manies, mais je ne vois pas où tu veux en venir, Mouse. Qu'est-ce que ç'a à voir avec tout le reste ?

— Eh bien, peut-être que nous cherchons trop les symboles. *Tout* ne signifie pas nécessairement quelque chose.

— Ouais, mais c'est sûr que ce serait mieux si on trouvait un minimum de sens.

— Qu'est-ce qu'il en est de la transsub... machin-chose ?

— Que veux-tu savoir ?

— Bon, pour commencer, est-ce que Burke est catholique ?

— Non, fit Mary Ann. Épiscopalien.

— C'est voisin.

— Ah bon ?

Michael hocha la tête :

— Les épiscopaliens sont encore plus catholiques que les catholiques, développa-t-il. Tu peux me croire, je sais. J'ai eu un petit copain séminariste. C'est tout juste s'il se rasait pas à l'eau bénite. Je suis certain qu'il croyait que le pain et le vin se transforment effectivement en corps et sang du Christ.

Mary Ann ne put s'empêcher de frémir :

— C'est vrai ? s'étonna-t-elle. Ils croient ça ? Littéralement ?

— Littéralement. Tu as vu la définition, Babycakes.

— Je sais, mais ça fout un peu les jetons, non ?

— Les chrétiens sont les seuls au monde qui s'agenouillent devant un instrument de torture, dit Michael en haussant les épaules. Si Jésus avait été martyrisé à notre époque, je suis sûr qu'on aurait tous des petites chaises électriques autour du cou.

— Mouse, ce que tu dis est sacrilège, s'offusqua Mary Ann.

— Non, pas du tout. C'est une simple observation concernant la nature du...

Soudain, les mains de Michael serrèrent les bras de son fauteuil et son visage se crispa sous l'effet d'une intense concentration.

— Nom de Dieu ! s'écria-t-il. *Jésus-Christ !*

— Mouse, bon sang, mais qu'est-ce qu'il y a ?

— Le Rocher Sacré ! Ce foutu Rocher Sacré ! C'est la Grace Cathedral, ça ne peut être que ça !

— La Grace Cathedral ?

— Mais oui ! Juste à côté du P.U. Club, Mary Ann ! Sur le mont de DeLuge, au Croisement des Lignes ! Et devine ce qu'est la Rose Incarnée ?

— C'est quoi ?

— La plus grande rose de toute cette fichue ville ! La rosace de la Grace Cathedral !

Femme au travail

D'orothea Wilson s'arrêta un instant dans le hall de l'hôpital St Sebastian pour examiner le tableau qui représentait celui qui avait donné son nom à l'établissement.

Le saint homme était attaché à un arbre, revêtu seulement d'un pagne et d'un sourire béat. Son corps ensanglanté était transpercé de flèches. Au moins une bonne demi-douzaine.

D'orothea fit une grimace qui attira l'attention d'une infirmière qui passait par là.

— Je sais, fit-elle. C'est monstrueux, n'est-ce pas ?
— Mais pourquoi l'exposer ? Dans un hôpital, en plus !
L'infirmière fit un sourire las :
— Le conseil d'administration se chamaille chaque année là-dessus. Je crois qu'on l'a reçu en même temps qu'une grosse donation. Personne ne veut offenser la vieille peau qui l'a offert. On l'a déplacé deux ou trois fois. Là, c'est l'endroit le plus discret jusqu'à présent.
— Quelqu'un devrait venir le bomber pendant la nuit, dit D'orothea.
— Bien vu ! dit l'infirmière.

Après avoir demandé à la réception dans quelle chambre se trouvait DeDe, D'orothea s'arrêta brièvement à la boutique du fleuriste et y acheta une douzaine de roses. Puis elle se dépêcha de monter au deuxième pour rendre visite à son amie.
— Tu ne vas pas pouvoir rester longtemps, sourit DeDe. Ils viennent de foutre ma mère dehors.
— Promis.
D'orothea déposa les roses sur la table de chevet, puis elle se pencha pour embrasser DeDe sur la joue.
— Tu as une mine *superbe*, ma chérie.
— Merci. Et merci aussi pour les roses.
— Comment va le petit bedon ?
DeDe leva les yeux au ciel :
— Ça fait badaboum-badaboum.
— C'est-à-dire ?
— J'ai des contractions tous les quarts d'heure, maintenant.
— Putain de merde ! Quand tu m'as appelée, tu avais l'air tellement détendue. Je croyais... Oh, ma chérie, tu n'es pas tout excitée à cette idée ?

— Bof... fit DeDe avec un faible sourire.

— Mais *si* ! Qu'est-ce que tu racontes ! Au fait, tu ne m'as pas dit les prénoms.

— Les prénoms ?

— Les prénoms des bébés. Tu as déjà choisi ?

DeDe lissa le drap qui dissimulait son ventre enflé.

— Oh, Edgar, comme mon père, si l'un des deux est un garçon. Et si l'autre est une fille, ce sera Anna.

— C'est joli. Tu l'as choisi pour une raison particulière ?

— Papa me l'a demandé. Juste avant de mourir.

— Un prénom de famille ?

DeDe secoua la tête :

— Pas à ma connaissance. Papa s'est contenté de me dire qu'il aimait bien ce prénom.

Elle tripota le drap à nouveau et détourna la tête. D'orothea mit un certain temps avant de s'apercevoir qu'elle pleurait.

— Ma chérie. Allons, ma chérie, qu'est-ce qu'il y a ?

— J'ai tellement peur, D'or.

D'orothea s'assit sur le bord du lit et caressa doucement les cheveux de DeDe.

— De quoi ? demanda-t-elle.

— J'ai l'impression qu'on va me punir ou je ne sais quoi de ce genre.

— Te punir ? Mais pour quelle raison ?

Le visage de DeDe ruisselait de larmes. Elle prit un Kleenex, se moucha et le laissa tomber sur la table de chevet. Enfin elle leva les yeux vers D'orothea et soupira.

— Les enfants sont chinois, D'or.

D'orothea la fixa d'un regard sans expression :

— Et alors ?

DeDe parvint à sourire à grand-peine à travers ses larmes :

— C'est facile à dire, pour toi.

— Bon, fit D'or. Alors je vais le redire. Et alooooors ?

DeDe finit par éclater de rire.

— Oh, D'or, merci !

— Je t'en prie. Les Eurasiens sont *tellement* beaux, d'ailleurs.

— N'est-ce pas ?

— Est-ce que grand-maman est au courant ?

DeDe grimaça et secoua la tête.

— Je m'en doutais, dit D'or. C'est pour *ça* que tu te mines, c'est ça ?

— En partie, oui.

— Et l'autre partie, c'est quoi ?

— Je ne sais pas. D'or... Aucune de mes amies ne m'a appelée.

— Eh bien, c'est que la chance tourne, chérie.

— Pourquoi ?

— Parce que je suis la première de tes *nouvelles* amies, DeDe. Et tu ne te débarrasseras pas de nous comme ça !

Elle se pencha et lui donna de nouveau un baiser.

— Sauf quand tu accouches. Là, ça me donne mal au cœur. Mais je resterai quand même. Dans le couloir.

— Tu n'es pas obligée.

— J'ai envie.

— Merci, D'or.

— Tu veux que je parle à ta mère, pour ce qui est des enfants ?

— Non, je le ferai moi-même. Tu es un amour, D'or.

— C'est celle qui le dit qui y est.

Évidemment, ce fut Burke le plus difficile à convaincre.

— C'est de la connerie, Mary Ann. Pourquoi veux-tu qu'une *cathédrale* rende quelqu'un amnésique? On dirait que tu oublies que j'ai des malaises atroces quand je...

— Tu as vomi aux obsèques de Beauchamp, non? On était dans une église.

— C'était à cause de la rose, nom de Dieu! dit Burke avec un geste agacé de la main.

— Mais tu ne comprends pas. Peut-être que ce n'est pas *l'image* de la rose qui te donne des nausées. Peut-être que c'est le mot, l'association d'idées avec la rosace.

L'air encore plus défait que d'habitude, Burke s'assit sur le bord du lit.

— Ce n'est pas une rosace que je vois dans mes rêves. C'est une rose rouge. Pas une blanche ou une jaune : non, une rose rouge, Mary Ann.

Il la fixa d'un regard qui, de gris lumineux, était devenu terne.

— Je crois qu'il est temps que je rentre chez moi.

La première pensée de Mary Ann fut qu'ils étaient *déjà* chez lui. Puis le vrai sens de la phrase la cingla en plein visage comme un coup de fouet.

— Burke, ne me dis pas que tu le veux vraiment!

Il répondit avec une douceur qui la dévasta :

— Si, c'est ce que je veux, dit-il. Il faut que je mette tout ça derrière moi, Mary Ann.

— Mais, Burke... dit-elle en s'asseyant à son côté et en passant un bras autour de ses épaules. Tu ne pourras jamais le mettre derrière toi tant que tu n'auras pas découvert la cause de ton amnésie. Tu ne peux pas continuer à avoir peur toute ta vie.

— Je n'ai pas peur.

Elle lui serra gentiment l'épaule.

— Je sais, mais les roses ?

— Je peux m'arranger avec ça. Il suffit que je... que je commence à revivre normalement.

— Qu'est-ce que tu vas faire, quand tu seras rentré dans l'Est ?

— Mon père m'a proposé de travailler dans sa maison d'édition.

Elle lui lança un regard plein d'amour.

— Et tu ne pourrais pas trouver le même genre de job ici ?

Il sourit et lui caressa les cheveux :

— Tu me manqueras, oui, Mary Ann. Voilà ce que j'aurais dû commencer par te dire.

Elle sentit les larmes lui monter aux yeux.

— Mince, fit-elle doucement. Je m'en veux tellement.

— Pourquoi ?

— Je n'aurais pas dû insister. Je n'aurais pas dû te faire peur.

Son visage prit la couleur d'une rose *American Beauty*.

— Tu ne m'as pas fait peur, Mary Ann !

Elle le considéra sans rien dire et vit qu'il était au supplice. Puis elle se leva et alla se poster à l'autre bout de la pièce. Puisqu'on en était là, puisqu'ils avaient dépassé le point de non-retour, elle n'avait plus rien à perdre et elle pouvait lui dire toute la vérité.

Elle fit volte-face :

— Burke, le type aux implants chante dans le chœur de la Grace Cathedral.

— *Quoi ?*

— Je suis allée voir ce matin. Et je crois que tu y chantais aussi.

— Attends une seconde ! Comment tu as découvert ça ?

Elle détourna les yeux. Elle ne voulait pas qu'il croie qu'elle était fière de ce qu'elle avait trouvé.

— Je... Eh bien, d'abord, j'ai demandé à Jon d'appeler l'hôpital et de trouver son nom. Ensuite, j'ai appelé la Grace Cathedral et j'ai parlé au bedeau, qui m'a dit que l'homme aux implants — il s'appelle Tyrone, au fait — chante dans le chœur de la cathédrale.

Ce qui pouvait être une lueur d'espoir s'alluma dans l'œil de Burke :

— Et tu crois... tu crois que je chantais aussi dans le chœur ?

— C'est *possible,* dit-elle prudemment. Tu m'as dit que tu chantais dans le chœur de l'église, à Nantucket. Et puis tu m'as dit aussi, quand on était au Mexique, que tu avais envoyé des lettres à tes parents où tu écrivais que tu allais à la Grace Cathedral.

Mary Ann devait avoir l'air d'un lièvre affolé, car Burke sourit brusquement et tapota le lit à côté de lui. Elle s'approcha et s'assit en le regardant d'un air lugubre.

— Je suis chiante ? demanda-t-elle.

Il l'embrassa sur le bout du nez.

— Donc, tu penses que Burke Andrew, jeune journaliste, a découvert par hasard de sinistres agissements à la Grace Cathedral ?

— C'est la théorie du moment, c'est tout, dit-elle avec un sourire penaud.

— Une secte *épiscopale,* hein ?

— Ne retourne pas le couteau dans la plaie, dit-elle en le pinçant.

— En fait, la rassura-t-il, j'aime assez l'idée.

Alors qu'elle rentrait précipitamment chez elle, Mary Ann tomba sur Mme Madrigal qui passait l'aspirateur dans le couloir. La logeuse avait des bigoudis sur la tête.

— Vous essayez une nouvelle coiffure? demanda Mary Ann.

— On verra. Peut-être que je vais finir par ressembler à une gorgone!... Où est-ce que tu cours comme ça?

— Burke m'emmène à l'église.

— Comme c'est charmant! répondit gravement Mme Madrigal.

— Je vais me faire foudroyer. C'est la première fois que je retourne à l'église depuis mon arrivée à San Francisco il y a dix mois.

— Eh bien, dis une petite prière pour moi, lui demanda Mme Madrigal en souriant.

— Vous n'en avez pas besoin.

— *Ce soir,* si.

— Pourquoi?

Mme Madrigal se pencha avec des airs de conspiratrice :

— Ce soir, ma chère enfant, j'ai un pénible rendez-vous avec mon ex-femme.

Questions et réponses

— Bonsoir, Betty.

Mme Madrigal avait prononcé ces mots avec une chaleur et une assurance qui laissèrent Mona stupéfaite. En plus, la logeuse n'avait jamais paru aussi belle. Une peau éclatante, satinée. Des yeux étincelants. Un kimono vert pâle qui flottait autour d'elle comme des ailes de papillon.

Et ce soir-là, elle ne portait pas son turban. Ses cheveux encadraient son visage de boucles douces et romantiques. Betty était à l'évidence prise de court.

— Bonsoir. J'espère que je ne... Comment vas-tu ?

Mme Madrigal sourit comme une bienveillante déesse hindoue.

— Appelle-moi Andy, si tu veux. Je me doute que tu dois avoir du mal à te faire à Anna.

— Non, c'est tout à fait... C'est un quartier *adorable*. Je comprends pourquoi Mona en est folle.

— Je crois savoir que tu n'habites qu'à quelques rues de là, dit Mme Madrigal en prenant le manteau de sa visiteuse.

— Oui. Enfin, c'est un grand immeuble. Mais ici, c'est tout bonnement... délicieux. Cet escalier qui mène jusqu'ici, on dirait qu'il sort tout droit de... Je ne sais pas d'où, en fait.

Elle entra dans le salon en s'extasiant avec nervosité sur tout ce qu'elle voyait. Sauf, bien sûr, sur celui qui avait jadis été son mari.

Mme Madrigal rapporta du sherry de la cuisine.

— Je ne t'en ai pas servi, Mona chérie. Je crois que ta mère et moi devrions parler toutes les deux.

Mona se leva d'un bond.

— OK. Très bien. Je vais aller faire un tour.

— Ça ne sera pas long, dit Mme Madrigal. Pourquoi n'irais-tu pas au *Tivoli* ? Peut-être que nous pourrons t'y retrouver après.

— Bon, dit Mona sur un ton morne en s'apprêtant à sortir.

Mme Madrigal resta à boire son sherry sans mot

dire, les yeux fixés sur Betty dont le sourire s'évanouit rapidement.

— Mon Dieu, dit-elle enfin, tu as vraiment bonne mine. Tu as gardé la même silhouette qu'il y a trente ans.

Betty lissa les plis de sa jupe et s'assura qu'elle cachait bien ses genoux.

— Le yoga, ça aide, lâcha-t-elle.

— Mmmh... Ça et un petit coup de bistouri par-ci par-là.

Betty se raidit.

— Je ne vois pas ce que...

— Je ne suis pas en train de te mettre en boîte, Betty, dit Mme Madrigal en éclatant de rire. Je serais bien la *dernière* personne au monde à dénigrer l'importance de la chirurgie !

Cet accès de gaieté disparut aussi vite qu'il était venu.

— Alors, que puis-je faire pour toi ?

L'agent immobilier baissa les yeux sur son verre.

— J'ai le droit de voir ma fille, dit-elle doucement, pesant ses mots comme si elle était sur le point d'exploser. J'ai le droit de savoir ce que tu fais avec elle.

Un faible sourire glissa sur les lèvres de la logeuse :

— Ce que je fais avec elle ? Quelque chose de monstrueusement pervers : je lui offre un toit. Et mon amour.

— Ce que je n'ai pas fait. C'est ça, que tu sous-entends ?

— Ne sois pas stupide, Betty. Mona a plus de trente ans.

Une grosse veine commença à gonfler sur le cou tendu de Betty.

— Je sais ce que tu es en train de faire. Tu la montes délibérément contre moi. Tu l'utilises pour satisfaire je ne sais quel désir morbide de maternité, histoire d'avoir l'impression que tu es une *vraie* femme ! Mon Dieu ! C'est tellement tordu que je ne peux même pas...

— Je suis navrée que tu m'en veuilles autant. Tu te sentiras peut-être mieux quand je t'aurai dit ceci : je pense que ce que tu ressens est, d'une certaine manière, justifié.

— Justifié d'une certaine manière ! Écoute-moi, Andy ! Je veux qu'on me donne plus qu'un pauvre verre de sherry et quelques excuses molles. Je veux des réponses, merde !

Mme Madrigal posa son verre et croisa les mains sur ses genoux.

— Très bien, dit-elle doucement. Je vais faire de mon mieux.

Son attitude agaça Betty.

— Pour commencer, dit celle-ci, je veux savoir ce qui est arrivé à Norman Williams.

Mme Madrigal ouvrit ses yeux de porcelaine grands comme des soucoupes.

— Tu le connaissais ?

— Épargne-moi tes salades, gronda Betty.

— Betty, honnêtement, mais de quoi tu parles ?

— Je l'ai engagé et tu le sais très bien ! Qu'est-ce que tu as fait ? Tu lui as donné de l'argent ?

— Il a disparu il y a quelques mois. Il n'est tout simplement jamais revenu, Betty. Mon Dieu, c'était un *détective,* c'est ça ?

— Comme tu mens bien ! fit Betty en se dressant d'un bond. J'aurais dû me douter que tu ne me dirais pas la vérité. Et je crois qu'il est temps que Mona connaisse la vérité sur son *véritable* père !

— Betty, je t'en prie...

— A moins, bien sûr, que tu ne la lui aies déjà dite, avec ta naïveté de femme libérée !

Silence.

— Je m'en doutais, dit Betty avec un sourire mauvais.

— Comment peux-tu être aussi cruelle ? lui reprocha Mme Madrigal. Tu vas lui faire du mal, c'est tout.

— Tu l'as dit toi-même. Mona a plus de trente ans. Elle pourra encaisser ça. C'est une grande fille, maintenant.

Le Rocher Sacré

Le crépuscule tombait lorsqu'ils atteignirent Nob Hill. Des touristes vêtus de couleurs pastel grouillaient devant le *Mark* et le *Fairmont*. Ils faisaient penser Mary Ann à des poussins qu'on a teints pour Pâques et qui courent pour retrouver leur mère.

Mais il était plus probable que ces gens étaient en train de chercher leurs enfants.

Comme la mère de Mona. Comme les parents de Michael, ceux de Burke et les siens. Et même comme Mother Mucca. Stupéfaits et scandalisés, et pourtant secrètement titillés par la curiosité, ils avaient accouru dans cette Sodome moderne pour constater de leurs propres yeux quel était le destin de leurs rejetons enfuis depuis longtemps.

La peur se lisait dans leurs yeux. Et la confusion. Ainsi qu'une sorte de désespoir qui donnait envie à Mary Ann de se précipiter sur eux pour les prendre dans ses bras. Certains approchaient de la fin de leur existence et pourtant, à bien des égards, c'étaient *eux,* les petits poussins. C'étaient eux, les enfants de leurs enfants.

Le feu passa au rouge. Burke et Mary Ann s'engouffrèrent dans la foule sur le passage clouté et remontèrent California Street. Sur leur droite, la forteresse brunâtre qu'on appelait le *Pacific Union Club* dressait sa silhouette de mauvais augure au milieu de ce désordre populaire. Muette, sévère, impénétrable.

Mary Ann caressa du bout des doigts les massives grilles de bronze qui protégeaient le bâtiment, tout en cherchant dans la décoration un motif de rose. Rien. Il n'y avait qu'Angela Lansbury pour trouver des indices aussi facilement.

Une fois arrivés à Huntington Park, ils s'assirent sur un banc auprès de la fontaine, tournant le dos au P.U. Club, les yeux rivés sur la gigantesque rosace de la Grace Cathedral.

— Tu les as appelés ? demanda Burke.

— Oui, fit Mary Ann. Une dame de l'administration dit qu'il y a une messe de communion ce soir.

— A quelle heure ?

— Dans trois quarts d'heure, dit-elle en consultant sa montre.

— Alors, on devrait entrer maintenant. Je n'ai pas envie de me retrouver là-dedans avec trop de monde.

— Pourquoi ?

Il sourit et désigna son estomac :

— Cette semaine, j'en ai eu mon compte.

— Tu ne penses pas que tu vas...

— Comment veux-tu que je sache ? dit-il avec un haussement d'épaules. Je crois qu'on devrait rester suffisamment longtemps pour voir si ça déclenche quelque chose, puis foutre le camp.

— Burke, avant qu'on entre...

— Ouais ?

— Je me demandais... A Nantucket, quand tu allais à l'église, là-bas, est-ce que tu croyais que le vin se transforme en sang et le pain en corps du Christ ?

— Ce n'est pas ce que croit tout le monde ? demanda-t-il ingénument.

— Dans la famille, nous étions presbytériens, dit-elle en secouant la tête. Pour moi, c'était du jus de raisin.

— Je crois que nous, nous étions profondément traditionalistes, avoua-t-il.

— Tu ne trouves pas ça un peu grotesque ?

— Peut-être. Si tu prends la peine d'y réfléchir suffisamment longtemps. Mais pas assez grotesque pour faire un article brûlant, si c'est à ça que tu penses. Écoute, Mary Ann, pour la plupart des épiscopaliens, c'est une phrase et rien de plus. Si tu coinçais un chrétien traditionaliste, il te dirait *peut-être* qu'il croit boire le sang du Christ ou manger Son corps, mais je crois que la plupart des gens considèrent ça comme un symbole, sans plus.

— As-tu réfléchi aux raisons qui auraient pu te conduire à écrire un article là-dessus, alors ?

— Tu prends les choses encore plus au pied de la lettre que les traditionalistes. Écoute, Jack Lederer t'a dit que j'avais prononcé le mot « transsubstantiation » en parlant de l'enquête que je menais. Dans un sens plus large, ce mot signifie tout simplement transformation. Merde, peut-être que je voulais évoquer ma carrière, ou n'importe quoi d'autre ! La seule raison pour laquelle Lederer a écrit le mot dans son calepin, c'est qu'il ne savait pas ce qu'il voulait dire.

Un petit vent frais parcourut le parc. Mary Ann releva le col de son manteau et regarda de nouveau l'immense cathédrale. Elle passa son bras sous celui de Burke.

— C'est beau, dit-elle sur un ton de respect admiratif. C'est presque bleu, dans cette lumière.

Il hocha la tête et l'attira à lui.

— Pourquoi est-ce que j'ai la trouille comme ça, Burke ?

Il se tourna vers elle en souriant.

— Parce que ta référence, à toi, c'est la petite église de pastorale.

Il se leva brusquement et l'entraîna.

— Allez, païenne. Viens chercher un peu de religion.

L'ironie de la situation ne lui échappa pas.

Maintenant, c'était elle qui avait envie de fuir.

Déballage

Mme Madrigal s'assit au bord de son sofa de velours rouge, momentanément stupéfaite. Le plus horrible, ce qui la laissait sans voix et la gorge sèche, c'était que Betty savourait manifestement la situation.

— Elle n'habiterait même pas chez toi, gronda Betty, si elle n'était pas persuadée que c'est ton sang qui coule dans ses veines.

— C'est faux, répondit sans conviction Mme Madrigal. Tout le monde te dira que c'est faux.

Betty plissa les yeux.

— Et si tu posais la question à Mona ? Mmmh ?

— A quoi ça servirait de faire ça ? Qu'est-ce que tu y gagnerais, Betty ?

— Pas autant que tu y perdrais, j'imagine, fit Betty avec une petite moue triomphante.

— Non. Tu te trompes. C'est Mona qui y perdrait, Betty. Elle a besoin d'une famille, maintenant. Elle a besoin de se sentir liée à quelqu'un. La dernière chose qu'il lui faudrait, c'est t'entendre lui raconter cette incartade avec un plombier lubrique.

— D'abord, c'était un *entrepreneur de bâtiments.* Et je trouve très curieux, Andy, que tu penses que l'identité du véritable père de Mona n'a aucune importance pour elle.

— Cette petite fille n'avait aucune importance non plus pour ce type. A l'époque comme aujourd'hui. Ça n'a été que l'affaire d'une seule nuit, nom d'un chien !

— Et *toi,* tu as plus de droits sur elle, je suppose ? Qui est-ce qui l'a abandonnée et l'a *totalement* privée de père ?

Mme Madrigal avait les yeux embués de larmes :

— J'ai essayé de compenser pour ça, Betty. Tu ne t'en rends pas compte ?

Elle désigna la pièce autour d'elle, comme si le 28 Barbary Lane pouvait en quelque sorte témoigner de la pureté de ses intentions.

— Tu ne vois donc pas ce que j'ai essayé de faire pour elle ?

— Il est trop tard pour ça, Andy. Trente ans trop tard.

— Tu veux que je te supplie, c'est ça ?

— Je te le dis, Andy : tu ne pourras pas m'arrêter.

— Elle ne rentrera pas à Minneapolis. Je peux te le certifier.

— Ça m'est bien égal.

— Alors, qu'est-ce que tu vas y *gagner,* à part lui faire du mal ? A long terme, ça ne changera rien pour elle. Elle t'aimera toujours moins, Betty, pas plus.

— Nous verrons bien, répondit Betty, la bouche pincée.

— Non, dit Mme Madrigal. Nous ne verrons rien du tout.

— *Quoi ?* glapit Betty, se cabrant sous le ton de Mme Madrigal.

— Tu vas partir, Betty. Tu vas quitter San Francisco demain, sinon je dirai à qui de droit ce que tu faisais dans ton appartement de Leavenworth et Green.

Betty sentit que le rapport de forces se modifiait. Elle éprouva le poids de cette impression comme celui de l'ozone sur la ville après l'orage.

— De quoi est-ce que tu parles ? demanda-t-elle, méfiante.

— Je dis, répondit Mme Madrigal entre deux gorgées de sherry, que tu es à San Francisco depuis plus longtemps que tu ne l'as prétendu à Mona.

— Et même si c'était vrai ?

— Plutôt un mois que quelques jours, sourit la logeuse.

— Écoute, Andy. Je *savais* que quelque chose clochait. Norman Williams avait disparu, nom d'un chien !

Elle se leva et fit les cent pas nerveusement en jetant des regards obliques furieux à son ex-mari.

— Il fallait bien que je fasse *quelque chose* !

— Mmmh. Donc tu t'es dit que tu pouvais fouiner un petit peu.

— Qu'est-ce que je pouvais faire d'autre ?

— Effectivement, répondit calmement Mme Madrigal. Alors?... Que penses-tu de la vue qu'on a du onzième étage?

Silence.

— Je ne me suis pas trompée d'étage, n'est-ce pas? Je crois que Mona avait bien dit le onzième.

— Andy, je n'ai pas la moindre idée de ce que...

— La vue qu'on a du onzième doit être proprement *délicieuse*.

Mme Madrigal dévisagea sa proie.

— Surtout à minuit.

Betty s'immobilisa. La crispation de son visage se relâcha et elle resta bouche bée :

— C'est Mona qui te l'a raconté?

— J'ai beaucoup d'autres enfants, en dehors de Mona, glissa Mme Madrigal avec malignité.

Betty resta pétrifiée, puis laissa échapper :

— Mon Dieu!...

Les deux mots avaient franchi ses lèvres comme le sifflement d'un serpent.

— Eh bien, dit Mme Madrigal d'un ton enjoué, je crois que nous sommes bien d'accord : il y a des *tas* de choses que Mona fera aussi bien d'ignorer. Par ailleurs, Betty, elle a *besoin* de ce garçon, presque autant que lui d'elle.

— Elle... n'est pas au courant... pour moi?

Mme Madrigal secoua la tête :

— Ni lui non plus. Il croit que tu es une vraie Salomé, une sirène sur son rocher!

Elle fit un clin d'œil à Betty.

— Je ne lui dirai rien si toi tu te tais aussi.

Betty la fixa sans mot dire.

— Je ne dirai rien à *personne*, Betty. A condition que tu t'en ailles. Dès demain.

— Je ne peux pas te faire confiance.

— Si, tu peux. J'étais une mauviette quand j'étais un homme, mais je suis devenue une sacrée bonne femme.

— Tu es un *salaud,* voilà ce que tu es !
— Je t'en prie, conclut gracieusement Mme Madrigal. Une *salope,* ce sera plus approprié.

L'homme qui n'était pas là

Lorsque Burke et Mary Ann entrèrent dans la cathédrale, leurs chaussures résonnèrent bruyamment sur les dalles, trahissant leur arrivée aux oreilles de la poignée de fidèles éparpillés dans la nef immense.

— J'ai vraiment l'impression d'être une touriste, chuchota Mary Ann.

Burke sourit et serra sa main dans la sienne.

— Ne t'en fais pas. Personne ne se rendra compte que tu es presbytérienne.

— On n'est pas censés s'asseoir, ou quelque chose comme ça ?

— Si tu veux, dit-il en haussant les épaules.

Ils se faufilèrent jusqu'à un banc situé au pied d'un imposant pilier. Au-dessus d'eux, sur la gauche, le grandiose vitrail passait du Technicolor au noir et blanc. Mary Ann s'installa et fouilla dans son sac à la recherche d'un bonbon à la menthe.

— Tu en veux un ? demanda-t-elle.

— Non, fit Burke. Restons sans faire de bruit un moment.

Mary Ann obéit et jeta un regard circulaire sur l'église en se demandant, mal à l'aise, si l'endroit leur faisait, à Burke et à elle, la même impression. Deux bancs devant eux, une vieille dame au chignon piqué d'un ruban rose à fleurs récitait ses prières. De l'autre côté de l'allée centrale, un type qui portait un T-shirt FIRE ISLAND 1975 était en train de se signer, l'air tout à fait décontracté.

« Ces gens ne sont pas catholiques, se répétait Mary Ann. Ce sont des épiscopaliens, sûrement traditionalistes, mais néanmoins de simples protestants qui sont venus dans cette chambre d'échos pour que le vin se transforme en sang dans leur bouche. »

Elle frissonna et engloutit un autre bonbon à la menthe. C'est alors qu'elle surprit le regard de Burke.

— Tu as vu quelque chose ? demanda-t-elle.

Il secoua la tête.

— Est-ce que tu te souviens de cet endroit, au moins ?

— Pas vraiment. Ça ressemble énormément à St John, à New York.

— C'est tellement immense ! fit remarquer Mary Ann, histoire de dire quelque chose.

Burke jeta un coup d'œil derrière le pilier.

— Je crois que le chœur doit s'asseoir près de l'autel. Peut-être que nous devrions aller voir.

— Euh... Pourquoi ?

— Tu as peur, Mary Ann ?

— Non. C'est que... Eh bien... Nous allons... gêner, non ?

Il lui prit la main.

— Allez, viens. Juste un instant. Peut-être que je vais reconnaître la tribune du chœur, par exemple.

Ils descendirent donc l'allée ensemble. Mary Ann oublia son angoisse un moment, secrètement amusée par le symbole de cette montée à l'autel. Est-ce que ça faisait le même effet, quand on répétait pour son mariage ?

Alors qu'ils passaient devant la balustrade de

communion, Burke ralentit le pas pour lire le message brodé sur les prie-Dieu : « Celui qui mange de ce pain vivra éternellement. » C'est alors que Mary Ann le tira par la manche.

— Regarde, chuchota-t-elle. La transsubstantiation.

Il ne put dissimuler son amusement.

— On croirait que tu es en train de visiter une ruine inca.

L'organiste était assis juste derrière la balustrade de communion, juste à côté de la tribune du chœur. C'était la seule personne qui se trouvait dans cette partie de la cathédrale. Il ouvrit sa partition cérémonieusement, sans lever les yeux. Puis il se mit à jouer.

Mary Ann eut un petit frisson quand le vrombissement de la musique se mit à résonner sous la voûte.

— Burke, peut-être que ça commence.

— Mais non, il répète, expliqua Burke. Allons-y. Je n'ai pas besoin de voir la tribune de plus près.

— Mais si tu veux vraiment...

— Rien de tout cela ne m'est familier. Je m'en serais déjà rendu compte.

Ils rebroussèrent chemin et redescendirent dignement la travée centrale. La vieille dame au ruban rose leva les yeux sur leur passage. Mary Ann lui fit un petit sourire gêné, puis elle porta son regard vers la rosace. Toutes ses couleurs avaient disparu. Elle était aussi noire que la nuit du dehors.

— Burke ?

— Mmmh ?

— Faisons quelque chose de simple et d'agréable, ce soir. Allons au cinéma, par exemple ou bien dans ce bar où on chante des vieux airs de country dans le... Oh, mon Dieu, arrête-toi ! Ne regarde pas, Burke !

Elle lui agrippa la main et le tira vers un banc.

— Ne bouge pas, chuchota-t-elle. Ne te retourne pas.

— Bon Dieu, qu'est-ce que tu... ?

Elle garda pieusement la tête baissée.

— Chut ! M. Tyrone est là.

— Qui ?

— *L'homme aux implants.*

— Où ça ?

— Près de la porte. Il était debout à côté de la porte, Burke !

Le ton de Burke lui signifia qu'il l'accusait de tout dramatiser :

— S'il chante dans le chœur, Mary Ann, il a toutes les raisons de...

— Burke, il avait quelque chose avec lui.

Burke jeta un coup d'œil par-dessus son épaule.

— Arrête, il va te voir.

— Il aura plus de chance que moi, alors.

— Quoi ?

— Il n'y a personne là-bas, Mary Ann.

Elle se retourna lentement et regarda de nouveau en direction de la porte.

Et Burke avait raison. *Il n'y avait personne là-bas.*

Larmes au Tivoli

Mona en était à sa deuxième demi-bouteille de vin rouge lorsque Mme Madrigal arriva au *Savoy-Tivoli.*

Seule.

— Ça va, Anna ?

Mme Madrigal hocha la tête.

— Cela aurait pu être pire, j'imagine, fit-elle en se laissant glisser sur une chaise et en prenant la main de Mona par-dessus la table. J'ai fait de mon mieux, ma chérie.

— Elle a fait une scène ?

— Elle a essayé.

Mona hésita, puis elle bafouilla la question qui l'avait hantée pendant toute la soirée.

— Est-ce qu'elle t'a parlé de M. Williams ?

— Oui.

— Alors ?

— Je suis stupéfaite. Il ne m'était pas venu à l'esprit que ce pouvait être un détective, encore moins engagé par *elle*. Et bien sûr, je n'ai aucune idée de ce qui lui est arrivé.

Mona avait gardé les yeux fixés sur son verre de vin.

— Regarde-moi, ma chérie. C'est la vérité.

— Je te crois.

— Tu le dois, Mona. Il le *faut*.

— Je te crois, réaffirma sa fille. Où est-elle, alors ? Elle a perdu la boule ?

— Complètement. Je peux te prendre une gorgée de vin, ma chérie ?

Mona poussa son verre dans sa direction :

— Je suis désolée que tu aies dû supporter tout ça, dit-elle.

— Elle s'en va demain. Tu devrais l'appeler.

— Bon.

— N'oublie pas qu'elle t'aime, Mona. Elle a fait des tas de sacrifices pour toi, quand il a fallu.

— Je sais.

Mona reprit son verre et but un peu de vin.

— Ça t'embête si je te demande quelque chose ?
— Vas-y.
— Betty m'a dit que M. Williams lui avait expliqué que ton nom était une anagramme.
— Comme c'est intéressant !
— Alors ?
— Alors quoi ?
— C'est vrai ou pas ?
Mme Madrigal esquissa un sourire énigmatique :
— Tu n'as pas encore essayé de voir par toi-même ? demanda-t-elle.
— Alors c'est bien ça ?
Mme Madrigal prit un gressin et le grignota.
— Je vais te proposer un marché louche, jeune fille. Je te dis quelle est l'anagramme si tu invites un de mes amis à dîner.
— Lequel ?
— Brian Hawkins.
— Laisse tomber.
Mme Madrigal reposa le biscuit avec un geste affecté.
— Très bien.
— Je suis ta fille, se défendit Mona. J'ai le droit de connaître la solution de l'anagramme.
— Absolument. Et en tant que tes père et mère, j'ai le droit de parler de mes petits-enfants.
— Tu déconnes !
Mme Madrigal agita un index menaçant :
— Attention, Mother Mucca va te laver la bouche avec du savon !
— Brian Hawkins ne s'intéresse pas à moi, ne serait-ce que vaguement !
— Je crois qu'il *s'intéressera* à toi.
— Hein ?
— Fais-moi confiance, Mona.
Mona se détourna.

— A cause de lui, je me suis sentie une pauvre idiote !

— Oh, Mona, nous sommes toutes de pauvres idiotes ! Certaines s'amusent simplement plus que les autres. Détends-toi un peu, ma chérie ! Ne crains pas à ce point-là de pleurer... ou de rire, comme tu voudras. Ris tant que tu veux et pleure tout ce que tu as de larmes en toi, siffle les beaux mecs dans la rue et que ceux qui pensent que tu es une pauvre idiote aillent se faire foutre !

Elle leva le verre de vin pour porter un toast à la jeune femme.

— Je t'aime, ma chérie. Et ça, ça te rend libre de faire tout ce que tu veux.

Mona ne répondit pas. Des larmes lui coulaient sur les joues. Mme Madrigal se pencha pour lui tamponner les yeux avec sa serviette.

— C'est assez mouillé comme ça ? demanda Mona.

Brusquement, elles s'aperçurent que le serveur se dressait devant elles.

— Oh, Luciano ! s'exclama Mme Madrigal. Vous connaissez ma fille ?

Le serveur s'inclina courtoisement. Mona rougit et lui tendit le bras. Le serveur baisa sa main en disant :

— *Bella !*

— Bien sûr qu'elle est *bella* ! dit Mme Madrigal avec un sourire tout fier. Elle tient de sa... de son... enfin, peu importe !

Mona sourit à travers ses larmes :

— Tu es vraiment une dingue, soupira-t-elle.

— *Grazie,* répondit la logeuse.

Mary Ann écarquillait des yeux grands comme des hosties en fixant l'endroit où l'homme aux implants avait disparu.

— Je te jure, Burke. Il était là-bas, juste à côté de la porte.

— Je veux bien te croire, répondit Burke, mais il n'y est plus.

— Peut-être qu'il est ressorti.

— Tu veux aller voir?

Elle hésita :

— Je crois qu'on devrait y aller. Mais sans que ça se voie.

— Exact. Et qu'est-ce que tu as voulu dire par : « Il avait quelque chose avec lui ? »

Elle se releva de son prie-Dieu et s'assit, imitant les gestes de Burke.

— Je ne sais pas trop, dit-elle, mal à l'aise. On aurait dit une glacière en polystyrène.

Il la considéra d'un air interloqué :

— Et je suis censé comprendre ?...

Elle secoua la tête :

— Je ne t'en ai pas parlé, c'est vrai. C'est Jon qui l'a vu sortir de l'hôpital avec une glacière en polystyrène, la semaine dernière.

— Et alors ?

— Alors rien. C'est juste ce qu'il a vu. Sur le parking.

Burke haussa les sourcils.

— Veux-tu dire, demanda-t-il sur un ton mélodramatique, qu'il préfère la bière au vin pour la communion ?

— Je ne veux pas exagérer, Burke, mais...

Elle ne continua pas. Elle savait que son ironie

était une manière de masquer son malaise, mais elle n'en était pas moins vexée.

Il se leva et l'emmena dans la travée. Alors qu'ils se dirigeaient vers la sortie, trois ou quatre fidèles entrèrent dans l'église.

— Combien de temps nous reste-t-il? demanda Burke.

— Un quart d'heure.

Ils parvinrent à la porte.

— Je vais passer devant, dit Mary Ann. On n'a qu'à s'éclipser normalement, comme si on allait prendre le frais.

Burke lui fit un clin d'œil complice.

Mary Ann tira à grand-peine la lourde porte et s'enfonça dans la nuit. L'air le plus dégagé possible, elle jeta un regard circonspect sur les gens qui discutaient dans la cour devant la cathédrale. L'homme aux implants n'en faisait pas partie.

Elle prit donc le bras de Burke et ils rentrèrent à nouveau dans la cathédrale.

— Ça n'a aucun sens, chuchota-t-elle. Il ne pouvait absolument pas être ailleurs.

— A moins que...

Burke se tourna et désigna l'ascenseur juste à droite de l'entrée. Dissimulé dans l'obscurité, il leur avait totalement échappé.

— Ça doit aller jusqu'au clocher, ou alors...

— Alors quoi?

— Aucune idée. Chez Quasimodo, peut-être?

Il appuya sur le bouton d'appel.

— Burke! *Mais qu'est-ce que tu fais?*

— On ne va pas s'arrêter maintenant, non?

La porte de l'ascenseur s'ouvrit brusquement, projetant la lumière profane d'un éclairage au néon sur le recoin ténébreux de la cathédrale. Burke empoigna Mary Ann par un coude et la poussa dans l'ascenseur dont la porte se referma immédiatement.

— Burke, on risque d'avoir des ennuis.

Il ne répondit pas. Il était en train d'examiner le panneau de commande.

— Il y a « RdC », « 1 », « 2 » et « SS », dit-il. « SS », ce doit être sous-sol. Essayons le « 1 » pour commencer. C'est plus céleste, de monter, tu ne trouves pas ?

Il appuya sur le « 1 ». Rien.

— Allons, Burke, ouvre la porte.

— Attends.

Il appuya sur le « 2 ». L'ascenseur ne bougea pas.

— Burke !

— Encore un.

Cette fois, le bouton « SS » déclencha l'ascenseur. Vers le bas. La descente ne prit que dix secondes. La porte s'ouvrit sur un hall éclairé. Burke sortit en emmenant Mary Ann. L'ascenseur repartit.

— C'est juste une boutique de souvenirs, fit Mary Ann à voix basse.

Une série de vitrines disposées le long du hall offrait un aperçu de ce supermarché religieux. Pour la plupart, c'étaient des statues de saint François et des présentoirs en velours où étaient disposés des pendentifs *peace and love* hippies.

La boutique était plongée dans une semi-obscurité, mais Burke essaya quand même d'ouvrir la porte. Elle était verrouillée. Tout comme les deux autres qui donnaient sur le hall. L'ascenseur était la seule sortie possible. Burke adressa un sourire penaud à Mary Ann et appuya sur le bouton d'appel. Rien ne se produisit.

— Ah, ah... fit Burke. M. Tyrone Implants doit être en train de descendre.

— Jusqu'ici ? demanda Mary Ann, qui sentait son sang se glacer dans ses veines.

Burke sourit :

— Depuis le « 1 » ou le « 2 ». C'est évident : il est monté au lieu de descendre. A tous les coups, il est en train de sortir au rez-de-chaussée, en ce moment. A moins que ce ne soit quelqu'un d'autre.

— Mais comment est-ce qu'il a pu monter, si nous, nous ne pouvions que descendre ?

La solution lui apparut en un éclair au moment même où la porte de l'ascenseur s'ouvrait devant eux.

Ils y montèrent en silence et repartirent vers le rez-de-chaussée. Quand la porte s'ouvrit, Mary Ann s'approcha du panneau de commande et poussa le bouton qui fermait les portes. Burke la regarda sans comprendre.

— Pousse le bouton « 1 », dit-elle.

Ce qu'il fit. Rien ne bougea.

Elle passa ses mains derrière sa nuque pour ouvrir le fermoir de la chaîne en or qu'il lui avait offerte au Mexique. Elle lui tendit la petite clé, puis elle lui désigna une serrure sur le panneau de commande.

— Regarde si elle y entre, dit-elle.

Rupture de ban

— Edgar et Anna, hein ?

Le sourire de D'orothea semblait presque maternel. Elle était assise au chevet de DeDe et tenait la main de la jeune mère.

DeDe arbora un grand sourire.

— Tu les as vus, alors ?

— Tu penses bien ! Ils sont splendides, ma chérie. Et un de chaque !... Qu'est-ce que tu veux de mieux ?

— Tu pourrais expliquer ça à ma mère ?

D'orothea se rembrunit :

— Elle n'a pas supporté, alors ?

— On peut le dire. Elle m'a balancé que j'aurais dû avorter.

— Je croyais qu'elle était catholique.

— Elle l'est, murmura DeDe. Mais elle est aussi d'Hillsborough et membre du Francisca Club. Ces institutions ont leurs dogmes à elles. Et l'une de leurs règles d'or les plus connues est qu'on ne doit pas avoir d'enfant avec les yeux bridés.

— N'y pense plus, chérie, dit D'orothea en pressant sa main.

— J'y suis bien obligée. Je dois vivre avec.

— Tu crois ? demanda D'orothea avec une lueur de défi dans les yeux.

— Je ne peux pas m'enfuir, D'or.

— Peut-être pas. Mais tu peux aller *voir ailleurs*.

— Où ça, par exemple ?

— Dans une vie nouvelle, dit D'orothea en haussant les épaules. Une vie où tu ne serais pas forcée de supporter le genre de personnes que tu es obligée de subir ici.

— Je crois que c'est un peu tard, pour moi.

— Pas du tout, chérie. Pour moi, ça ne l'était pas.

— Je ne comprends pas.

D'orothea eut un petit sourire indulgent :

— Nous ne sommes pas si éloignées l'une de l'autre, tu sais. Je suis peut-être née du mauvais côté d'Oakland, mais je suis devenue célèbre très tôt. J'adorais de fausses idoles alors que je ne portais pas encore de soutien-gorge. Merde, j'étais *pire* que toi, chérie ! Chez moi, ç'a été un choix délibéré. Pour toi, ce n'est qu'une question de tradition familiale.

— Ne sous-estime jamais la force des traditions familiales, énonça DeDe d'un ton morne.

— *Ni* celle du Tout-Puissant Dollar. Écoute, j'avais tellement envie de fric que je me suis teint la peau en noir pour en gagner.

— *Quoi ?*

— C'est une longue et sordide histoire. Je te la raconterai un jour quand tu... DeDe, écoute : tu te souviens du soir où nous sommes allées à ce défilé de mode au Legion of Honor, et où tu m'as dit que c'était dur de vivre au bout de l'arc-en-ciel ?

— Oui, bien sûr.

— Eh bien, peut-être que tu te trompais.

— Comment ça ?

— Peut-être que ce n'est pas ça, chérie. Peut-être que San Francisco n'est pas le bout de l'arc-en-ciel.

DeDe digéra lentement cette suggestion radicale.

— D'or, dit-elle enfin, tu es en train de me proposer de *partir* ?

— Pourquoi pas ?

— Je ne peux pas, D'or. Ma famille vit ici. Ma mère, en tout cas. Et tous mes amis habitent ici.

— Qu'est-ce qu'ils ont fait pour toi récemment ?

DeDe scruta un instant le visage de son amie :

— J'ai comme l'impression que tu es en train d'essayer de convertir une pécheresse.

— Je suis beaucoup allée à l'église, ces derniers jours, effectivement, dit D'orothea en riant. Et ça doit y être pour quelque chose. On n'a pas beaucoup de temps à passer sur terre, DeDe, et à moins que certains d'entre nous ne fassent un effort pour changer le monde de corruption qui nous entoure... Eh bien, rien ne se fera, voilà tout.

— Je comprends, D'or. Je suis *d'accord,* mais je ne vois pas en quoi fuir pourrait...

— Pas fuir, chérie. Partir. *Vers* quelque chose d'autre.

— Mais où tu veux en venir ?

— Je crois que je ferais aussi bien de te le dire clairement, déclara D'orothea en souriant.

Il lui fallut un quart d'heure pour formuler sa proposition. Une fois qu'elle eut terminé, DeDe la fixa d'un regard où se mêlaient le doute et la fascination.

— Tu veux dire que je pourrais emmener les bébés ? demanda-t-elle.

— Évidemment ! C'est ça qui est le plus merveilleux. Ils connaîtraient une autre vie, libérée de la mesquinerie et de l'étroitesse d'esprit des amis de ta mère ! Une vie toute neuve pour nous tous, DeDe !

L'excitation fit monter le sang au visage de DeDe :

— C'est fou, mais il y a de la logique là-dedans.

— Je ne te le fais pas dire !

— Maman va faire un drame.

— Non, pas du tout. Bon, au début peut-être, mais à long terme, elle verra qu'on lui a épargné bien de l'embarras. Tu peux quitter la ville avant que la médisance des gens d'Hillsborough ne se jette sur tes enfants ; et ta mère te *remerciera* pour ça, DeDe !

— Il faut que je réfléchisse.

— Je sais. Bien entendu. Nous avons le temps.

— Cela dit, l'idée est excitante.
— Je pense bien ! dit D'orothea.

La glacière

Tandis qu'il glissait la petite clé dans la serrure du panneau de commande de l'ascenseur, Burke avait les mains qui tremblaient. Mary Ann se pencha par-dessus son épaule :
— Burke, force un peu...
— C'est ce que je fais !
Ça n'entrait qu'à moitié.
— Essaie dans l'autre sens, alors.
Burke retira la clé et réessaya. Cette fois, elle pénétra sans peine. Mary Ann laissa échapper un petit cri de victoire. Burke se retourna et lui fit un sourire admiratif.
— On peut aller au « 1 » ou au « 2 », dit-il. Lequel on choisit ?
Sans savoir pourquoi, Mary Ann opta pour le « 2 ».
Burke poussa le bouton et l'ascenseur se mit lentement en branle.
L'exaltation de Mary Ann s'évanouit et laissa de nouveau la place à une terreur sournoise.
— Qu'est-ce qu'on va faire s'il est là-haut, Burke ? L'homme aux implants.
— On fera ceux qui ne sont pas au courant, dit Burke.
— Ouais. Et on n'est même pas sûrs qu'il ait pris l'ascenseur.
— Il l'a pris, dit-il avec un sourire qui terrifia Mary Ann.

— Mais pourquoi quelqu'un qui chante simplement dans le chœur aurait-il la clé de cet ascenseur ?

— Manifestement pour la même raison que moi j'en avais une, lâcha Burke.

L'ascenseur s'arrêta avec une petite secousse. La porte s'ouvrit sur un hall de la grandeur du salon de Mary Ann. Il n'y avait pas de fenêtre. Un tube au néon clignotant, accroché au mur d'en face, projetait une lumière verdâtre sur les missels et les livres de messe empilés dans la pièce.

La seule issue était un escalier métallique en colimaçon.

Qui montait.

Mary Ann frissonna et recula dans l'ascenseur.

— Burke... Essayons le « 1 ».

Il secoua la tête.

— C'est ça.

— C'est ça *quoi* ?

— Je ne sais pas. Ça me paraît simplement être l'endroit.

— Cette pièce ?

— Non, dit-il en désignant l'escalier en colimaçon. Là-haut.

— Oh, mon Dieu, Burke ! Tu es sûr qu'il le faut ?

Il répondit d'un air décidé, mais d'une petite voix qui semblait hésitante :

— Je le dois.

— Peut-être qu'on pourrait revenir plus tard...

— Non. Je risque de ne plus en avoir le courage.

— Mais si jamais l'homme aux implants est là-haut ?

Burke se détourna :

— Il a eu le temps de descendre, affirma-t-il.

— Mais si... ?

— Je monte, Mary Ann. Toi, fais ce que tu veux. Tu m'as déjà assez aidé comme ça.

Burke passa le premier. Mary Ann le suivait de si près que le bas de sa veste en velours lui frôlait le visage. Une fois le plafond franchi, ils débouchèrent sur un endroit plus sombre. Nettement plus sombre. Mary Ann tira sur la veste de Burke.

— On n'y voit *rien,* Burke.

— Ne t'inquiète pas, chuchota-t-il. Tes yeux vont finir par s'y habituer.

L'escalier continuait vers le haut. Sept mètres environ au-dessus de la pièce où étaient stockés les missels, ils atteignirent une sorte de palier.

— Ça ne va pas plus haut, dit Burke.

— Oh, mon Dieu, on ferait mieux de...

— Attends.

Elle l'entendit tâtonner dans l'obscurité.

— Je crois qu'il y a une porte, là.

Soudain, la porte s'ouvrit en grand sur une lumière qui les aveugla momentanément. Ils se recroquevillèrent tous deux en voyant ce qu'ils avaient devant eux. Une passerelle en métal qui partait en direction de l'autel. *A au moins trente mètres au-dessus du sol de la cathédrale.*

— Je ne peux pas ! dit Mary Ann, sans que Burke lui eût rien demandé.

— Si moi je peux, tu peux. Écoute, il y a une rambarde. Tu ne peux absolument pas tomber.

— Ce n'est pas la question...

Le mot « rambarde » eut sur elle l'effet d'une illumination.

— Burke ! *Une passerelle avec une rambarde !* C'est l'endroit de ton rêve !

— Je répète, dit-il d'un ton morne. Si moi je peux, tu peux.

Il lui prit la main et la précéda sur la passerelle. Mary Ann regarda sa montre. La messe allait commencer dans douze minutes. Huit étages plus bas, les fidèles lui apparaissaient sous forme d'amas de taches de couleur que la distance réduisait aux teintes primaires : rouge, jaune et bleu. On aurait dit un vitrail humain.

Ils parcoururent une quarantaine de mètres jusqu'au moment où ils se trouvèrent juste au-dessus du transept de la cathédrale. A cet endroit, reflétant la structure même du bâtiment, une autre passerelle croisait celle sur laquelle ils marchaient.

Et là, trônait une glacière en polystyrène.

Mary Ann regarda derrière elle, puis à gauche et à droite sur la seconde passerelle. L'homme aux implants n'était nulle part en vue. Burke était resté pétrifié, les yeux fixés sur la glacière. La nuance crayeuse qu'avait prise son visage incita Mary Ann à rassembler tout son courage.

— Burke, c'est ça, le Croisement des Lignes ?

Il hocha la tête en signe d'acquiescement.

Elle s'approcha de la glacière :

— Tu veux que je l'ouvre ?

— S'il te plaît, dit-il d'une voix faible.

Elle souleva le couvercle. Une épaisse fumée blanche vint lécher les rebords du récipient. Non. Pas de la fumée. De la neige carbonique. Elle s'agenouilla près de la glacière et souffla à la surface du nuage qui se dissipa.

Ce qu'elle vit était d'un violet pâle, presque mauve. Une fine frange de poils courait sur le dessus. C'était noir d'un côté, celui où on avait tranché, et les ongles étaient d'une horrible couleur jaunâtre. Mais c'était indéniablement un pied humain.

Mary Ann laissa tomber le couvercle, bondit sur ses pieds et se réfugia dans les bras de Burke. Elle essaya de crier, au lieu de quoi elle vomit en s'éloignant de lui juste à temps pour se pencher par-dessus la rambarde.

En bas, les gens se rendirent à peine compte de ce qui leur était tombé dessus.

La secte

Lorsque Mary Ann se redressa, les traits déformés de Burke l'emplirent d'une terreur nouvelle.

— Burke... Mon Dieu, tu as vu ?

Il hocha mécaniquement la tête, les yeux toujours fixés sur le couvercle de la glacière.

— C'était un pied, Burke ! *C'était le pied de quelqu'un !*

Il cligna des yeux d'un air stupide sans détourner son regard.

— Il faut qu'on sorte d'ici, Burke !

Il la retint par le poignet :

— Non... Attends...

— Burke, je t'en supplie ! Il faut qu'on avertisse quelqu'un. On ne peut pas se contenter de...

— Ce n'était pas un pied.

— Quoi ?

— Ce n'était pas un pied !

Ses yeux s'étaient agrandis tandis qu'il prononçait ces paroles, comme s'il avait été soudain baigné par la lumière d'une révélation spirituelle.

— C'était... quelque chose d'autre.

Mary Ann reprit sur un ton suraigu :

— J'ai bien vu, Burke. Ça ne peut être rien d'autre.

Elle essaya de se dégager de son emprise, mais sa main la serrait comme un étau.

— Burke, mais qu'est-ce que tu fais? *Burke! Lâche-moi!*

Sa main retomba, inerte. La sueur commençait à perler sur son front. Il se tourna vers elle.

— Ce n'était pas un pied, dit-il sur un ton pathétique. C'était un bras.

— Burke, mon Dieu!...

— C'était un bras, Mary Ann. La dernière fois que je suis venu... C'était un bras.

— Tu étais là...? Burke, tu te rappelles?

— Ils voulaient que je... Ils m'ont dit qu'il fallait que...

— *Qui,* Burke?

— Eux. *Lui.*

— L'homme aux implants?

Burke hocha la tête.

— Qu'est-ce qu'il voulait que tu fasses? demanda Mary Ann.

Silence.

— Burke?

— Il faut qu'on sorte d'ici.

— Attends, Burke. *Qu'est-ce qu'ils voulaient que tu fasses?*

Mais Burke s'éloignait déjà de la glacière et se dirigeait vers l'escalier. Il se retourna pour prendre la main de Mary Ann et pressa tellement le pas qu'ils couraient presque.

— Burke, et si l'homme aux implants...

— Quelle heure est-il?

Il leva le poignet de sa compagne pour regarder sa montre.

— Bon sang, plus que trois minutes!

— Pour quoi faire ?

— Ils vont arriver dans trois minutes ! La messe commence dans trois minutes !

Ils étaient revenus à la porte et s'enfoncèrent de nouveau dans les ténèbres. Burke la précéda dans l'escalier en lui tenant fermement la main. Quand ils parvinrent à la salle des missels, il tendit le doigt vers le bouton d'appel de l'ascenseur, puis recula comme s'il avait reçu une décharge électrique.

— Merde !

— Qu'est-ce qu'il y a ? chuchota Mary Ann.

— Écoute... L'ascenseur... Ils arrivent !

— Mon Dieu !

Burke jeta un regard affolé autour de lui, puis il tira Mary Ann dans le coin le plus sombre de la pièce, derrière une énorme pile de livres. Ils venaient de s'accroupir dans l'ombre lorsque la porte de l'ascenseur s'ouvrit bruyamment.

Ils devaient être cinq ou six, dont deux au moins étaient des femmes. Ils parlaient sur un ton décontracté et jovial, jusqu'au moment où l'homme aux implants commença l'incantation que Mary Ann connaissait désormais par cœur :

Là-haut sur le Rocher Sacré
Brille la Rose Incarnée
Sur le Mont du Déluge
Au Croisement des Lignes

Le goût de bile amer qu'elle avait sur la langue donna de nouveau la nausée à Mary Ann. Elle essaya de penser à des champs de pâquerettes, à la rosée sur les fleurs et à des petits chatons, mais l'image du pied violacé ne cessait de vibrer devant ses yeux comme celle d'un stroboscope.

Instinctivement, Burke prit sa main et la serra

dans la sienne pour la rassurer. Ce faisant, il frôla la pile de missels qui se mit à vaciller dangereusement. Mary Ann retint son souffle et fit de son mieux pour stabiliser l'édifice branlant.

Ils attendirent une éternité.

Enfin, les fidèles sans visage commencèrent à gravir l'escalier qui menait à la passerelle. Une fois que le bruit de leurs pas se fut évanoui, Burke bondit vers l'ascenseur et appuya de tout son poids sur le bouton d'appel.

La porte s'ouvrit immédiatement.

— Où est la clé ? demanda Burke.

Mary Ann porta la main à son cou.

— J'ai dû la laisser...

— Nom de Dieu !

— Regarde par terre, Burke. Peut-être qu'elle...

— Attends ! On n'en aura peut-être pas besoin.

Il poussa le bouton du rez-de-chaussée. L'ascenseur émit un soupir sinistre, puis la porte glissa et se referma. Ils commencèrent à descendre.

Une fois parvenus en bas, ils entendirent le grondement des grandes orgues qui annonçait le début de la messe. Sans s'arrêter ni regarder en arrière, ils filèrent par les gigantesques portes et coururent d'une seule traite jusqu'à Huntington Park.

Ils s'assirent sur un banc, blottis l'un contre l'autre, pour reprendre leur souffle.

— C'est revenu, alors ?

— Ouais.

— Tout ?

— Presque tout.

— Pourquoi tu pleures ?

— Je suis... soulagé, c'est tout.

— Tu connaissais ces gens ?

— Ouais.

— Tu veux qu'on en parle ?
— Je crois... Je veux dire : si ça ne t'embête pas.
— Ça ne m'embête pas.
— Le pied, Mary Ann... Ces gens...
— Mmmh ?
— Ils le mangent. Ils sont montés là-haut pour le manger.

Lève-toi et marche

Une semaine plus tard.

Appuyé sur Jon, Michael trébucha d'un pas incertain jusqu'à la salle de bains.

— Mais regarde-toi ! s'exclama Jon. Tu es fantastique !
— N'est-ce pas ?
— Je suis sûr que tu peux y arriver tout seul.
— Oh, non !
— Allez, banane. Essaie.
— Arrête de me la jouer série B ! Je ne suis pas encore prêt !
— Je vais te lâcher.
— Si tu fais ça, j'appelle ton père et je lui dis que tu couches avec des garçons !
— Attention...
— Jon !
— Ça fait suffisamment longtemps que tu joues les assistés. Maintenant, tu es tout seul.

Le médecin se déroba de sous le bras de Michael et recula d'un ou deux mètres. Michael battit l'air des deux bras pour essayer de garder l'équilibre. Il avait les genoux en coton, mais il réussit à demeurer debout, immobile.

— Maintenant, marche, dit fermement Jon.

— C'est vraiment grotesque. J'espère que tu t'en rends compte.

— Avance !

— Tu aurais pu trouver un meilleur endroit pour cette touchante scène dramatique. Je vais tomber et me cogner à la cuvette des chiottes. Je vais mourir avec la balayette dans une main.

— Tais-toi et marche !

Michael soupira et leva le pied gauche pour le reposer à une dizaine de centimètres devant lui. Puis il traîna le droit.

— Godzilla approche de Tokyo... grommela-t-il.

Il répéta le mouvement jusqu'à se trouver devant la cuvette. Puis, en se tenant à la barre à serviettes, il fit volte-face, s'accorda une grimace et lâcha tout.

Il atterrit sur le trône.

Jon était resté appuyé cavalièrement contre le chambranle de la porte, souriant.

— Tu vois ?

— Est-ce que la dame pourrait avoir un peu d'intimité, je vous prie ? demanda Michael.

— Juste une seconde.

Jon fila dans le salon et en revint avec le *Chronicle* qu'il laissa tomber ouvert sur les genoux de Michael.

— Juste un petit peu de lecture facile pour toi.

La une était presque occupée par une photo de Burke et de Mary Ann en grand émoi lors d'une conférence de presse.

Le gros titre disait :

DÉCOUVERTE D'UNE SECTE ÉPISCOPALIENNE CANNIBALE

Peu après, Jon et Michael discutaient des événements de la semaine tout en prenant du café et des toasts aux raisins dans la cuisine. Michael leva le journal.

— Qu'est-ce que ça veut dire ? Je croyais que Burke allait annoncer la nouvelle en exclusivité au *New West*.

— C'était son intention, répondit Jon, mais la police l'a pris de court. Le commissaire a organisé une conférence de presse hier pour essayer de se faire un petit peu de publicité personnelle. Burke était vert, parce que les flics avaient promis de ne rien dire jusqu'à la parution dans le *New West*. Quoi qu'il en soit, le résultat est grosso modo le même. C'est la panique à bord. Burke a donné une conférence de presse lui-même au *New West,* hier, en fin d'après-midi.

— Mary Ann doit être sur les genoux, sourit Michael.

— Elle tient le coup, en fait. Elle a dit qu'elle passerait cet après-midi pour te voir.

— Super.

— Mais pas de vannes, Michael. Elle est encore un petit peu sous le choc de toute cette histoire.

— OK. Je te promets de ne pas prendre mon pied à l'interroger, ironisa Michael.

— C'est *exactement* le genre de sortie que je pense préférable d'éviter.

— OK, OK. Écoute, d'une certaine façon, cette histoire me concerne presque autant que Mary Ann.

— Comment ça ?

— Eh bien, et si j'étais mort à l'hôpital St Sebastian ? C'est moi que ces cinglés seraient en train de grignoter là-haut sur leur passerelle.

Jon secoua la tête et sourit :

— Ils ne mangeaient pas des gens entiers, gros malin. Juste des morceaux. Les membres amputés.

— Eh bien, ils auraient pu en manger un entier.

— Non. Les morceaux, c'était plus facile à cacher. Et à transporter. Ils n'avaient aucune difficulté à les prendre en service de chirurgie et à les entreposer dans la chambre froide de la boutique de Tyrone. Et ils entraient parfaitement dans la glacière qui servait à les transporter jusqu'à la cathédrale.

Michael fit la grimace :

— Combien de fois ils ont fait ça, au fait ?

— Qui sait ? fit Jon en haussant les épaules. Peut-être deux ou trois fois par semaine pendant quatre ou cinq mois. Apparemment, Burke a découvert la secte par hasard alors qu'elle commençait à exister, quand il chantait encore dans le chœur.

Michael leva les yeux au ciel :

— C'est à ce moment-là que je serais reparti en courant à Nantucket, moi !

— Oui, mais sûrement pas Burke. C'est un journaliste, n'oublie pas. Il voulait faire un article. A tel point qu'il s'était donné la peine d'infiltrer la secte pour pouvoir observer leurs agissements sur la passerelle. Il s'attendait à découvrir quelque chose de bizarre, c'est sûr, mais pas à ce point-là. Et il n'a pas supporté.

— Donc, il n'est jamais allé chez le fleuriste à l'hôpital ?

— Apparemment non. Il dit qu'il ne savait rien des contacts avec l'hôpital, jusqu'au moment où Mary Ann lui en a parlé.

— Ça n'a aucun sens, fit Michael en fronçant les sourcils.

— Pourquoi ?

— A cause de la phobie des roses. Qu'est-ce que c'est que cette histoire de phobie des roses ?
— Bonne question, lui accorda le médecin.

Une rose est une rose

Michael alla accueillir Mary Ann à la porte avec son déambulateur.
— Salut ! dit-il d'un ton enjoué. Bienvenue à l'Hôtel des Invalides de Barbary Lane !
Elle l'embrassa sur la joue :
— Tu as une mine superbe, je trouve.
— Devine ce que j'ai fait ce matin ?
— Je donne ma langue au chat.
— J'ai *marché,* Babycakes. Sans utiliser cet horrible machin.
— Mouse !
— C'est pas sensationnel ?
— Vas-y, fais-le devant moi, Mouse.
Il lui adressa un petit sourire.
— Désolé, je ne fais jamais mon numéro sans musique. Et toi, alors ? Qu'est-ce que ça fait, d'être une star des médias ?
Elle fit une moue et s'assit sur le sofa :
— Je suis épuisée. J'ai donné des interviews sur toutes les chaînes, à *People, Time, Newsweek,* au *New York Times,* au *National Enquirer* et à mes parents. C'est avec eux que ça a été le plus pénible.
— Je m'en doute.
— Ils sont complètement *hystériques,* Mouse. A les entendre, on croirait que San Francisco grouille d'épiscopaliens cannibales. J'ai essayé de leur expliquer que la presse exagérait beaucoup, mais

ils n'écoutent même pas. Ils veulent que je rentre à Cleveland par le premier avion.

— Tu vas y aller ?

Elle secoua la tête en souriant :

— Assieds-toi, Mouse, j'ai besoin qu'on me fasse un câlin.

Il abandonna le déambulateur et se laissa tomber sur le sofa. Ils se tinrent enlacés pendant un long moment.

— Comment va ma petite copine ? demanda Michael.

— Très bien.

— Ça va aller mieux, tu verras.

— Je ne devrais pas râler. Moi, ce n'est rien, par rapport à Burke. Il a passé la matinée avec la police à essayer de se souvenir des détails.

— Pour donner des noms ?

Mary Ann opina :

— Il s'est souvenu de quatorze pour le moment, dont trois qui sont membres du chœur, deux chirurgiens de St Sebastian et même deux hommes d'affaires.

— Sa mémoire doit lui être complètement revenue, alors.

— Presque. Il se rappelle la plupart des détails de la nuit où il a découvert le... enfin, la fameuse nuit. Cela dit, il ne retrouve toujours pas comment il a échoué dans Golden Gate Park. A mon avis, ils l'ont drogué quand ils se sont rendu compte qu'il était amnésique.

— C'est bizarre qu'ils ne se soient pas donné la peine de se débarrasser définitivement de lui.

— Pas forcément. Pour commencer, ils ne commettaient pas vraiment un crime. C'est ce qui rend les flics dingues en ce moment. Les médecins, on peut les pincer pour avoir dérogé à la déontologie de leur métier, bien sûr, mais la loi ne prévoit rien pour le reste. Ces morceaux de corps humains n'étaient que des déchets hospitaliers, en fait. Et aucune loi n'interdit de manger des déchets.

— C'est vraiment ce qu'ils *faisaient* ? demanda Michael avec une grimace.

— Apparemment, ils... y goûtaient. C'était censé être symbolique. Quelque chose au-delà de la simple transsubstantiation. Burke dit qu'ils le faisaient au moment précis où ceux d'en bas mangeaient le pain et buvaient le vin de la communion. La tâche de l'homme aux implants était de faire en sorte que les morceaux fussent déposés sur la passerelle quand il le fallait.

— Qu'est-ce qui va arriver à ce type, au fait ?

— Qui sait ? Burke dit qu'il va probablement ramasser une fortune. Il a déjà engagé un agent littéraire.

— Tu rigoles !

— Non. C'est écœurant, hein ?

Elle frissonna un peu et se détourna.

— Moi, je veux simplement que ça soit terminé le plus vite possible.

Michael la considéra un moment en hésitant :

— Ça t'embête si je te pose une question ?

— Non, vas-y.

— Qu'est-ce que c'était que cette histoire de roses rouges ? Est-ce que c'était à cause de la rosace, ou de la Rose Incarnée de leur incantation ?

Mary Ann esquissa un pauvre sourire.

— C'est ce que j'ai cru au début. J'ai aussi pensé que ça avait un rapport avec le fleuriste de St Sebastian. En fait, ce n'était ni l'un ni l'autre : c'était un tatouage.

— Un *tatouage* ?

Elle fit oui de la tête :

— Le soir où Burke est devenu amnésique, c'était le premier où la secte lui faisait assez confiance pour l'emmener sur la passerelle. Seulement, il ignorait qu'ils allaient lui demander de participer à leur cérémonie. Il savait que c'étaient des traditionalistes, bien entendu... Bref, il n'avait pas une idée précise de ce qui allait se produire jusqu'au moment où ils ont commencé leur incantation et où Tyrone a ouvert la glacière et sorti le bras.

— Beurk !

— Je sais, dit Mary Ann avec un petit frisson. Qui ne serait pas dégoûté ?

— Mon Dieu ! Alors la rose rouge était...

— Tatouée sur le bras, oui.

— Est-ce que Burke... Je veux dire, est-ce qu'il... ?

Mary Ann haussa les épaules :

— Je suppose qu'il a dû *essayer*, le pauvre chéri.

L'anagramme

— Alors ? fit Mme Madrigal en souriant.

— Alors quoi ? demanda Mona.

— Comment s'est passé ton rendez-vous ?

— Ça ne te regarde pas. Ça ne faisait pas partie du marché.

La logeuse haussa un sourcil espiègle, puis baissa les yeux sur le plateau pour essuyer la poussière d'herbe.

— C'était bien, n'est-ce pas ?

— Tu évites le sujet qui m'amène, dit Mona en rougissant.

— Lequel ?

— L'anagramme. *L'anagramme.*

— Ah.

Mme Madrigal leva le nez.

— Bonté divine ! L'amour te rendrait-il irritable ?

— Tu vas me l'expliquer, n'est-ce pas ?

— Je n'ai pas dit ça.

— Alors, il faut que je *devine,* c'est ça ?

Mme Madrigal se dévissa le cou pour essayer de lire ce qui était écrit sur le papier que tenait sa fille

— Oh, mais c'est qu'on a fait une liste, hein ? Que c'est amusant ! J'ai l'impression d'être la Sibylle de Cumes !

Mona grommela en s'enfonçant dans le sofa :

— Tu es vraiment *perverse* !

Mme Madrigal revint à son plateau.

— Alors, quelle est ta première idée ?

Avec un grand soupir, Mona lut :

— « DARLING AMANA. »

— « DARLING AMANA » ? Qu'est-ce que ça veu dire ?

Mona prit un air penaud :

— Amana, c'est une marque de réfrigérateurs Ça signifie que tu es un adorable réfrigérateur.

— Effectivement. Suivant ?

— « A GRANDMA IN L.A. »

— « A GRANDMA IN L.A. », répéta la logeuse Mon Dieu, mon Dieu. Une grand-mère à Lo Angeles... Alors ça, pour une révélation, c'est un révélation !

Elle jeta un regard de biais à Mona, qui faisait l tête exactement comme une certaine maquerelle d Winnemucca.

— Continue, ma chérie. C'est merveilleux !

— « A GRAND ANIMAL. »

Mme Madrigal explosa de rire et manqua faire valser toute l'herbe.

— Alors celui-ci, je l'adore ! « A GRAND ANIMAL » ! C'est exactement ce que je suis, un grandiose animal !

— *C'est ça ?*

— Non !

Mona leva les yeux au ciel, exaspérée :

— Je déteste ce petit jeu.

— Continue. C'est quoi, le suivant ?

— C'est tout, merde !

— Que dirais-tu de : « LAD IN ANAGRAM » ?

Mona laissa tomber sa feuille et fixa son père.

— « LAD IN ANAGRAM » ? Un mec dans le désordre ? Tu rigoles ?

Mme Madrigal arbora un petit sourire :

— Oui. Mais ça me plaît bien quand même.

— Tu es nulle, dit Mona.

— Donne-moi ton crayon, dit la logeuse.

Mona obéit. La logeuse inscrivit cinq mots au as de la liste de sa fille : « A MAN AND A GIRL ».

Mona cligna des yeux en lisant, incrédule :

— C'est ça ? « A MAN AND A GIRL » ? Un homme t une fille à la fois ?

Mme Madrigal hocha la tête.

— Mon Dieu... Ce que c'est... sexiste ! déclara Mona.

— Je te demande pardon ?

— Une fille ! hoqueta Mona. Mais tu es une emme !

Mme Madrigal protesta :

— *Toi*, tu es une femme, ma chérie. Moi, je suis ne *fille*. Et j'en suis fière.

Mona sourit :

— Nom de Dieu, mon propre père... sexiste !
— Ma chère fille, dit Mme Madrigal. Les transsexuels ne peuvent *pas* être sexistes !
— Alors tu es une... transsexiste !
Mme Madrigal se pencha et embrassa Mona sur la joue :
— Pardonne-moi, veux-tu ? Je suis terriblement vieux jeu.

Tout est bien qui finit bien

Fête des Mères, 1977.

La maîtresse de maison d'Halcyon Hill étai assise dans le bureau de feu son époux et écoutai un album de Bobby Short tout en sirotant un Ma Tai. Sa bonne, Emma, entra dans la pièce avec l courrier.
— Il y a une carte de Miss DeDe, Miss Frances
La matriarche posa son verre :
— Enfin ! Quel bonheur !
— Je savais qu'elle écrirait à sa maman, di Emma. C'est une bonne fille.
Elle tendit le courrier à Frannie et resta à côté d fauteuil à oreillettes. « Emma doit se sentir seule songea Frannie. Elle a envie de parler de DeDe.
Avec une grimace, Frannie laissa de côté le der nier numéro de *New West*. La couverture annon çait : DANS LA SECTE DES CANNIBALES, un article d Burke Andrew.
— Je refuse ne serait-ce que de regarder *ça*, d Frannie. C'est bien simple : je n'arrive pas à croir à toutes ces choses qui se passent à San Francisc

Emma acquiesça en grondant :
— Il y a des gens qui vont jusqu'au bout, question religion.
La remarque, Frannie le savait, visait plus à incriminer les épiscopaliens qu'autre chose. Cependant, elle renonça à défendre l'Église. Elle avait déjà suffisamment de croix à porter.
— Où est la carte, Emma?
— Là, sous la facture de téléphone, Miss Frances.
A la grande déception de Frannie, ce n'était pas une photo. C'était l'une des cartes florentines vert et or personnelles de DeDe et le message était aussi désinvolte que laconique :

Maman,
Nous sommes confortablement installées.
Les bébés vont bien, je suis bronzée et en pleine forme. J'ai rencontré des tas de gens charmants ici. Je bosse pour la première fois et je suis ravie.
Tu me manques beaucoup, mais je pense que tout est mieux ainsi.
D'or t'embrasse.

Baisers,
DeDe.

Frannie soupira bruyamment et posa la carte devant elle. Emma appuya une main sur son épaule pour la consoler :
— Ne vous faites pas de souci, Miss Frances. Ça lui passera. C'est une fille intelligente. Elle finira par revenir à la raison.
La matriarche secoua la tête, puis elle se tamponna les yeux avec une serviette de cocktail.
— C'est plus que je ne peux supporter, Emma.
— Qu'est-ce que vous voulez dire?
— C'est la fête des Mères, Emma. A chaque

fois, Edgar m'apportait des chocolats de chez Godiva ou quelque chose de ce genre ; parfois j'oublie qu'il n'est plus là et c'est comme si je le perdais à nouveau. Et puis maintenant, Beauchamp n'est plus là non plus... ni DeDe... ni mes seuls petits-enfants.

Emma pressa l'épaule de sa maîtresse :

— Il faut que vous soyez courageuse, Miss Frances.

Frannie ne dit mot pendant un moment, puis elle adressa un sourire las à sa bonne :

— Vous êtes *tellement* sage, Emma.

— Ne vous faites pas de souci.

Frannie hocha la tête d'un air décidé et reprit la carte postale. Elle plissa légèrement les yeux, puis examina le timbre et le cachet.

— Je ne sais même pas où est le Guyana, dit-elle.

Pendant ce temps, dans la cour du 28 Barbary Lane, Michael Tolliver testait ses jambes comme un poulain qui vient de naître. Mary Ann sortit de la maison.

— Je viens de parler à Mildred ! cria-t-elle.

— Ouais ?

— C'est OK, Mouse. Ils peuvent te prendre au courrier dans deux semaines, si tu t'en sens capable.

— Enfin ! Je ne vais plus être une femme au foyer !

— Tu vas aimer le nouveau patron, je crois. C'était le directeur de la création, avant.

— Oh, oh... fit Michael.

— Oui, fit Mary Ann. Pédé comme un foc.

— Oh ! Tout est bien qui finit bien !

— En partie, du moins.

— *En partie ?* Mais le monde ne s'est jamais

aussi bien porté ! Mona et Brian vivent ensemble depuis presque une semaine. Mme Madrigal sourit comme le Chat d'*Alice au pays des merveilles*. Tu vas peut-être finir riche en vendant tes Mémoires... Et Burke encore plus. Je suis redevenu un jeune homme en pleine forme, et Jon et moi pouvons maintenant... Bon, laisse tomber ça. Et de surcroît — miracle des miracles ! — ma mère m'a envoyé un gâteau hier.

— Je sais, répondit Mary Ann en souriant. Jon m'en a donné un morceau. Je suis contente qu'elle ait évolué, Mouse.

— Ça, on n'en est pas encore sûrs. Il n'y avait pas de message. Juste le gâteau.

— Elle fait de son *mieux*.

— Si elle m'avait envoyé un sac à main, j'avoue que j'aurais été un peu inquiet.

Mary Ann égrena un petit rire forcé.

— Qu'est-ce qu'il y a ? demanda Michael. Quelque chose ne va pas ?

Silence.

— Oh, mon Dieu ! s'exclama-t-il. Pas M. Williams ? On n'a pas découvert son corps, quand même ?

— Non ! Pour l'amour du ciel, Mouse, ne recommence pas avec ça ! C'est à cause de Burke. Il déménage à New York. On lui a offert un poste au *New York Magazine*.

— Oh, non !

— Je *devrais* être contente pour lui : c'est une fabuleuse opportunité. La plupart des journalistes seraient prêts à tuer pour avoir l'occasion de travailler là-bas.

— Est-ce qu'il t'a demandé de l'accompagner ?

— C'est la première chose qu'il m'a demandée.

— Et... ?

— Je ne peux *pas,* Mouse.

Elle jeta un regard désemparé sur la cour.

— C'est trop joli, ici.

— Brave fille.

— Non, idiote, tu veux dire. *Pauvre* idiote.

Silence.

— Qu'est-ce qui ne tourne pas rond chez moi, Mouse ?

— *Rien,* Babycakes. Tu en as juste marre de quitter le bercail.

Il lui prit le bras et l'emmena vers la maison.

— Où on va ? demanda Mary Ann.

— On retourne à Tara, Scarlett. On trouvera bien un moyen de le faire revenir, ce beau gosse. Après tout, ma chérie, demain *est* un autre jour !

Armistead Maupin

Maybe the moon

Cadence Roth rêve des feux de la rampe. Cadence Roth rêve de décrocher un vrai rôle à Hollywood, Terre promise de tous les coureurs de cachet. Mais sa petite taille semble brider toutes ses espérances, dans le monde impitoyable et superficiel du show-business. Armistead Maupin, auteur des célèbres *Chroniques de San Francisco*, poursuit vers le sud son exploration douce-amère de la côte californienne et des accidents de parcours du rêve américain.

n°3384 – 7,80 €

Stephen McCauley

La vérité ou presque

D'un côté : Desmond Sullivan, homosexuel inquiet, intellectuel par accident, professeur inconsistant et médiocre biographe n'arrive pas à terminer son livre sur une chanteuse populaire passée à côté du succès ; de l'autre Jane Cody, productrice de télévision et épouse frustrée en pleine crise de la quarantaine, voit son émission vedette s'essouffler et son mariage basculer dans l'ennui. Leur banale rencontre à Boston va sceller leur destin. Avec humour, McCauley dépeint à hauteur d'homme des personnages qui se bernent eux-mêmes. Un monde fait de différences, d'indifférence et de petites lâchetés quotidiennes.

n°3554 – 8,50 €

Impression réalisée sur Presse Offset par

BRODARD & TAUPIN

GROUPE CPI

La Flèche (Sarthe), 32758
N° d'édition : 3111
Dépôt légal : mars 2000
Nouveau tirage : novembre 2005

Imprimé en France